李京姬 기행수필

'세계 도서의 해'인 1972년, 벨기에 브뤼셀에서 열린 제4회 국제도서박람회에 한국이 처음으로 참가했다. 박람회 기간 중에 벨기에 보두앵(Baudouin, 1930-1993) 국왕의 방문이 있었다. 이때, 박람회장에서 가장 작은 반쪽짜리 부스의 '코리아' 전시장에 들른 보두앵 국왕에게, 나는 가지고 갖던 조그만 선물을 주었다. 조금이라도 한국 전시장에서 오래 머무르고 관심을 갖게 하기 위해서였다. 출품된 책의 종류나 숫자가 다른 나라에 비교할 수 없을 정도로 허약하기 짝이 없었지만, 처음 참가했다는 것을 긍지로 삼고, 국왕에게 솔직하게 나의 마음을 전했다. 국왕은 나의 기대 이상으로 한국에 대한 관심을 보여주고 한국 부스에서 오래 머무르다 갔다. (본문 p.255 참조)

李京姬 기행수필

A Wanderer's Travel Essays Lee Kyung-Hee

1972년부터 2007년까지

열화당

책을 엮으며

오랜만에 책을 엮는다. 첫 수필집 『산귀래(山歸來)』(1970)를 시작으로 『뜰이 보이는 창(窓)』(1972), 『현이의 연극』(1973), 『남미의 기억들』(1977)…, 그리고 열한번째로 『외로울 땐 편지를』(2001)을 내고는 팔 년 만이다. 글을 쓰는 사람이 외도(外道)를 하느라고 소중한 글쓰기에 소홀했던 것이 아닌가 하여 문득 부끄러운 생각이 들었는데, 그건 아니었다. 책을 엮는 데 게을리 했을 뿐 글은 누구보다도 많이 쓰고 있었음을 알고 마음의 위안을 느꼈다. 『월간 춤』에 얼마 전까지 십이 년 팔개 월을 한 달도 빠짐없이 기행수필을 썼다는 것이 스스로 생각해도 자랑스럽다.

그 동안 많은 여행을 했다. 해외여행이 자유롭지 못했던 1960년대부터의 여행은 어느새 나의 삶의 테마가 되었다. 아마도 글을 쓰기 위한 방랑이었는지도 모른다. 나의 글 중에 문학과 관계없는, 꼭두극이라든가 박물관에 관한 국제회의 참가 이야기 등이 나오는 것은, 많은 유럽 여행에서 보고 다닌 환상적인 마리오네트(줄로 하는 꼭두극) 공연에 반해서 국제꼭두극연맹(UNIMA)에 한국을 가입시키는 일을 내가 했고, 나라마다 가장 소중히 여기는 박물관에 대해서도 관심을 갖고 쫓아다녔기 때문이다. 이런 관심이 오히려 나의 해외여행에 크게 도움이 되었음도 알린다.

이 책에 그냥 '수필'이라고 하지 않고 굳이 '기행수필'이라는 이름을 붙인 것은, 수필들이 모두 여행지에서 얻은 테마로 씌어진 것이기 때문이다. 「여행의 즐거움」이란 나의 수필에 이렇게 쓴 것이 있다. "살아 있는 사람들이 만든 또 다른 사회에서 만난 사람들의 삶의 모습을 대할 때마다 나는 애정과 희열을 느낀다. 그래서 나의 기행수필에는 사람들 이야기가 많이 나온다. … 낯선 외국인들이 오가는 길가를 내다보면서 마시는 차 맛의 유별남이란 얄팍한 감상 같은 것으로만 다룰 것이 아니다. 보다 깊고 큰 인생의 또 다른 어떤 고귀한 감정으로 풀이해야만 할, 오직 경험자만이 가질 수 있는 감정이 아닐는지…."

한편, 이 책에 Q씨에게 쓴 편지 글들이 많은 것은, 나의 수필 작법을 밝힌 「편지를 쓰는 마음으로」라는 글에 "나는 글을 쓸 때 누군가를 생각하면서 쓴다. 그런 것이 상(像)을 만들 때 훨씬 쉽기 때문이다. 예컨대 나의 사랑하는 딸이거나 남편이거나 친구거나, 아니면 적이라고 가상하는 어떤 이름 있는 사람을 설정하고 쓰기도 한다. … 그래야만 별로 거침없이 마음먹은 바를 모두 기술할 수 있을 것 같다"라고 했는데, Q씨는 그같은 대상의 한 사람일 뿐이다.

이번 기행수필들은 『월간 춤』에 1994년 11월부터 2007년 6월까지 십이 년 팔 개월 동안 발표한 글 중에서 선별한 것이다. 그런데 글을 선택하는 데 쉽지 않았던 것은, 그 기준을 지리적인 나라별로 선택해야 좋을지 여행의 시기별로 해야 좋을지를 몰라서였다. 더욱이 오래된 여행 이야기가 많아서, 그때의 향수가 느껴지는 것도 있으나 반대로 시대적인 향기를 잃은 글도 있어서 쉽지 않았다. 마지막으로 결정을 내린 것은 목차에서와 같이 지역별 나라들로 묶기로 하고, 그 중에 가장 최근의 여행을 맨 위에 올렸다.

지상의 낙원 에스파뇰라 섬과 도미니카, 아이티에 관한 글들은 『남미의 기억들』에 실렸던 것이지만, 쿠바, 바하마 글과 조화를 이루게 하기 위해 재수록했다. 그리고 「왕과 나」와 「프렌치 씨에게서 받은 옛 타이프라이터」는 다시 한번 읽히고 싶어서 각각 『뜰이 보이는 창』과 『외로울 땐 편지를』에 있는 것을 실었다. 독자들의 양해를 구한다.

책 말미의 '이경희를 말한다' 에 실린 글들은, 책을 엮기 위한 자료들을 찾다가 발견한 신문이나 잡지에 실린 서평과 편지글 들이다. 마흔이 되는 해에, 뒤늦게 글을 쓰기 시작한 나에게 과분한 평을 써 주신 분들이 너무도 고맙고 감격스러운 마음에, 그리고 지난날에 받은 나의 평가도 알리고 싶은 마음에 그 중의 일부를 실었다. 서평들을 써 주신 우리 문단의 최고 어른들께서는 이미 여러 분이 세상을 뜨셨다. 그분들의 명복을 빈다.

책을 내면서 계속 남편 생각에 젖었다. 나의 그 많은 해외 나들이를 언제나 좋은 얼굴로 "잘 다녀오구려. 돈 너무 아끼지 말고, 건강 조심하고…" 하던 그였다. 그이는 내가 여행 중에 구두쇠 노릇을 하는 것을 잘 알고 그렇게 말하곤 했다. "여자가 무거운 트렁크를 낑낑대고 들고 다니는 모습은 아주 보기 흉해. 숙녀답지 않단 말이야." 그 옛날 공항에 짐 싣는 카트가 없었을 때 이야기다. "돈을 아끼려면 여행을 가지 말아요. 비싼 비행기 값을 내면서 먹는 것에 신경 안 쓰고 다닌다면 당신

머리가 얼마나 나쁜 건지 아우?" 이런 말에는, 가고 싶은 곳을 다 다닐 생각을 하지 말라는 경고가 담겨 있어서, 그때마다 남편에게 여행 허락을 받으려고 나는 "꼭 그렇게 하겠어요"라고 공손하게 대답을 하고 떠나곤 했다. 그대로 했는지는 여기 밝히지 않겠지만, 그토록 나의 여행을 마음으로 도와주던 남편이 재작년 정월, 영영 돌아올 수 없는 여행길을 떠났다. 이제 나는 그이의 따뜻한 마음이 헤아려지는 지난날의 기행수필들을 읽으며, 돌아오지 못할 긴 여행을 떠난 남편과의 동행을 위해 급히 이 책을 엮고 있다.

이 책을 엮을 수 있었던 것은 『월간 춤』지가 그토록 오랜 기간 동안 나의 글에 계속해서 애정을 가져 준 덕이라고 생각한다. 발행인이신 조동화(趙東華) 선생님께 뜨거운 마음의 감사를 드린다. 기행수필만을 모아서 책을 내기는 『남미의 기억들』 이후 이번이 두번째이다. 이번에도 나의 기행수필집 출간을 기꺼이 허락해 주셨을 뿐 아니라, "적어도 이경희의 '기념비적'인 책을 내야 하지 않겠느냐"며 나에게 근엄한 훈시까지 내리면서 글의 선정부터 편집, 장정까지 직접 지휘해 주신, 열화당의 대표이며 파주출판도시라는 거대한 프로젝트를 이룩해내신 이기웅(李起雄) 사장님에게 존경과 깊은 감사의 뜻을 전한다. 또한 사장님의 엄격한 지시에 더욱 힘들었을 열화당의 공미경, 조윤형, 이민영 씨에게도 특별한 고마움을 표한다.

2009년 4월
이경희

차례

책을 엮으며 5

카리브 해의 섬나라들─도미니카 아이티 바하마 쿠바

지상의 낙원 에스파뇰라 섬 15   신세계에서 가장 오래된 도시 20
강렬한 원색의 그림이 있는 나라 23   뱃길에서, 긴 긴 시간 남준이 생각을 29
나이를 잊게 한 남미의 춤과 음악 38   안토니오 씨 집과 헤밍웨이의 카페 45
플라멩코 미사 참례는 참으로 은총이었다 53   쿠바의 항구엔 노래가 있다네 58
쿠바를 사랑합니다, 무초 무초! 62

지중해 크루즈─이탈리아 그리스 터키 프랑스 스페인

백남준의 베네치아와 산마르코 광장 71   니코스의 외할아버지로부터
들은 신화 이야기 78   「일리아드」에 꿈을 안고 산 고고학자 슐리만 85
앤서니 퀸의 춤과 『그리스인 조르바』 90   양식을 먹을 때면 생각나는
우치다 햣켄의 수필 99   뜻도 모르고 부르던 노래 「우스쿠다르」 102
혁이 오빠의 노래 「돌아오라 소렌토로」 109   사바티니 식당에서 떠올랐던
코미디 같은 실화 113   죽은 뒤에도 산 사람과 가까이 있고 싶어하는
로마인 116   나의 자화상과 김소운 선생의 크루즈 122   알퐁스 도데의
「아를의 여인」 마을 130   다시 삶이 주어진다면 구엘 공원에서 135

스페인 기행 — 빌바오 그라나다 세비야 마요르카

찾지 못한 프란치아의 어시장과 골목길 아이들 143 「그라나다」 노래가
절로 나오는 골목길에서 150 다섯 양자를 키우는 헬즈리 부인과의 만남 156
떠나기 전날, 혼자서 거리를 걸었습니다 164

영국 아일랜드 일주 —
런던 옥스퍼드 카디프 리버풀 요크 에든버러 더블린

가스통 르루의 〈오페라의 유령〉을 보다 175 가방을 맡아 준 벨라드 씨와
점심을 먹으며 179 착각 때문에 수난을 당한 피어스 부인 184
존 레넌이 치던 하얀 그랜드피아노 앞에서 192 두 양녀를 키우는
말레이시아인 부부 197 비 오는 날, 홀리루드 궁전은 침울하기만 하고 202
제임스 조이스를 받아들인 더블린 사람들 208 흰 빨래가 널린
아이버 씨 댁 뒤뜰에서 214

북중미 산책 — 미국 캐나다 멕시코

프렌치 씨에게서 받은 옛 타이프라이터 223 인상적인 소칼로의 풍경 229
거지 소년 톰의 궁전 구경 235 뮤지컬 〈미녀와 야수〉와 찰스 램의 수필
「옛 도자기」 242 '비키니' 때문에 '와이키키'의 철자를 잊어버리고 247

유럽 순례 ─
벨기에 독일 체코 헝가리 핀란드 노르웨이 크로아티아

왕과 나 255   마저 박사를 마지막으로 만난 도시 260   할머니는 동양 여자가 걱정이 돼서 266   나이 지긋한 물리학 교수의 안내를 받으며 272   처음 본 발레 〈마농〉의 군무를 즐기다 279   순수한 열정으로 의무를 다하며 사는 사람들 285   푸슈킨박물관의 보나미 씨로부터 온 편지 291   플랑드르 들판의 젖소들 298   안톤 체호프가 반한 지중해의 휴양지 오파티야 301   천으로 포장돼 버린 국회의사당 306

일본 나들이 ─ 도쿄 요코하마 삿포로 오타루

깊어 가는 가을밤 타향의 하늘 313   우연은 이미 정해져 있는 것, 브로치에 새겨진 이니셜 318   유람선의 흰 갑판 위를 오르는 관광객들 324   차 안에서 동화를 들으며 331   '글 쓰는 피에로'의 오르골 음악 335

이경희를 말한다

사금(砂金) 채취의 명수 정비석 343   주부라는 걸 의식하면서 글을 쓴다는 것 황순원 344   야채 샐러드 한 접시의 산뜻한 미각 김소운 345   책이 닳은 날 밤 늦도록 읽고 김소운 348   미묘 섬세한 감각의 삼출 서정주 349   글은 왜 쓰는가 김현 350   격(格)을 얻은 수필가 피천득 353   넘치는 서정미와 인생에 대한 예리한 관찰력 신석상 355   따뜻한 생활의 향훈(香薰) 신동한 356   꼭두각시 아줌마! 이헌구 361

카리브 해의 섬나라들―
도미니카 아이티 바하마 쿠바

여행 중의 아침식당은 늘 즐겁다. 아침의 신선한 생기를 몰고 들어오는 나그네들의 얼굴을 보는 것이 즐겁고, 갓 구어 나온 빵들이 쌓여 있는 것이 눈에 들어와서 즐겁고, "커피 드릴까요?" 하고 주전자를 들이대며 테이블 사이를 돌아다니는 종업원들을 만나는 것들이 모두 즐겁다. 그러다가 모르는 얼굴의 신사가 같은 테이블에 앉으면서 "굿 모닝! 함께 앉아도 될까요?" 하면 더욱 즐겁고 즐겁다.

지상의 낙원 에스파뇰라 섬
산토도밍고에서 1

Q씨, 카라카스 공항 안은 무척 더웠습니다. 벽에 걸려 있는 온도계가 섭씨 삼십 도를 가리키고 있더군요. 소매 없는 원피스를 입고 나올 걸 그랬다는 생각이 들었습니다. 베네수엘라의 지도를 머릿속으로 상상해 보았지요. 내가 도대체 지구의 어디쯤 와 있나 해서.
도미니카로 가는 비행기 출발 시간까지 삼십 분을 기다려야 하는 동안 서울의 Y여사 컬렉션을 위해서 재떨이 한 개를 샀습니다. 조그만 기념품이지만 그렇게 오다가다 몇 개 산 것이 어느새 짐이 되어 버렸습니다.
비행기가 활주로를 벗어나자 곧 카리브의 푸른 바다가 펼쳐졌습니다. 베네수엘라를 마지막으로 남미 땅을 떠나고 있다는 생각에 공연히 감개무량해지더군요.
페루, 칠레, 아르헨티나, 파라과이, 우루과이, 브라질 그리고 콜롬비아…. 그러나 볼리비아를 들르지 않고 그대로 떠난 것은 아무리 생각해도 잘못한 일이었습니다.
서울을 떠날 때 해외 공관원 K씨가 그토록 말리지만 않았더라도, 나는 그 쿠바의 혁명가 게바라란 사나이가 죽은 볼리비아의 땅을 밟을 수 있었을 텐데 말입니다. 하긴 그의 말을 듣지 않았더라면 지금쯤 볼리비아의 수도 라파스 공항에서 호흡곤란을 일으키고 쓰러져 있을지도 모릅니다만.
K씨의 만류 이유가, 처음 가는 사람은 해발 사천팔십이 미터의 라파스

비행장에서 산소 부족으로 쓰러지는 일이 많다는 것이었기 때문입니다.
카리브 해의 바닷빛은 몹시도 푸르고 아름다웠습니다. 언젠가 이탈리아의
카프리 섬에서 본 지중해의 바닷빛이 생각나더군요.
'카리브 해! 아, 이래서 모두들 햇빛 쏟아지는 카리브에 그토록 찬사를
보내는구나!' 하고 생각했습니다.
멀리 안개가 끼어서 하늘인지 바다인지 분간할 수 없는 속을 비행기는
날고 있었습니다. 바다 위에 배가 한 척 지나가고 있더군요. 왠지 그 배가
외로워 보였습니다. 그래서 그 배가 가는 대로 비행기도 함께 갔으면
좋겠다는 생각을 했죠. 그런데 우리의 비행기는 그 작은 배를 모른 채,
반대 방향으로 그냥그냥 가는 게 아니겠어요? 얼마 후 바다 위에는
아무것도 보이는 게 없었습니다.
비행기 안이 차츰 시원해지자 조금 전의 열대의 감각을 완전히 잊어버리는
듯했는데, 동그란 창문으로 햇빛이 너무도 강렬하게 들어오고 있어
외부의 더위를 다시 생각하게 되었습니다. 나는 그 햇살 옆에서 생각나는
일들을 기록했습니다.
비행기가 뜬 지 얼마 안 되었는데 착륙을 알리는 안내방송이 들렸습니다.
벌써 산토도밍고인가 했더니, 그게 아니라 글라소라는 섬이었습니다.
그제야 그 비행기가 글라소를 경유한다는 것이 생각났습니다.
비행기 착륙과 더불어 바다는 어느새 옆에 와 닿아 있었습니다. 정말 눈
깜짝할 사이에 나는 어딘가에 와 있는 것이었습니다.
바닷가 모래 위에 배나무 키만큼씩 자란 선인장들이 멋없이 돋아
있었습니다. 그 쓸쓸하게 서 있는 모습이 남국의 정취를 느끼게 하더군요.

글라소에서 타는 승객들은 대부분이 흑인 남녀들이었습니다. 승객마다
양손에 쇼핑백을 들고 비행기 속으로 들어오는 모습들이, 마치 피엑스에
다녀오는 미군들을 연상케 했습니다.

그러고 보니 글라소가 자유항(自由港)이라 한 것 같았습니다. 어쩐지,
조그만 섬의 공항 면세점에 고급 시계며 보석이며 하는 사치스런
물건들이 많다는 생각을 했으니까요. 인접 지역에서 이곳으로 일부러
물건을 사러 온다는 이야기를 카라카스에서 들었던 것 같습니다.

흑인 아가씨들의 차림은 요란했습니다. 가발로 단장한 반드르르한 머리
모양이며 손가락마다에 낀 번쩍이는 반지와 손목에 찬 팔찌들, 그리고
짙은 향수 냄새…. 나는 촌여자처럼 자꾸 그들을 쳐다보게 되었습니다.

글라소를 출발한 지 한 시간이나 되었을까 했는데 비행기는 도미니카의
수도 산토도밍고에 닿았습니다. 하늘은 잔뜩 흐려 있었고 땅에는 많은
비가 내린 흔적이 있었습니다.

이런 아름다운 섬에 와서 맑은 날씨의 바다를 보지 못하고 떠날까 봐
걱정을 했는데, 그것은 하루에 두 번씩 내리는 소나기라고 운전수가 일러
주었습니다. 내가 그의 말을 똑바로 알아들었는지는 모르지만, 그의
브로큰 잉글리시를 그런 뜻으로 들었습니다.

카라카스에서 예약해 둔 호텔 엠버서더까지 공항에서 십 달러로 정하고
택시를 탔습니다. 영어를 아는 운전수는 별도로 취급받고 있었습니다.
그는 백미러로 나를 흘끔흘끔 보며 차창 밖에 보이는 것들을 흥이 나서
설명해 주었습니다. 그러나 목소리만 컸지, 도무지 무슨 말인지 알아들을
수가 없었습니다. 그저 그가 이야기할 때마다 웬만하면 "시(Si)!"

"시(Si)!" 하고 나도 브로큰 스페니시로 응해 주었습니다. 그는 그때마다 그렇게 유쾌하게 웃으며 좋아할 수가 없었습니다.

'그래, 너와 나도 인연이겠지! 이 먼 나라에 와서, 네 수선 떠는 것 들으며 차 속에 앉아 있을 거라고 내가 꿈엔들 생각해 봤겠니?' 속으로 이렇게 생각하며 차창 밖으로 펼쳐지는 아름다운 해안에 눈을 돌리고 있었습니다.

매끈히 뻗은 그 공항 길을 수없이 다녔을 운전수가 솜씨를 부려 멋지게 커브를 그리며 달리면, 바다도 똑같은 커브로 줄달음치는 것이었습니다. 스테레오 음악도 같은 리듬으로 달리고 있었습니다.

차가 시내로 들어서는 길목에서 신호를 기다리는 동안 차 옆으로 신문팔이 소년들이 모여들었습니다. 손에 든 신문을 저마다 들이대며 나에게 사라는 게 아니겠어요? 어디를 가나 살아가는 방법이 어쩌면 이렇게 닮았을까요. 가난은 이 아름다운 섬에도 있었습니다. 갑자기 나는 여행의 낭만에서 인간살이의 현실로 돌아온 기분이었습니다. 나는 맨발의 소년들의 발에 자꾸 눈길이 갔습니다.

엠버서더는 해변에 자리한 호화판 호텔이었습니다. 로비는 마치 『아라비안 나이트』의 궁전을 연상케 했지요.

Q씨, 아는 사람이 전혀 없거나, 그 나라에 대해 너무도 생소하여 불안한 느낌이 들 때, 나는 안전책으로 이런 일급 호텔을 예약하곤 합니다. 콜럼버스가 제일 먼저 발견하고 그 아름다움에 반하여 '지상의 낙원'이라고 불렀다는 에스파뇰라 섬, 이곳에 내가 발을 딛고 서 있다는 생각을 하니, 한국으로부터 엄청난 거리감 때문인지 어느새 콜럼버스

시대로 돌아가 있는 느낌이었습니다.

나는 콜럼버스의 유해가 묻혀 있다는 사원을 찾아갔습니다. 콜럼버스는 자기가 죽으면 에스파놀라 섬에 묻어 달라고 했다더군요.

그가 살았다는 집, 그리고 그가 타던 배 산타마리아 호를 묶어 두었다는 선창가의 고목…, 이런 것들이 마치 무대 배경처럼 서 있었습니다.

신대륙 최고(最古)의 도시라는 도미니카의 수도 산토도밍고는 역시 건물들이 많이 헐어 있었고, 오랜 식민지 생활의 가난을 군데군데에서 엿볼 수 있는 그런 인상의 도시였습니다.

숨막히는 더위에 지쳐 나는 더 이상 구경을 못 하고 호텔로 돌아오고 말았습니다. 시민들의 표정이 한결같이 지쳐 보였던 것도 아마 그같은 더위 때문이었던 모양입니다.

호텔에 도착하자 억수 같은 소나기가 또 퍼부었습니다. 정말이지, 이런 지방에는 하루에 두 번씩 이같은 소나기가 있어야겠구나 생각했습니다. 맑은 물의 풀에서 수영을 즐기던 사람들이 쏜살같이 야자잎 초막(草幕)으로 소나기를 피해 뛰어가는 모습도 여행자인 나를 신나게 하는 정경이었습니다.

그때 옆에서 한 백인 신사가 말을 건넸습니다.

"이런 거 한 장 찍으세요. 비의 배경이 멋진 기념이 될 겁니다."

나는 들고 있던 카메라를 그에게 내밀었습니다. 그가 셔터를 누르는 동안 내가 서 있는 테라스로 비가 마구 들이쳐서 차가웠지만, 참을만은 했습니다.

"이게 스콜인가 보죠?"

나는 중학교 영어시간에 배운 단어가 생각나서 한마디 써 봤습니다. 그런데, 그는 분명 영국 사람이었는데도 알아듣질 못하는 게 아니겠어요? 괜히 말을 꺼냈구나 했지만, 몇 번을 반복해 말했더니 그제야 "아아, 스콜 말이군요?" 하며 설명을 해주더군요. 그건 적도 부근 해상에서 내리는 소나기를 말하는 것이지, 육지의 경우는 그렇게 말하지 않는다는 것이었습니다.

Q씨, 외국어란 막상 사용할 때 이렇게 엉뚱한 실수를 하게 될 수 있음을 알았습니다. 여행은 산 공부라더니, 때론 이런 것도 배우게 되는군요.

신세계에서 가장 오래된 도시
산토도밍고에서 2

Q씨, 한참 만에 도널드 씨가 택시를 마련했다며 기쁜 얼굴을 하고 나타났습니다. 호텔까지 십 달러면, 게다가 운전수가 영어를 할 줄 아는 사람이니 괜찮지 않냐는 것이었습니다.

카라카스 공항에서 우연히 알게 된 영국 신사 도널드 씨가, 마침 행선지가 같은 산토도밍고라는 바람에 어느새 서로 의지하게 되어 비행기에서 내리자 나는 그의 짐을 지켜 주고, 그는 우리가 탈 택시를 흥정하러 간 것이었습니다. 이렇게 해서 동서양의 낯선 사람끼리 만나, 둘 다 낯선 땅에 왔다는 그 한 가지 공통점만으로 그와 나는 옛 친구 같은 기분으로 함께 차를 타고 시내까지 들어왔습니다.

산토도밍고는 신대륙에서 가장 오래된 도시입니다. 콜럼버스가 쿠바 다음으로 발견한 에스파뇰라 섬이 너무도 마음에 들어 자기 동생을 시켜 도시를 세우게 한 것이라더군요.

동양의 한 조그만 나라에서, 그것도 학교 지리시간에 들은 콜럼버스의 '신세계 발견'이란 말만으로는 마치 단군신화를 듣는 것마냥 실감이 나지 않았는데, 막상 이 도시에 와 보니 정말 내가 콜럼버스가 잠깐이나마 다녀간 마을에 와 있는 것처럼 감회에 젖게 되었고, 그 먼 세월이 어제와 같이 느껴졌습니다.

반드시 아름답거나 예술적인 것만이 감명을 주는 게 아니라, 헐고 찌든 집들이라도 '신세계 최고의 도시'라는 말과 연관시키게 되니 많은 것을 생각하게 되더군요.

사업차 산토도밍고에 왔다는 도널드 씨는 볼일을 보러 가는 길에 나의 호텔로 찾아와 다시 택시 한 대를 예약해 주고 갔습니다. 내가 관광을 하러 간다는 것을 알고 그는 그런 친절을 베풀어 주었습니다. 영어 하는 사람으로, 그리고 인상 좋은 운전수를 택했다는 그의 말이 우습기도 하고 고맙기도 했지요.

스페인 식민지였던 이 나라의 통용어가 스페인어이고, 운전수의 대부분이 흑인이어서, 여자 혼자 타게 하는 것이 몹시 걱정스러웠던 모양입니다. 내가 도널드 씨의 나라 영국에 가서도 백인들에게 이런 겁나는 마음이 들까 하는 생각을 하니 문득 죄스런 생각조차 들었습니다. 흑인 운전수는 가장 먼저 콜럼버스의 유해가 묻힌 교회로 나를 데려갔습니다. 그 교회 역시 신세계에서 가장 오래된 것이라 합니다.

운전수는 콜럼버스가 탄 산타마리아 호를 묶어 두었다는 거목을
보여주며 "사실인진 모르지만…" 하고 굳이 단서를 붙여 설명을 했는데,
왠지 그의 겸손한 마음씨 탓인 것 같아 호감이 갔습니다.
산토도밍고에서의 관광은 온통 콜럼버스에 관한 것뿐이었습니다.
콜럼버스란 이름의 박물관에도 갔지요. 이사벨라 여왕으로부터 받은
편지, 산타마리아 호에 달았다는 닻, 그리고 그가 쓰던 책상과
지구의(地球儀) 등이 진열되어 있었습니다.
Q씨, 하여간 이 작은 섬나라는 콜럼버스 덕을 톡톡히 보는 나라라는
생각이 들었습니다. 나부터 그런 것에 흥미를 가지고 찾아왔으니
말입니다.
날씨가 너무 더워서 거리 구경은 대충 하고 호텔로 돌아왔습니다.
호텔에서 내다보이는 바닷가와 야자수, 그리고 초막과 통나무배들…,
한눈에 들어오는 이 모든 것이 언젠가 그림에서 보고 먼 꿈으로 동경했던
곳 같아 왠지 감개무량해졌습니다.
저녁식사는 역시 친절한 영국 신사 도널드 씨와 함께했습니다.
여행 중에 저녁을 혼자 먹는 일같이 괴로운 것은 없습니다. 그런데
저녁을 함께할 벗이 생겼다는 것은, 마치 일 하나 던 것처럼 즐겁게
느껴졌습니다.
우리는 도미니카의 특색있는 닭고기 요리를 주문했습니다. 잔뜩
기대했던 것과는 달리 그저 평범한 닭튀김 요리였는데, 한 옆에 팥밥이
곁들여져 나온 것에 놀랐습니다. 우리의 팥밥, 바로 그와 똑같은
것이었으니까요. 오랫동안 한국 음식 맛을 잊고 있었다는 것이 생각나 그

좋은 고기 요리를 두고 김치 생각을 했습니다.
도널드 씨는 나의 그런 마음도 모르고 닭튀김 요리를 체면 없이 마구 먹어 댔습니다. 그리고 연신 냅킨으로 입을 닦아 가며 이야기를 계속하는 것이었습니다. 시종 그는 낮은 목소리로 무엇인가 이야기를 하였으나 그 이야기의 절반은 알아듣지 못하고 말았습니다.

강렬한 원색의 그림이 있는 나라
포르토프랭스에서

Q씨, 산토도밍고를 떠날 때 공항에는 비가 내리고 있었습니다. 아무도 배웅 나온 사람이 없는 이 카리브 해의 조그만 섬을 떠나면서, 내가 이곳에 며칠이나 있었다고 마치 고향 떠나는 사람처럼 서글픈 생각이 드는지 모르겠군요. '떠나는 항구'에 비가 내린다는 것은 어쨌든 서글픈 일임에 틀림없습니다.
공항까지 나를 태워 준 택시 운전수가 나의 짐을 내려 주곤 "봉 보야주!" 하고 가 버리더군요. 비록 흑인 택시 운전수의 간단한 인사 한마디였지만, 그 말이 그렇게도 정감있게 느껴질 수가 없었습니다.
주책 없이 감상적인 소녀처럼 말입니다.
그와 나는 택시 안에서 많은 이야기를 나눴죠. 내가 묵었던 엠버서더 호텔(스페인 말로는 엠바더라 발음하더군요)에서 공항까지 약 한 시간이 걸리는 거리였으니까 꽤 오래 이야기한 셈이죠.

여자가 혼자 여행하면서 공연히 아무나 만나 이야기를 나눌 순 없잖아요. 그럴 때 택시 운전수가 제일 쉽게 말을 건넬 수 있는 사람이니까 나는 늘 이런 식으로 한답니다.

"가족이 몇이세요? 수입이 좋습니까?" 저는 이런 것까지 물어본답니다. 그도 나에게 묻더군요. "내가 한국에 가면 쉽게 직장을 가질 수 있을까요?"

나는 한국 사정을 어떤 식으로 설명해야 할지 잠깐 생각하는 중이었는데, 그는 "역시 검둥이라 환영하지 않겠군요?" 하는 것이었습니다. 나는 당황해서 그의 말을 얼른 부정했죠. 그런 뜻에서 머뭇거렸던 것은 결코 아니었기 때문입니다. 그런데 그렇게 질문하는 그쪽의 태도가 너무도 태연하고 언짢은 기색이 없는 데에 나는 또 한 번 놀랐습니다.

비에 젖은 활주로를 달리는 비행기 창가에 앉아서 나는 그 흑인 운전수를 생각하고 있었습니다.

비와 항구! 확실히 감상적이 되지 않을 수 없었습니다.

삼십 분 만에 아이티의 포르토프랭스에 도착했습니다. 미처 지도를 꺼내어 카리브 해의 섬들을 들여다볼 시간도 없이 말입니다.

과연 열대의 더위더군요.

입국 수속을 하고 있는데 한 젊은 아이티 신사가 나에게로 왔습니다. 나는 그가 우리나라 명예 총영사라는 것을 즉시 알아차렸습니다. 키가 호리호리하고 인상도 꽤 좋은 신사였는데 표정이 없더군요. 말하자면 "아, 어서 오십시오. 기다리고 있었습니다" 하는 형식적인 데라곤 전혀 없는 무뚝뚝한 남자였다는 거죠.

제스처와 표정이 풍부한 유럽풍의 신사를 원한 것은 아니었지만, 전혀 기대하지 않았던 것도 물론 아니잖겠어요?

하여간 그 사내가 영어를 유창하게 한다는 것은 저에게 큰 다행이 아닐 수 없었습니다. 아이티는 중남미에서 유일한 불어 사용국입니다.

잠깐, 공항에서의 인상을 다시 말씀드리죠.

세관에서 짐이 나오기를 기다리고 있는 동안, 건물 안을 두리번거렸더니 벽 두 군데에 이 나라 대통령의 사진이 걸려 있더군요.

그 나라 대통령의 얼굴을 미리 알고 있었던 것은 아니나, 그게 대통령 사진이라는 것은 금방 직감할 수 있었습니다. 그 둘이 각기 다른 복장을 한 사진들이어서 보는 데 지루하지는 않았습니다만, 그것이 공항 벽을 장식한 전부였다는 사실이 그저 재미있게 생각되었습니다.

사실 이 나라에 대해서 약간은 알고 왔는데, 그것이 바로 '파파 독'이라는 애칭을 가지고 십여 년 동안 대통령 자리를 누리다가 죽을 때 열 몇 살짜리 아들에게 자리를 물려주었다는 이야기여서, 그 사진들을 보는 순간 그런 이야기들이 기억났습니다.

아이티인 명예 총영사는 자동차를 타기 전에 자기의 명함을 나에게 주었습니다. '이브 앙글라데. 대한민국 명예 총영사' 이렇게 적혀 있었습니다. 나도 그에게 명함을 주었습니다.

그는 앞만 보고 차를 운전했고, 나는 그의 옆모습을 보아 가며 말을 건넸습니다.

"한국에 오신 적이 있으세요?"

"네, 작년 가을에 다녀왔습니다."

"어땠어요?"

이 말을 해 놓고, 이런 질문은 하나마나란 생각을 했습니다. 대답은 뻔할 테니까요. 역시 그의 대답은 '참 좋았습니다' 였습니다.

나는 그에게 더 이상 말을 걸지 않고 차 밖을 내다보았습니다. 산기슭을 타고 비스듬히 굴곡진 오르막길을 차는 몇 번이나 돌며 올랐습니다. 멀리 바다가 보이고, 바로 그 길 옆은 사탕수수밭이 무성했습니다. 스페인 사람이 이 섬을 정복하고 사탕수수를 재배하기 위해 아프리카에서 흑인 노예를 끌어들였다는 이야기가 생각났습니다. 나는 문득 옆에서 운전하고 있는 앙글라데 씨의 조상이 머리에 떠올라 다른 생각을 하기로 했습니다.

내가 유숙하기로 되어 있는 프라자 호텔 앞에는 큰 공원이 있었습니다. 호텔이라기보다는 부잣집 개인 별장과도 같은 단층건물의 이 호텔에는 열대 식물과 꽃들로 가득 찬 정원이 있고, 그 한 곁으로는 맑은 물이 찬 풀장이 한가롭게 햇빛을 반사하고 있었습니다.

정원에는 조그만 홍예문도 있었습니다. 그곳을 지나면 그 안에 또 정원이 있고, 거기에 또 조그만 홍예문이 있는 그런 건물이었습니다. 호텔의 벽이며 담은 모두 흰색으로 칠해져 있어 마치 외인부대가 있는 사막의 저택 같았습니다.

방문을 열면 바로 정원으로 걸어 나가게 되어 있는 곳에 나의 방이 정해졌습니다. 짐을 놓고 나는 우선 식당으로 갔습니다. 새벽에 산토도밍고를 떠나는 바람에 아침을 못 먹었기 때문입니다.

시간은 이미 정오가 다 되어 가고 있었습니다.

대나무로 만든 식탁이 자리마다 비어 있고, 손님은 나 혼자였습니다. 높은 천장에는 큰 선풍기가 빙글빙글 돌고 있었습니다. 바람이 이는 것은 느껴지지 않았고, 오히려 돌고 있는 모습에서 열대의 더위가 느껴졌습니다.

호텔비에 두 끼 식사가 포함되어 있다는 웨이터의 설명을 듣고 메뉴를 마음 놓고 들여다보았습니다. 디저트로는 이름이 마음에 드는 '바나나 딜라이트' 란 것을 시켰는데, 가져온 것을 보니 별것도 아닌 것을 그렇게 요란한 이름으로 멋을 냈더군요. 바나나를 겅둥겅둥 썰어서 그 위에 설탕을 흠뻑 뿌려 놓은 것이었습니다. 끔찍스럽도록 달아서 다 먹을 수는 없었습니다.

앙글라데 씨가 온다는 시간까지 나는 한가로운 시간을 보낼 수 있었습니다. 넝쿨쳐 올라간 열대 식물의 잎사귀도 만져 보고, 에어컨을 수리하고 있는 종업원들끼리의 이야기 소리도 들어 가며, 그리고 로비나 식당 벽에 걸려 있는 아이티 특유의 그림들을 감상하면서요. 어디나 밝은 광선이 충만해 있었습니다.

Q씨, 그림 이야기를 해 드리죠. 정말 재미나는 그림들이었습니다. 단조로운 원색의 사실화들 말이죠. 천진난만한 아이들의 그림 같다고나 할까요? 샤갈의 환상적인 그림을 평면화한 느낌의 그림들이었는데, 그 하나하나마다 너무도 강렬한 색채와 기하학적인 선의 구도, 게다가 그 소재들은 그들의 생활을 보여주는 아주 정감 가는 것들이었습니다.

페루에서 경유지를 추가받을 때 그곳 박문규 영사가 이런 이야기를 해주더군요. "아이티는 가 볼 만한 곳입니다. 특히 이 여사에겐 그림들이 볼 만할 겁니다. 무명 화가들이 그린 재미나는 그림들이 많습니다."
처음 만난 박 영사가 내가 그림에 흥미를 가지고 있는지 어떻게
알았는지, 그런 이야기를 해준 것이 내가 아이티 여행을 끝내 포기하지
않고 찾아가는 데 큰 힘이 돼 주었던 것입니다.
왜냐하면 많은 사람들이 "그 못사는 나라에는 왜 가려고 하느냐?" "그
검둥이 나라에는 무엇 때문에 가느냐?"는 둥, 아이티에 간다는 나의 뜻을
받아 주지 않았기 때문입니다.
아이티는 정말 가난한 나라였습니다. 넉넉지 않은 나라 사람이 남의
가난에 대해 이야기한다는 것이 예의가 아닐지 모르나, 처음으로 나는
'우리나라는 그래도 잘사는 나라구나' 하는 생각을 해 본 것입니다.
시장 구경을 갔더니 꼬마들이 몰려와서 배가 고프다고 손을 내밀더군요.
마치 그늘에서 자란 꽃순처럼 연연한 손들이 한껏 나의 배꼽 높이에서
따라다녔습니다.
그러나 나는 번갈아 나타나는 그 손바닥 위에 한 푼도 쥐어 주지 못한 채
시장 밖으로 나왔습니다. 왠지 오다가다 한 푼 주는 식의 자선이 나에겐
익숙하지 않아 고민만 될 따름이었습니다.
길거리에서 먹을 것(먹을 것이라고 해 봤자 기껏 산에서 따 온 열매나
뿌리 같은 것이었지만)을 파는 아낙네들의 모습에선 굶주림이
보였습니다.
청년들이 머리에 물건을 이고 가는 모습이 눈에 자주 띄더군요. 이곳
풍습의 하나인 모양입니다.
모자를 눈 밑까지 깊이 쓰고 담 밑마다 길게 기대어 자는 사람들의

모습이 거리에서마다 눈에 띄었습니다. 게을러서인가 했더니 그들에게 할 일이 없어서 그렇다는군요. 나는 그들이 다 실업자라는 것을 알고 나니 지구상의 진짜 비극을 이곳에서 보는 느낌이었습니다.

빨간 헝겊을 앞에 매달고 다니는 자동차가 택시의 표식이라는 이야기를 듣고, 나도 그런 차를 골라서 손을 들었습니다.

이곳 택시란, 손님이 타고 있어도 손만 들면 모두 태우고 시내를 돌면서 순서대로 내려 주는 그런 식인 모양이었습니다. 물론 저도 그런 손님으로 탄 것입니다. 차 안의 사람이 차례로 내린 후 나도 거리의 한 어귀에 내렸습니다.

아이티의 중심가는 말 그대로 판자촌의 부락을 보는 것 같았습니다. 길가에서 파는 물건들은 상품이라기보다는 피난 보따리 속을 연상케 하는 그런 하잘것없는 생활용품 같은 것들이었습니다.

나는 처음으로 한국 사람으로 태어났다는 부유한 감정을 만끽하면서 이 골목 저 골목을 구경하였던 것입니다.

날이 어두워져서 사진을 찍지 않았습니다만, 가난을 담는 것이 좋지 않을 것 같아 일부러 찍지 않았다는 게 더 정직한 표현일 것입니다.

뱃길에서, 긴 긴 시간 남준이 생각을
그랜드바하마에서

바하마에 다녀왔다니까 D씨가, "바하마가 어떤 곳이죠? 지역이에요,

나라예요?"라고 묻는다. 즉각 대답이 나오지 않았던 것은 그런 질문을 왜 하는지 몰라서였다.

"바하마의 수도가 나소니까 나라겠죠."

"아아, 그런가요?" D씨는 싱겁게 나의 대답을 받아들였다.

바하마 관광책자를 뒤적이니 이런 말이 씌어 있었다.

"대부분의 사람들은 바하마를 단지 하나의 섬이라고 생각한다. 혹은 하나의 지역이라고 생각하는 사람도 있다. 그러나 그것은 잘못된 생각이다. 바하마는 하나의 국가다. 칠백 개의 각기 다른 섬과 산호초들로 구성된 국가이다."

이것을 읽고서야 D씨가 물었던 이유를 알았다. 나는 그저 지리시간에 배운 '바하마 군도'라는 것만 외우고 있었을 뿐, 더 이상 아무것도 모르고 있었다.

마이애미에서 여행사 사무실에 들렀더니 '바하마 크루즈 하루 관광'이라는 여행 프로그램이 있었다. 새벽 다섯시에 호텔을 떠나 밤 열한시경에 돌아온다는 설명이다. 주저할 것도 없이 당장 다음날 것으로 예약했다. 여행사 직원은 패스포트를 잊지 말고 가지고 나오라는 말을 강조하며 예약증을 끊어 주었다. 패스포트를? 하고 생각해 보니 바하마는 미국 땅이 아니었다.

일곱시에 마이애미 항구를 떠난 배는 낮 열두시가 좀 지나서 바하마에 도착했다. 정확히 우리가 상륙한 곳은 미국 플로리다에서 제일 가까운 그랜드바하마란 섬이다. 이 섬은 칠백 개의 바하마 섬들 중에서 가장 큰 섬이란다. 안내원은 배에서 내린 관광객들에게, 스킨스쿠버, 잠수함

투어, 해수욕, 그리고 루카야라는 바닷가 휴양지 투어 중에서 하고 싶은
것을 택하라고 한다. 무엇을 한담? 수도인 나소에 가는 것까지는
아니더라도 바하마 사람들이 사는 집과 골목들이 있는 곳을 구경하고
싶었는데, 온통 짠 바닷물에 몸을 담그는 일 아니면 뜨거운 햇볕이
내리쬐는 바닷가에서 모래만 밟는 일을 하라는 것이니 실망이다.
십이월의 루카야 바닷가는 조용했다. 백색 모래사장 위에 서 있는 키 큰
야자수들과 모래 위 햇빛에 누워 있는 남녀 커플들이 드문드문 눈에
들어왔다. 이 사람들은 피서가 아니라 피한(避寒)을 온 거구나. '윈터
헤븐(Winter Heaven)' 이란 이름의 호텔을 마이애미에서 보았는데,
정말로 이런 곳을 '윈터 헤븐' 이라고 하겠지. 바닷가에 있는 쉐라톤
호텔에서 엽서를 사서 딸들에게 편지를 썼다. 바하마 우표를 사서
붙이니까 내가 정말 멀고 먼 딴 세상에 와 있구나 하는 생각이 들었다.
바하마 여행은 여러 부류의 사람들을 만난 배 안에서의 일이 더
즐거웠다. 아침식사 때, 내 옆에 앉았던 곱게 나이든 두 자매 할머니. 둘
다 남편이 돌아가시고 혼자서 사는데 일 년에 두 번씩 자매끼리 여행을
한단다. 언니 마이저는 딸 둘에 손녀와 증손자까지 있고, 동생 에밀리는
아들만 넷에 증손자, 증손녀가 여덟이나 있단다.
남아프리카에서 온 부부의 이름은 헨드리 보에스트와 베트 보에스트. 둘
다 이혼 경력이 있는 재혼 부부이다. 남편에겐 아들과 딸이 있고,
부인에겐 아들 하나가 있다. 그런데 그 아들이 결혼을 했는데 두 달 만에
아내가 죽었단다. 시인인 아들은 아름다운 아내의 사진과 직접 지은 시로
카드를 만들어 가지고 다닌다고 한다. 부인은 「탄야 크루거에게 보내는

사랑의 추억」이라는 제목의 아들의 시를 나에게 읽어 주었다.
"당신은 다른 사람들에게 봉사하기 위해 살았습니다. 그것은
사실입니다. 당신의 명랑한 웃음소리, 그리고 당신의 푸른 두 눈이
나에게 얼마나 아름다운 기억인지. 나의 가슴속 깊은 곳에 있는 당신이
정말 보고 싶습니다. 하느님은 당신이 이 땅에서의 일을 다 마친 거라며
하늘로 부르셨습니다. 우리가 다시 만날 수 있는 날이 올 것이라
믿습니다. 내가 하느님 곁에 있는 당신에게로 갈 때까지, 우리의 그날을
위해 부디 기다려 주오."
남편 헨드리 보에스트 씨는 모터 공급을 하는 회사를 가지고 있다. 이들
부부는 육 주 동안 캐나다와 미국 여러 도시를 여행하며 다닌단다.
통통한 얼굴의 세실리아 템프라노라는 여인과 갸름한 얼굴의 멋쟁이
남자 켈스틴 본은 플로리다에서 온 연인들이다. 미 해병으로 있을 때
한국에도 와 보았다는 중년의 필리핀 남자도 우리 테이블을 즐겁게 해준
멤버였다.

바하마에서 돌아오는 뱃길, 갑판 위에서 나는 마이애미에서 있었던 어제
일이 마냥 머릿속에 되새겨졌다. 그 기적같이 일어난 일들이….
마이애미에 갔던 것은 나의 친구 백남준(白南準)을 만나기 위해서였다.
남준이에 관한 두번째 책을 쓰기 위해, 그의 건강이 더 나빠지기 전에
만나야겠다는 생각으로 마이애미행을 계획했던 것. 겨울 동안 뉴욕의
추위를 피하기 위해 매년 그는 마이애미에서 겨울을 난다. 그런 그의
마이애미 생활도 볼 겸, 그래서 그에게 전화를 걸어 만날 약속을 했던

것이다. 얼마 전에 한국에서 찾아간 기자와의 인터뷰에서 백남준이 이경희를 만나고 싶다고 한 기사를 본 것도 있어서, 나는 그를 만난다는 기대를 가지고 마이애미로 갔다. 물론 그도 내가 묵을 호텔까지 일러 주며 나의 방문을 기다렸다. 그런데 그의 집으로 전화를 걸었지만 받는 사람이 없었다. 저녁 늦게까지 그랬다. 얼마나 실망했고 난감하였는지. 그 먼 곳까지 가서 그를 못 만나고 돌아온다는 생각은 조금도 하지 않았기 때문에 정말 기가 막힐 일이었다.

그날 밤, 나는 주기도문을 외우며 마음의 평정을 찾으려 노력했다. 서울에서 그 먼 마이애미까지 마음먹고 갔는데 그 기대가 참담하게 무너졌을 때, 그럴 때 내가 할 수 있는 일이라곤 기도문 외우는 것밖에 없었다. "하늘에 계신 우리 아버지, 아버지의 이름이 거룩히 빛나시며, 아버지의 나라에 임하옵시며, 아버지의 뜻이 하늘에서와 같이 땅에서도 이루어지소서." 처음에는 입속으로 외우다가 나중에는 큰 목소리로 소리를 내어 외웠다. 그리고는 잠이 들었다.

다음날 아침, 나는 길을 가다가 남준이를 만났다. 참으로 기적 같은 일이 일어난 것이다. 그것은 이렇게 된 일이었다.

나의 호텔 가까이에 바다가 있었다. 아침에 일찍 호텔을 나와 바닷가에 나갔다. 어젯밤의 난감했던 생각이 가시고 신기하게도 바다를 바라보는 나의 마음이 평온해져 있었다. 수없이 외웠던 주기도문의 도움이었을까. 카메라를 꺼내서 바다 사진을 찍고는 산책을 하기 위해 걸었다. 무심코 길 건너 노천 카페 옆을 지나가고 있는데 뒤에서 무슨 소리가 들렸다. 한 사내의 목소리. 나를 부르는 것 같았지만 정상적인 목소리가 아니어서 어떤 녀석이 장난으로 나를 부르는 것으로 알고는 그냥 지나쳤다. 그런데 다시 같은 목소리가 들렸다. 그러자 이어서 옆에서 말리는 것 같은 다른 사람의 목소리가 들렸다. 장난치지 말라고 말리는 것 같은 소리로 들려서 마음이 좀 놓였는데, 그때 더 큰 소리가 나를 부르고 있었다. 뒤를 돌아보았다. 사실, 생각하면 얼마나 우스운 일인가. 내가 뭐 그리 젊다고 이 나이의 나를 어떤 녀석이 유혹하는 것으로 생각하고 있다니, 착각을 해도 이만저만이 아닌 일이다.

뒤돌아본 그곳에는 여자가 앉아 있었다. 백남준의 부인 시게코 씨였다. 그리고 그 옆에 바로 남준이가 앉아 있는 것이 아닌가. 나는 꿈만 같은 일에 잠시 그 자리에 서서 남준의 얼굴을 확인했다. 정말로 그것은 기적 같은 일이었다. 그를 만날 생각을 거의 포기했기 때문에 마음 편히 산책을 할 수 있었던 것인데, 그런 나를 카페에 앉아 있던 남준이 보고 불렀던 것. 옆에서 말리는 소리가 들리지 않았던들 내가 뒤돌아볼 수 있었을까.

"언제 마이애미에 왔어요?" 시게코 씨가 나에게 물었다. 나는 전화가 되지 않았던 일을 말했다. 그러는 동안 남준이는 나의 얼굴을 쳐다보며 소리를 지르고 있었다. 무언가 나에게 말하고 있는 것인데, 그것은 말로 들리지 않고 소리를 지르는 것같이 느껴졌다.

시게코 씨가 말한다. "당신이 와서 그래요. 이 사람은 흥분을 하면 소리를 질러요. 의사가 흥분하는 것이 제일 안 좋다고 해요. 심장 혈관이 파열되기 때문에 아주 조심하라는데 이렇게 흥분을 하고 있으니."

그러는 동안에도 남준이는 계속 내 얼굴을 쳐다보고는 큰소리를 낸다.

덥석 겁이 났다. 이렇게 소리를 지르다가 심장 혈관이 파열되는 것이 아닌가 하고 . 나는 급히 그에게로 가서 그의 머리를 감싸 안으며 말했다. "이제 그만해. 내가 왔잖아, 이렇게 내가 왔잖아!" 필사적으로 그렇게라도 해서 그의 흥분을 가라앉힐 수밖에 없었다. 그 순간 갑자기 남준이는 감싸 안은 나의 두 팔에서 머리를 잡아 빼고는, 입을 크게 벌리고 하늘을 향해 소리를 지르는 것이었다. "아아아아아아아!" 나는 하늘을 향해 절규하는 그의 벌린 입을 손바닥으로 꽈악 눌러 막았다. 소리를 못 내게 하기 위해서는 그렇게 할 수밖에 없었다. 그의 두 눈에서 반짝이고 있는 것이 보였다. 시게코 씨도 옆에서 남준이가 소리를 지르지 못하게 필사적으로 큰소리로 말한다. "남준! 이렇게 소리를 지르면 이 집에 더 이상 오지 못하게 할 거야!"
얼마 만에 남준이가 조용해져서, 나는 자리에 돌아와 아침식사를 주문하고 그들은 이미 주문해서 나온 샐러드와 계란 프라이를 먹었다. 우리 테이블은 평온을 찾았고 정상적인 목소리로 대화가 시작되었다. "어느 호텔에 묵고 있어요?" 시게코 씨가 묻는다. "비치 플라자 호텔이에요. 바로 요 근처입니다."
그때 남준이가 입을 열었다. "아, 내가 말해 준 호텔. 고맙습니다, 고맙습니다." 비치 플라자는 전화로 그가 말해 준 호텔이다. 그의 집 가까이에 있는 호텔이니 거기에 묵으라고 해서 예약한 것. 그런데 '고맙습니다' 라니, 자기가 왜 나에게 고맙다는 건가. 고마우면 내가 고마운 것이지. 자기를 만나러 마이애미까지 와 준 것이 고맙다는 이야기인가 싶었다. 흥분이 가라앉은 남준의 목소리는 완전히 정상으로 돌아왔다. 나는 올림픽미술관 개관 이야기와 더불어 그곳에 전시되어 있는 백남준의 작품과 시게코 씨의 비디오 작품을 사진 찍어 왔다는 얘기를 했다.

시게코 씨가 마이애미에서 언제, 그리고 어디로 가냐고 묻기에 사흘 후에 쿠바로 간다고 하니까, "아, 쿠바. 내가 가고 싶어하는 곳인데" 해서, "우리 함께 가요"라고 했다. 그랬더니 남준이 말한다. "나는 못 가. 나는 몸이 반신불수라서 못 가." 진지한 얼굴로 "나는 반신불수라서 못 가." 이렇게 되풀이해서 말하는 그의 얼굴은 너무도 심각하고 굳어 있었다. 가슴이 찡하였다. 나는 화제를 바꿨다.

"지난번 뉴욕 스튜디오에서 가진 퍼포먼스, 텔레비전에서 봤어요. 신문에도 크게 났고, 아주 잘 된 것 같아요."

"응, 켄(백남준의 조카)이 하라고 해서 했어. 켄이 일을 잘해." 그때 나에게 퍼포먼스 소식과 함께 처음에는 오라는 연락이 왔다가 나중에 오지 말라고 해서 가지 않았다고 했더니, "누가?"라고 말하다가 그냥 묻지 않고 만다. 그러더니 남준이가 나의 얼굴을 똑바로 쳐다보며 말한다. "경희, 옛날과 똑같아." 갑자기 그게 무슨 말인가 해서 "응?" 하고 되물었더니, 내 얼굴이 옛날 어렸을 때와 똑같다는 이야기다. 나는 쑥스럽기도 해서 엉뚱한 말로 받아넘겼다. "내가 예쁘다구?" 그랬더니 남준이 순진하게도 그렇다고 대답한다. 나이가 드니까 이런 뻔뻔한 말도 쉽게 입에서 나왔는데, 때로는 나쁘지 않다는 생각이 들었다.

남준이와의 대화가 길어지자 옆에 있는 시게코 씨가 신경이 쓰여서 중단하고 그녀에게 말길을 돌렸다. "어제 전화를 여러 번 했는데 안

계시더군요. 어디를 가셨죠?" 그러자 갑자기 그녀가 흥분했다.
"당신이 내가 어디를 갔는지 굳이 알아야 할 이유가 뭐예요? 내가 당신에게 그것을 이야기해야 합니까?" 얼마나 황당한 공격이 쏟아져 나오던지. 나는 할 말을 잊고 아무 대답도 하지 못했다. 그녀의 마음을 조금도 상하게 하고 싶지 않은 것이 나의 평소 생각이었고, 또 이런 내 마음이 진정이기 때문에 지금까지도 잘 지내 왔던 것이 아닌가. 그런데 지금 그녀의 말은 감당할 길이 없었다.

그녀는 아침식사를 끝내지도 않은, 휠체어에 앉아 있는 남준을 그대로 밀고 자리를 떴다. 기적 같은 남준과의 만남은 그렇게 끝이 났다.

'아, 남준의 마지막 모습이라도 남겨야지!' 나는 휠체어에 탄 백남준의 뒷모습을 급히 따라가서 카메라에 담았다. 그러고는 생각했다. '이제 마이애미에 온 나의 목적을 다 해냈구나.' 놀랍게도 그 순간, 나의 마음이 고마움으로 차 있음을 알았다. 한국을 떠난 남준이가 삼십사 년의 세월을 잊지 않고 나를 기억해 준, 그런 어릴 적 친구 남준을 위해서 내가 할 수 있는 일은 그를 위해 기록을 남기는 일. 첫번째 책 『백남준 이야기』도 그렇게 해서 나왔다. 남준이가 나에게 그래 주기를 원해서 시작한 일이지만, 이제는 내가 고맙다. 글을 쓸 테마를 백남준이 나에게 주었다는 것이….

바하마에서 돌아오는 뱃길, 갑판 위에서 긴 긴 시간 남준이 생각을 하는 동안 바다 위의 하늘은 캄캄해졌다. 별들만 보일 뿐 달은 없었다. 갑판 아래를 내려다보았다. 먹물같이 시커먼 바닷물. 배가 가르고 지나가는 자리엔 흰 파도자락들이 솟아오르고 있었다. 하늘과 바다가 분간되지 않는 어둠 속에서, 우리의 배가 정해진 항로로만 속력을 다해 물결을 가르고 있는 것이 무척이나 미덥게 느껴졌다.
멀리 바다 위로 불빛이 보였다. 마이애미 항구의 불빛이었다.

나이를 잊게 한 남미의 춤과 음악
아바나에서 1

아바나의 호세 마르티 공항에 비행기가 착륙하고 공항건물을 걸어 나오면서 나는 입속으로 혼잣말을 하였다. '마침내 내가 쿠바에 왔구나!' 정말 '마침내' 쿠바에 온 것이다. 꼭 쿠바에 와야 할 어떠한 이유가 나에게 있었던 것은 아니다. 다만 쿠바에 가고 싶다는 생각만을 한 것일 뿐. 그 생각이 이상하게도 줄곧 마음속을 떠나지 않고 남아 있었다.
1973년, 남미의 여러 나라들을 차례로 다 돌고 난 후에 베네수엘라에서 미국의 마이애미로 직행하려다가, '이왕 이 먼 곳까지 온 김에' 하고 카리브 해의 섬나라인 아이티와 도미니카공화국을 들렀다. 그때 혁명으로 공산화된 쿠바를 대한민국 사람은 갈 수 없었으므로, 바로 옆에 두고도 못 갔던 것이 끝내 아쉬운 생각으로 남아 있었다. 그 뒤 몇 번이나 쿠바 여행을 계획했지만 이뤄지지 않았다. 그러니까 쿠바는 삼십 년이나 나를 유혹하고 있던 것이다.

그래서인지 쿠바에 관한 기사나 이야기에는 늘 관심이 있었다. 탈출선이 난파되어 어머니와 계부를 잃고 표류하다가 미국의 구조선에 의해 구출된 여섯 살 된 엘리안이란 쿠바 소년의 사진이 신문에 보도되었을 때, 그리고 엘리안의 소환을 외치며 연일 반미 데모가 아바나에서 열린다는 기사가 났을 때도, 나는 엘리안이 쿠바로 송환되지 않기를 마음으로 바라곤 했다. 미국의 카터 전대통령이 쿠바를 방문한다고 했을 때도, 미국의 경제제재에서 조금은 풀릴지도 모를 카스트로의 쿠바 정책에 변화가 있기를 마음으로 기대하기도 했었다. 지구상에 남아 있는 오직 두 개의 공산주의 국가 중 하나인 쿠바의 개방에 관심을 갖지 않을 수 없었던 것은, 같은 피의 한국민족이 살고 있는 또 한 나라의 가난이 가슴 아파서이기도 했을 것이다.

아바나의 십이월 날씨는 약간 덥기는 했지만 습기가 없어서 더위를 덜 타는 내게는 쾌적하다는 느낌이 들었다. 시내로 들어가는 택시 창밖으로, 아열대지방의 땅에서 계절 없이 싱그러워야 할 나무들이 왜 그런지 덜 무성해 보인 것은, 못사는 나라에 대한 선입견 때문일까. 남의 나라에 와서 가난을 먼저 이야기하지 말아야지 다짐한다. 그러면서 나의 눈앞으로 보이는 도로와 그 위를 걸어가는 사람들 그리고 자동차들의 움직임에, 나는 오래도록 오고 싶었던 나라에 온 것을 고마워했다. 거대한 조형물이 눈에 들어왔다. 그것은 베레모를 쓴 체 게바라의 얼굴이었다. 쿠바의 영웅이며 게릴라의 지도자였던 게바라의 초대형 얼굴을 창밖으로 보는 순간, 내가 공산국가 쿠바공화국에 왔다는 것을 실감했다.

내가 탄 차는 크지 않았다. 도로 사정으로 차가 매끈하게 굴러가지는
않았지만 편안했다. 싫어하는 에어컨을 꺼 달라는 내 말이 끝나기도 전에
꺼 주어 온도가 맞아서였을까. 그러다, 생각해 보니 음악소리가 나를
흥겹게 만들어 주고 있음을 알았다. 남미 음악의 감미로움과 율동신경을
자극하는 강약의 리듬. 아, 그래서 내가 이곳에 오고 싶었는지 모른다는
생각이 문득 들 정도로, 나는 멀리서 온 이방인이라는 것을 순간 잊으며
흥겨운 리듬을 몸으로 느끼고 있었다.

그런데 운전석을 보니, 택시기사가 나를 위해 음악을 튼 것이 아니라
자기가 흥을 내기 위해 음악을 틀었구나 하는 생각이 들었다. 운전을
해야 하는 핸들을 손으로 잡지 않고 핸들 위를 두 손바닥으로 북을
두드리듯 치고 있는 것이다. 입으로는 흥얼거리면서. 몸도 흔들고 있었을
것이지만, 나는 사고라도 날까 해서 핸들 위의 손에만 신경을 쓰느라
그것은 보지 못했다.

그러다가 나도 기분이 좋아졌다. 그가 핸들을 잡고 있지는 않아도 마음은
흥겨웠다. 밖으로 보이는 가난의 풍경이야 어찌 되었든 유쾌했다. 어쩌면
그 밖으로 보이는 풍경과 어울린다는 생각이 들었는지도 모른다. 예전에
이곳에 한번 온 적이 있었던 것같이 마음이 편안하고 달콤한 기분이
들었다.

그런데 이상했다. 흥겨운 음악을 듣는데 마음이 점점 서글퍼지는 것
같았다. 음악이 원래 그런 것인지, 나에게 슬픔이 있어서였던 것인지.
흥겨우면서도 슬펐다. 슬픔 때문에 리듬이 감미롭게 들리는 것인지
모른다는 생각도 들었다. 그러는 동안 어느새 차는 시내 중심지로

들어섰다. 내가 묵기로 한 파크 센트럴 호텔은 바로 올드 아바나 중심에
있는 공원 앞에 있었다.

택시기사에게 이십 페소를 내고 차에서 내렸다. 이십 페소가 공항에서
시내까지의 정해진 요금이라는 것을 미리 알고 탔기 때문에 아는 곳에 온
것 같았다. 택시요금을 위해 공항에서 미리 페소도 준비했다. 쿠바에서는
유로는 혹 통용될 수 있어도 미국 달러는 아무데서도 통용이 안 된다는
것을 들었기 때문에 공항에서 넉넉하게 환전을 하였던 것. 페소로 바꾸기
위해 백 달러를 내밀었더니 구십 페소를 준다. 수수료가 십 퍼센트나
되었다.

호텔에서 호세 페레즈 씨에게 전화를 했다. 수화기에서 여자의 음성이
들렸다. 서울에서 온 누구입니다 하고 내가 말을 하는데 벌써 저쪽에서
말소리가 들렸다. 한국말이었다.

"아, 오셨군요. 제가 마이라입니다." 어머나, 이렇게 똑똑한 한국말을?
여인의 말소리는 분명한 한국 사람이었다. 쿠바에 오자마자 쿠바
사람에게 전화를 걸었는데 그토록 분명한 발음의 한국말을 듣다니. 나는
내가 하려던 한국말을 그만 잊고 말았다.

"여보세요?" 다시 한번 나는 수화기 속의 보이지 않는 얼굴의 여인에게
말을 했다. 확인하기 위해서였다. 아니, 이 말밖에 생각이 나지
않아서였다. 그러고는 "한국 분이세요?" 하고, 내가 하려고 하던 말이
아닌 질문을 했다.

"아니에요. 쿠바 사람이에요."

"네. 그렇게 알고 왔는데 하도 한국말을 잘하셔서요. 미안합니다."

그제야 나의 한국말도 풀리기 시작했다.

공산국인 쿠바 여행을 준비할 때, 남편이 알고 있던 쿠바 사람을 일러주며 그쪽에 연락을 해주었다. 남편이 한국복싱협회에 관계하고 있었기 때문에 쿠바에서 시합이 있을 때 가서 알게 된 사람이라는데, 한국말을 아주 잘하고 부인도 한국말을 잘한다고 해서 그렇게 알고 와서 전화를 걸었던 것이지만 그녀가 한국말을 천연덕스럽게 너무도 잘하니까, 더군다나 얼굴도 보이지 않는 수화기를 통해 유창한 한국말이 들리니까 혼란이 올 수밖에.

"어떻게 그렇게 한국말을 잘하세요?" 쿠바에 대한 이야기를 들으려고 전화를 해 놓고는 나의 여행과는 전혀 관계없는 것을 물었다.

"북한에서 배웠어요." 그녀는 북한이란 단어를 썼다. 북한은 우리 남한에서 그쪽을 가리킬 때 쓰는 말이고, 그쪽 사람들은 '우리 공화국', 이렇게 말하는 것으로 알고 있는데 말이다.

"중학교를 졸업하고 언어학원에 들어가서 한국말을 배웠어요. 언어학원에 한국어반, 중국어반, 일본어반, 베트남어반 등 열일곱 개 나라의 언어반이 있었는데, 그 중에서 한국어반에 들어가서 배우고 북한에 가서 연수를 했어요. 그러고는 쿠바에 와서 다시 대학을 마치고 북한에 가서 김일성대학 어문학부에서 공부한 후 평양 주재 쿠바대사관에서 오 년을 근무했어요."

나는 그녀의 남편도 한국말을 잘한다는 이야기를 들었기 때문에 남편에 대해서도 물었다. 그리고 결혼에 대해서도. 그녀는 남편과는 북한에서 공부할 때 만나서 결혼했고, 함께 평양 주재 쿠바대사관에서 일했다는

말도 들려주었다. 그녀는 아들이 둘 있다고 했는데, 스물두 살인
큰아들은 미국 마이애미에 가서 일하고 있고 열아홉 살인 작은아들은
현재 아바나의 기술대학에 다니고 있다고 했다.
큰아들이 어떻게 미국에 가서 살게 되었는지, 그것이 궁금해서
물었다. 쿠바에서 미국으로 가려면 목숨을 건 탈출을 해야 한다고
생각했기 때문이다. 그녀는 조금 머뭇거리다가 말을 했다.
"처음에 멕시코로 갔다가 스페인으로 건너가서, 거기서 미국으로
갔어요." 그녀의 말을 들어 보니 미국으로 들어갈 때는 약간의 불법이
있었던 모양이다. 그곳에서, 일찌감치 가족과 함께 마이애미로 가서
살고 있는 쿠바 여자를 만나 결혼했다고 한다.
이번에는 그녀가 나에게 물었다. "혼자서 이곳에 오셨어요?"
"언제까지 계세요?" 그러더니 갑자기 "용타!"라고 말한다.
"미안해요. 북한에서는 잘한다는 말을 할 때 이렇게 말해요,
'용타'라고." 한국에서 그 말을 안 쓰는 것은 아니었는데도, 그녀는
혹시나 내가 실례되는 말로 알아들었을까 봐 그렇게 설명을 했다.
그러면서 그녀는 걱정되는 듯이 말했다.
"어떻게 하지요? 친정어머니가 당뇨로 병원에 입원을 하셔서 제가
간호를 하고 있기 때문에 선생님을 만나러 갈 수가 없어요. 남편은
지금 파나마 출장 중입니다. 그래도 선생님을 뵈러 잠깐 다녀오려고
했는데 자동차도 고장나고, 집도 고장나고, 지금 말이 아니에요."
남편이 파나마로 출장을 간다는 이야기는 서울에서 떠나기 전부터
미리 알고 있었다. 그런데 그녀는 모든 것이 안 돼서 그것이 무척

미안한 것이다. 그녀의 말이 빨라지며 숨찬 소리를 내는 것으로 보아, 짐작컨대 말할 수 없을 정도로 힘든 사정이 있는 것 같았다. 그녀는 좋은 한국인 관광안내원을 알아 놓았다며 그의 전화번호를 알려 주겠다고 했다.

사실, 나는 쿠바 사람으로부터 쿠바에 관한 이야기를 듣고 싶어서 페레즈 부부를 만날 생각을 했고 관광은 현지에 마련되어 있는 관광 프로그램에 참가하겠다는 생각이었기 때문에, 그런 설명을 하며 그녀의 걱정을 풀어 주었다. 나는 다시 연락을 하겠다는 말을 남기고 전화를 끊었다.

그날 저녁 나는 호텔에 있는 관광안내소에서 아가씨가 적극 권하는 '파리지엔'이란 이름의 쇼를 관람했다. 처음에는 "이 나이에 혼자서 웬 쇼?" 하며 거절했더니, "어머나, 아직 젊으신데요. 아바나에 와서 안 보시면 절대로 후회하실 거예요" 한다. 아직 젊다는 말에 기분이 좋아서 마음을 바꿔 예약을 부탁했다.

파리지엔 쇼는 밤 여덟시에 시작해서 열두시에 끝났다. 화려의 극치인 찬란한 의상과 정열적인 몸동작의 남미 춤, 그리고 음악. 쇼는 완벽하고도 멋졌다. 나는 나이를 잊고 젊음으로 돌아가서 쇼를 즐겼다. 무대 바로 앞에서 물랭루주 무용수의 춤에 반해서 넋을 잃고 구경하던 난쟁이 화가 툴루즈 로트렉을 생각하며 신나게 박수를 쳤다.

안토니오 씨 집과 헤밍웨이의 카페
아바나에서 2

"택시를 타지 않겠어요?" 호텔 밖으로 나갔더니 손님을 기다리고 있던 택시기사가 다가와서 묻는다.

"노!" 나는 한마디로 대답했다. 어제 시내관광을 끝냈기 때문에 갈 곳이 생각나지 않아서였다. 그러다 생각난 것이 있어서 그에게로 가서 다시 말했다.

"혹시, 당신 집으로 나를 안내해 줄 수 있어요? 쿠바 사람의 가정을 방문하고 싶어서요."

그는 의외의 내 요구에 주춤했다. 그러더니 집이 작은데 괜찮겠느냐고 한다. 생각보다 쉽게 그의 허락을 받고, 나는 잠시 기다리라고 하고는 호텔 방으로 들어갔다. 트렁크 안에 있는 몇 가지 물건들을 가지고 나오기 위해서였다. 그 물건들이란 라면과 김과 과자, 그리고 초콜릿이었다. 쿠바 여인 마이라 여사에게 주려고 가지고 갔던 것들인데, 그녀의 어머니가 갑자기 병원에 입원하셔서 나오지 못한 바람에 전해 주지 못한 것들이다.

내가 차에 올라타자 그는 핸들을 잡기 전에 호주머니에서 명함을 꺼내어 나에게 주었다. 큰 활자로 '토니 텔라' 라고 씌어 있었다.

"이름이 토니예요?" 미국 사람이냐고 물으려다가 그렇게 물었다. 토니라는 이름을 보고 왜 갑자기 미국 사람 이름 같다는 생각이 들었는지. 희고 통통하게 생긴 얼굴이 쿠바 사람 같지 않아서 그랬는지도 모른다.

"원래 이름은 안토니오예요. 훌리오 안토니오 텔라 구가트. 이름이 아주 깁니다" 하고는 웃는다.

"토니는 안토니오의 애칭이지요. 우리 집은 남자가족 이름에 모두 안토니오가 붙어요. 나의 아들은 디에고 안토니오, 형은 마히모 안토니오, 그리고 아버지는 에두아르도 안토니오." 그는 내가 내민 수첩에 부인의 이름도 적었다. 디아나 로사 바를로스 보르동. 부인의 이름도 길었다.

"집이 좀 멀어요." 안토니오 씨의 집은 아바나에서 좀 떨어진 곳에 있는 것 같았다. 그의 집이 멀다는 것은 나에게는 더 잘 된 일이었다. 도시 외곽 구경도 할 수 있기 때문이다.

안토니오 씨의 차가 아바나 시내를 벗어나자 차창 밖으로 바다가 나타났다. 바다는 그 푸르기로 유명한 카리브 해였다. 낡고 검게 그을은 건물들과 오래된 자동차와 버스들, 그나마 기름이 없어서 걸어 다니는 시민들의 지친 모습들 때문인지 하늘이 푸른데도 어둡게만 느껴졌던 아바나 시내와는 너무도 다른 광경이 눈앞에 펼쳐지니 얼마나 기분이 좋은지, 저절로 숨이 크게 쉬어졌다. 창문을 열어 바닷바람이 들어오게 했다. 푸른 바다를 끼고 달리는 차창 한쪽으로 희고 큰 건물들이 햇빛에 반사되어 서 있었다.

"저것은 호텔인가요?"

"그렇습니다. 국립쿠바호텔이에요."

'국립'이라는 말이 호텔 이름과 어울리지 않아서 다시 물었더니 역시

'호텔 나시오날 드 쿠바' 라고 대답한다. 아바나에 도착한 첫날 밤에
'파리지엔' 이라는 이름의 쇼를 보러 갔던 바로 그 호텔이었다. 그리고
보니 지금 안토니오 씨가 차를 몰고 가는 길이 그날 밤에 지나갔던
길이다. 그때는 밤이라서 바다를 보지는 못했지만, 도로 양쪽으로 희미한
불빛의 가로등이 서 있는 것을 보고 영화 속의 안개 낀 장면 같다는
생각을 했었다. 가로등 불이 희미했던 것은, 실은 에너지 부족 때문에
밝게 켜지 않아서였는데, 나는 그게 멋있다고 생각했던 것이다.
"저기에 있는 건물은 국립쿠바병원이구요. 아바나에서 제일 높은
건물입니다." 누구나 이용할 수 있는 병원이냐고 나는 물었다. 병원이
어마어마하게 크고 좋아 보여서 혹시 특별한 계층의 사람만이
사용하는가 해서 물었던 것이다.
"누구나 갈 수 있죠. 무료로요. 그러나 진찰만 받을 수 있지 약이 없어서
치료를 받을 수 없어요. 처방전을 가지고 약국에 가도 약이 없답니다."

쿠바에 오기 전에 마이애미에서 관광을 하면서 한 미국 여인과 차를
마셨다. 그녀가 다음날 쿠바로 떠난다고 하기에 어떻게 마이애미에서
직접 쿠바로 갈 수 있느냐고 물었더니, 그녀가 속해 있는 자선단체가
의약품을 가지고 가기 때문에 쿠바 기관으로부터 직접 입국할 수 있는
허가를 받았다는 것이다.
"벌써 이번이 세번째예요. 쿠바는 의약품 부족이 아주 심각해요.
도와줘야죠." 그녀는 나이가 많아 보였고 다리의 관절염 때문에
지팡이까지 짚고 있었는데도 너무도 당당하고 의기양양하게 이야기를

해서, 나는 그녀의 말을 듣고만 있었지 아무 말도 대꾸하지 못했다.
자선의 손길은 국가간의 단절된 외교장벽을 뛰어넘어 교류가 이루어지고 있다는 것에 감동받았는데, 참말로 쿠바의 사정은 심각하다는 것을 알았다.

안토니오 씨의 집으로 가는 동안, 나는 쿠바에 대한 이야기를 듣고 싶어서 그에게 많은 것을 물어보았다.
안토니오 씨는 대학에서 전자공학과를 나왔다. 학교를 졸업하고 통신기술자로 있을 때 전화수리를 하러 갔다가 교환원으로 있던 지금의 부인과 만나서 결혼했다. 그후, 안토니오 씨는 직장을 그만두고 다시 관광학과를 택했다. 봉급으로는 생활이 어려워서 관광객을 상대로 하는 직업을 갖기 위해서였다.
"쿠바에서는 관광객을 대하는 직업이 제일 수입이 좋아요. 관광가이드나 택시기사 같은 것들 말입니다. 이들도 모두 정부로부터 월급을 받고 일하는 것은 마찬가지지만 팁을 받으니까 그 수입이 월급보다 훨씬 낫답니다. 그런데 자격을 따기가 어렵죠. 이 개국 이상의 언어를 구사해야 되고, 관광학과를 나와야 자격시험에도 응시할 수 있으니까요." 그는 영어와 불어를 하는데, 불어는 언어학원에서 십팔 년 동안이나 불어를 가르친 어머니로부터 배웠다고 한다.
안토니오 씨는 자신의 수입이 공무원이나 의사의 봉급보다 다섯 배에서 열 배가 된다고 했다. "어렵게 의과대학을 나와서 의사가 되어도 수입은 나의 십분의 일밖에 되지 않는답니다."

"그럼 왜 의사노릇을 하죠?"

"택시기사는 죽을 때까지 택시기사로 인생을 마치지만, 의사는 사람들로부터 존경을 받으며 살 수 있지 않습니까." 그의 말이 엄숙하게 내 귀에 들어와서, 잠시 묻는 것을 멈췄다.

"쿠바에서는 잘사는 사람이 딱 한 사람밖에 없어요."

"그게 누구죠?"

"카스트로입니다." 서슴없이 그는 그렇게 대답했다.

"그런 말을 나에게 해도 괜찮은가요?" 나는 듣는 것도 조심스러워서 되물었다.

"괜찮아요. 사실이니까요. 경찰이나 공무원 앞에서만 안 하면 돼요."

속으로 놀랐다. 독재 치하의 공산주의 나라에서 이런 말들을 아무렇지 않게 터놓고 하다니.

아바나에 와서 한 가지 이상했던 것은, 이렇게 못사는 나라인데도 도시의 치안이 잘 되어 있어서 거리를 다니면서도 겁이 나지 않았다는 사실이다. 안토니오 씨에게 물었더니, 정부에서 외국 관광객에게 구걸을 하는 일은 쿠바인의 자존심을 훼손한다고 해서 잡아가기 때문이란다. 아니, 쿠바인들은 원래 선하고 착해서 그런 게 아닐까 하는 생각이 들었다.

안토니오 씨가 사는 동네는 집들은 작았지만 조용하고 깨끗했다. 그는 나를 골목 안에 있는 연립주택 삼층으로 조심스럽게 안내했다. 계단이 좁고 경사가 있어서 천천히 올라가야 했다. 그는 삼층 통로 맨 끝에 있는 문 앞에 서더니 그곳이 자기 집이라며 방 안을 가리켰다. 열려 있는 방 안에서 안토니오 씨의 여섯 살 난 아들이 텔레비전 만화를 보다가 아빠에게 달려가 안긴다. 결혼 후에도 전화국 교환원으로 일하고 있다는 부인은 쉬는 날이라 집에 있다가 잠깐 옆집에 갔다고 한다. 부인이 올 동안 안토니오 씨는 집 구경을 시켜 주었다.

"여기가 침실입니다." 크지 않은 침실이었지만 두 개의 침대가 있었다. 작은 침대에서 아들이 자고 그와 부인이 조금 큰 침대에서 잔다며 공개했다. "어머니는 거실 소파에서 주무십니다." 거실이란 아들이 텔레비전을 보고 있던 두 평 남짓한 방이다.

이 정도의 집이라면 정부에 집세를 얼마나 내고 있는지가 궁금해서 물었다.

"우리는 집세를 내지 않습니다. 이 집은 어머니가 산 집이기 때문이지요. 어머니가 혁명 전에 산 집이에요. 그러나 개인재산을 인정하지 않기 때문에 팔 수는 없어요." 나는 어머니가 돌아가시면 이 집이 어떻게 되는지는 물어보지 못했다.

어머니는 여동생네 집에 가고 없었다. 그는 침실 곁에 바로 붙어 있는 한 평이 될까 말까 하는 부엌도 보여주었다. 사실 일부러 보여줄 것도 없이, 이 모든 공간에는 문이 없어서 한눈에 집안을 다 볼 수가 있었다. 부엌의 가스불 위에, 한쪽엔 밥솥이 올려져 있고, 한쪽 불 위에서는 빨래를 삶고 있었다. 밥솥에 끓고 있는 것은 팥이라고 했다. 호텔 식당에서, 메뉴에 블랙라이스라고 씌어 있는 것이 팥밥이라고 하기에 쿠바 사람들도 우리같이 팥밥을 좋아한다는 것을 알게 되었다.

안토니오 씨의 부인은 젊고 예뻤다. 갑자기 방문한 동양서 온 손님을 보고 소매 없는 셔츠에 짧은 바지를 입고 있던 부인 디아나 로사 씨는,

옷을 이렇게 입고 있어서 부끄럽다며, 두 팔로 자기 몸을 감싸며 수줍은 표정으로 내게 인사를 했다. 그녀는 영어가 서툴어서 안토니오 씨가 말을 거들었다.

나는 가지고 간 물건들을 그녀 앞에 내놓으며, 라면과 김에 대해서는 먹는 법을 설명해 주었다. 매운 라면에 관해서는 특별히 주의를 주면서, 알맞게 조리하는 법을 설명했다. 과자와 초콜릿은 아들 디에고에게 주었다. 아무것도 아닌 물건들이지만 한국의 식품들을 그들에게 맛보게 한다는 것이 즐거웠다.

그의 집에서 나오려는데 복도에서 한 여인이 빨래를 널고 있는 것이 보였다. 이층에 사는 여자인데 아래층에는 햇볕이 들지 않아서 삼층으로 와서 넌다는 것. 안토니오 씨의 삼층 연립주택에서 내려다보니 비둘기집 같은 집집마다 앞이고 뒤고 빨래들이 빽빽이 널려 있는 것이 보였다. 사람들의 생활이 있는 곳에는 어딜 가나 빨래가 널려 있게 마련이다. 다만 어떤 공간에 널려 있느냐에 따라 사는 모습이 짐작될 뿐. 그래서 빨래가 널려 있는 것을 볼 때마다 나는 감상에 젖는다.

호텔로 돌아오는 길에 안토니오 씨에게 부탁하여 헤밍웨이가 자주 들렀다는 플로리디타라는 카페를 안내받았다. 실은, 쿠바에서 내가 제일 가 보고 싶었던 곳은, 아바나 교외에 있는 헤밍웨이가 살았다는 집이다. 언덕 위에 있는 그 집에서 헤밍웨이는 말년을 보내면서 『누구를 위하여 종을 울리나』와 『노인과 바다』 등의 명작을 썼단다. 그런데 그곳에 가는 관광 프로그램이 없어서 혼자서 택시를 타고 가야 하는데, 아바나에서 멀기도 하거니와 그곳에 가 봤자 볼 것이 없다는 것이다. 손질을 하지 않고 너무 오래 방치해 두어서 거의 붕괴 직전에 있기 때문에, 가도 실망할 거라는 관광안내 사무실 직원의 이야기였다.

밝은 벽돌색 건물인 카페 플로리디타는 내가 묵고 있는 호텔에서 얼마 떨어지지 않은 번화가 골목 안에 있었다. 카페 문을 열자마자 요란한 밴드 소리가 밖으로 밀치고 나오듯 들렸다. 카페 안은 테이블마다 빈자리가 보이지 않았다. 거의가 젊거나 나이 든 관광 손님들로 꽉 찬 카페의 열기는 한마디로 흥과 끼의 도가니였다. 발 디딜 틈도 없는 카페 안으로 안토니오 씨가 들어가더니, 창가에 있는 긴 의자에 겨우 둘이 나란히 앉을 수 있는 자리를 마련했다. 안토니오 씨와 나는 에스프레소 커피를 주문했다. 별로 넓지 않은 공간에서 삼인조 밴드가 연주하는 라틴아메리카의 감미로운 리듬이 흥겨워서, 옆에 앉은 젊은 아가씨들은 의자에 앉은 채로 어깨를 들먹이고 있다. 나도 똑같이 흉내 낼 수는 없었지만 마음은 젊은이들 못지않게 흥겨웠다. 어느새 삼인조 밴드가 우리 앞으로 다가와 선다. 노래를 부탁하라는 뜻인 듯. 안토니오 씨가 나의 마음을 알아차린 듯 사양한다고 말했다. 밴드가 우리 자리를 떠난 다음, 안쪽을 가리키며 안토니오 씨가 말한다.

"저 안은 식당이에요. 음식값이 비쌉니다." 붉은 커튼이 드리워져 있는 안으로 흰 테이블이 세팅되어 있는 것이 보였다.

"이 식당은 음식값이 비싼 곳이지요." 그는 또 한 번 음식값이 비싸다는 말을 했다. 그렇게 말하는 안토니오 씨가 무척 착하다는 생각이 들었다. 자기 나라에 온 관광객에게 되도록 정확한 정보를 주려고 하는 그의 마음이 느껴졌기 때문이다.

카페 한쪽 구석에, 헤밍웨이가 바에 기대어 앉아 술을 마시고 있는
모습의 동상이 눈에 띄었다. 웃음 짓고 있는 저 수염 난 얼굴의
헤밍웨이를 보기 위해 사람들은 그렇게들 몰려오고 있구나.
관광객들마다 그 옆에서 사진을 찍곤 물러난다. 물론 나도 찍었다.
헤밍웨이가 몇 번이나 이 집을 드나들었기에 이토록 사람들이 열광하며
모여드는 것일까. 쿠바는 확실히 외롭지 않은 나라라는 생각이 들었다.
이렇듯 세계 여러 나라 사람들이 모여드는 곳이니 말이다.
카스트로 혼자만이 잘살고 있는 독재의 나라라지만, 양같이 순하고 착한
사람들이 살고 있는 쿠바에 머지않아 자유가 찾아올 것 같은 생각이
들었다. 나의 그같은 생각은, 내가 바라고 있기 때문이다.

플라멩코 미사 참례는 참으로 은총이었다
아바나에서 3

여행 중의 아침식당은 늘 즐겁다. 아침의 신선한 생기를 몰고 들어오는
나그네들의 얼굴을 보는 것이 즐겁고, 갓 구어 나온 빵들이 쌓여 있는
것이 눈에 들어와서 즐겁고, "커피 드릴까요?" 하고 주전자를 들이대며
테이블 사이를 돌아다니는 종업원들을 만나는 것들이 모두 즐겁다.
그러다가 모르는 얼굴의 신사가 같은 테이블에 앉으면서 "굿 모닝! 함께
앉아도 될까요?" 하면 더욱 즐겁고 즐겁다.
오트밀 그릇을 한 손에 든 채 계란 요리 코너에 갔다. "오믈렛을

부탁합니다. 골고루 조금씩 다 넣어 주세요." 속에 어떤 것들을
넣겠느냐고 막 물으려는 조리사에게 나는 미리 말했다.
"시!" 작달만한 키에 흰 모자를 높이 쓴 조리사는 기분을 내어
대답하고는, 자리에 가 있으면 갖다 주겠다고 한다.
"슈퍼 글랑 오믈렛, 세뇨라!" 얼마 후 조리사가 익살스런 몸짓을 하며
내 앞에 갖다 놓은 오믈렛은 그야말로 '슈퍼 글랑'이었다. 오믈렛 속에
넣는 재료를 골고루 다 넣으라고 하였더니 초대형 오믈렛을 만들어 온
것이다. "그라시아스!" 그에게 나도 스페인어로 인사를 했다. 여행을
하면서 나는 말도 못하면서 그 나라 말로 인사하기를 좋아한다.
멋있다고 생각되는 것. 허영임을 알면서도 즐거우니 어쩌랴.
커피 리필을 부탁해 놓고는 핸드백에서 여행수첩을 꺼냈다. '쿠바에서
할 일'이라고 적힌 항목을 들여다보며 오늘 할 일을 생각한다. 시내관광
때 들른 곳이지만 카테드랄에 다시 한번 가 볼까 하다가 문득 오늘이
일요일이란 걸 알았다. '미사에 참례할 수 있겠구나.' 나는 서둘러
테이블에서 일어나 호텔 밖으로 나갔다. 도어맨에게 카테드랄 가는
방향을 물었더니 택시로 가란다. 호텔에서 멀지 않다는 것을 알고 있기에
방향만을 물은 것인데 택시로 가라니…. 나는 또 한 번 방향을 묻고는 길
건너 골목길로 들어섰다. 긴 골목길에 한 여인이 걷고 있었다.
"카테드랄로 가는 중인데 이 길이 맞나요?" 여인은 목소리를 내지 않고
손짓으로만 길을 가리킨다. 그런데 그녀는 길을 알려 주고도 나의 옆을
떠나지 않고 걷는다. 성당 앞까지 가서야 그녀도 성당에 오고 있었던
것임을 알았다. 여인은 영어를 몰랐던 것. 그렇긴 해도, 말 한마디 해

보지 않고 내가 자기 나라 말인 스페인어를 못 알아들으리라는 것을 어떻게 알았을까.

성당 안은 앉을 자리가 없이 미사에 온 사람들로 꽉 차 있었다. '미사가 곧 시작될 모양이구나.' 시간도 모르고 덮어놓고 찾아온 성당인데 미사에 참가할 수 있다니 얼마나 행운인가. '하나님 감사합니다!' 나는 감사하다는 말을 입속으로 되풀이하며 앉을 자리를 찾았다. 빈 자리가 눈에 들어오지 않았다. 제단(祭壇) 맨 앞에 몇 줄인가 비어 있었는데, 줄을 쳐 통제를 해 놓았고 '디플로마타'라고 씌어진 종이가 붙어 있었다. 외교관들을 위한 자리인 것 같았다. '쿠바에선 미사 때마다 외교관 자리를 별도로 만들어 주고 있나?' 의아하게 느끼면서 다시 뒤쪽으로 자리를 찾아 발을 옮겼다. 그때 나의 옷자락을 잡아당기는 사람이 있었다. 한 나이든 신사가 나에게 눈으로 앉으라는 표시를 한다. 신사가 옆으로 옮겨 앉으면서 만들어 준 자리에 앉고는 잠시 호흡을 가다듬는다. "미사가 언제 시작되지요?" 고맙다는 인사를 하고는 이어서 물었더니, 신사는 들고 있던 안내장을 나에게 건네주며 그 아래 적혀 있는 시간에 손가락을 갖다 댄다. '오전 열시'라고 적혀 있었다. 손목시계를 보니 열시 이십오분. 어쩌면 이렇게 미사시간에 딱 맞춰 성당에 온 것일까. 누군가가 인도해 주고 있는 것 같은 생각이 들었다. 그에게 안내장을 돌려주었더니 괜찮다고 한다. 부인하고 같이 보면 된다는 것. 신사의 옆에 부인이 앉아 있었다.

열시 반이 지났는데 미사는 시작되지 않았다. 성당 안은 점점 사람들로 꽉 차고 웅성거리기 시작했다. 그때서야 성당에 온 사람들이 모두 신자가 아닐 것 같다는 생각이 들었다. 나에게 자리를 만들어 준 신사도 관광객 같다는 생각이 들어서 물었다. "어느 나라에서 오셨어요?" 신사는 대답한다. "네덜란드에서 왔습니다." 그렇구나. 오늘 뭔가 특별한 미사가 있어서 이렇게 많은 사람들이 모인 거구나. 제단 앞줄에 외교관들까지 초대한 것이 이상하다는 생각을 했는데 역시 특별 미사였던 것이다. 신사에게서 받은 미사 안내장에 공연 프로그램같이 춤추고 노래하는 사람의 사진들이 실려 있는 이유를 그제야 알았다. 십자가에 못 박힌 예수 그리스도 사진 밑에 '미사 플라멩카' 라고 씌어 있는 이유도 알았다. 입당성가와 함께 신부님이 들어오시고 그 뒤에 검은 옷의 젊은 남녀들이 줄을 지어 들어오고 있었다. 플라멩코 음악의 입당성가가 점점 크게 성당 안을 울렸다. 사회주의 국가인 쿠바에서 이토록 성대한 미사를 드리고 있다니. 더욱이 그 미사에 내가 와 앉아 있다니. 가슴이 뜨거워지고 감격스러웠다. 입당성가가 끝나고 아름다운 화음의 코러스가 이어졌다. 「키리에」「글로리아」, 영광송이다. 제단 위에서 검은 티셔츠와 검은 타이즈를 입은 남자 무용수가 춤을 추기 시작한다. 옛 스페인의 춤 판당고. 일본의 부토(舞踏) 무용수처럼 머리를 박박 깎은 검은 옷의 무용수가 아주 천천히, 천천히 두 손과 몸을 놀린다. 강렬하고 정열적인 세 박자의 민속춤 판당고가 그토록 느린 움직임으로 사람의 눈을 사로잡는 것이 신비롭다. 참으로 신성한 춤이다.

사도신경의 기도가 끝나자, 검은 드레스에 검은 베일을 쓴 여인들이 꽃다발을 하나씩 가슴에 안고 중앙통로를 따라 앞으로 걸어 나가는 모습이 보였다. 그들은 가슴에 안았던 꽃다발을 제단 위에 바치고 돌아

나간다. 얼마나 아름다운 봉헌의 모습인지. 제단에 쌓인 봉헌 꽃다발을 앞에 놓고 신도들은 서로에게 인사를 보낸다. "For your peace!" 네덜란드 신사 부부가 서로 껴안고 평화의 인사를 나누는 것을 기다렸다가 나도 그들에게 손을 내밀어 악수로 인사를 나눴다. "For your peace!" 신자들이 서 있는 긴 줄에 서서 나도 신부님 앞으로 걸어 나가 하나님의 몸인 영성체를 받아 모셨다. 대성당의 높은 천장에 울려 퍼지던 남녀 혼성 코러스의 마침성가가 멈춘 후에 나는 신부님이 계신 제단 앞으로 갔다. 검은 옷의 젊은이들, 그들의 얼굴을 좀더 가까이서 보고 싶어서였다. 그러다 그 젊은이들 틈에서 정리하는 것을 거들어 주고 있는 여성이 있어서 그녀에게로 다가갔다. "당신이 혹시 오늘 공연의 연출자이신가요?" 그녀의 민첩하고 활달한 모습이 이 공연자들과 무관하지 않은 것 같아서 그렇게 물었다. "아닙니다. 나는 이들을 취재하러 온 아바나 신문의 기자입니다. 조금 후에 이 사람들과 인터뷰를 하기로 되어 있어서 거들어 주고 있는 것입니다." 나는 기자라는 말에 이야기를 듣고 싶어서 얼핏 나를 소개했다. "글을 쓰는 사람입니다. 사우스코리아에서 왔어요." 여기자는 손을 내밀더니, "아, 그럼 인터뷰에 함께 가시겠어요?" 한다. 나는 인터뷰까지 할 생각은 없었다. 그냥 간단히 오늘 미사에 대해서 듣고 싶었을 뿐.

"이들은 쿠바 에스파뇰라 발레단의 단원들이에요. 오늘 이 미사는 지난 칠월에 사망한 스페인 최고 플라멩코 무용가이며 안무가인 안토니오 가데스를 추모하기 위해 마련된 미사입니다. 그가 남긴 업적을 기리기 위해 플라멩코 춤과 노래로 이 미사를 진행한 것이죠." 여기자는 자기

나라에 관심을 가져 주는 나에게 성의있게 설명해 주었다. "안토니오
가데스는 특출한 안무로 안달루시아 민속춤인 플라멩코를 창작예술로
격상시킨 천재 무용가입니다. 육십칠 세로 세상을 떠난 가데스의 죽음은
무용계의 큰 슬픔이지요." 그녀는 인터뷰가 시작된다는 연락을 받고
떠났다.

성당 문을 나오면서 손에 쥐고 있던 안내장을 다시 한번 살폈다. 'MISA
FLAMENCA' 이렇게 적힌 큰 활자 밑에 작은 활자의 글이 있었다.
"Dedicada al gran bailarin coreografo y maestro Antonio Gades."
위대한 무용가, 안무가, 그리고 작곡가인 안토니오 가데스를 위한 추모.
쿠바의 수도 아바나, 사회주의 국가인 이곳에서 일요일 아침 미사에
참례를 할 수 있었다는 것은 참으로 기적 같은 일. 나에게 내리신
하나님의 은총이었다. 성호를 그으며 잠시 눈을 감았다.

쿠바의 항구엔 노래가 있다네
아바나에서 4

아바나에서의 마지막 날 밤. 저녁식사를 하기 위해 나는 또다시
플로리디타를 찾아갔다. 헤밍웨이가 즐겨 다녔다는 카페 레스토랑이다.
택시기사 안토니오 씨에게 안내받아 함께 갔을 때, 그가 "이 집은
음식값이 비싸요"라고 두 번을 강조해서 말했지만, 어제 저녁에
전기불이 켜 있지 않아서 캄캄했던 계단과 청년 몇이 서성이고 있는

당구장 안을 통해 '로스 나르다스' 식당에 찾아 들어가며 긴장했던 생각이 나서, '그래, 비싸면 얼마나 비싸랴. 비싼 집 플로리디타에서 우아하게 혼자서 저녁을 먹어 보자'고 간 것이다.

"혼자세요?" 웨이터가 그것부터 물었다. "그래요." 웨이터는 가운데에 있는 기둥 옆 테이블로 나를 안내했다. "자리가 마음에 드시나요?" 젊은 웨이터는 의자를 밀어 주며 나를 앉혔다. 넓지는 않았지만 식당 안은 귀족스런 분위기가 느껴졌다. 창문에는 붉은색 벨벳 커튼이 육중하게 드리워져 있고, 벽에는 대형 그림이 걸려 있으며, 높은 천장에는 고풍스러운 샹들리에가 내려져 있다.

메뉴를 테이블 위에 놓고 갔던 웨이터가 잠시 후 다시 와서 묻는다. "세뇨라, 무엇을 마시겠습니까?" 나는 다이키리를 달라고 했다. 호텔 청년이 플로리디타에 가면 다이키리를 마시라는 이야기를 해주었기 때문에 고심하지 않고 주문할 수 있었다. 기다리는 동안 웨이터에게 이 집의 비지니스 카드가 있는지 물었다. 그랬더니 식당의 명함 대신 의외로 큼직하고 인쇄가 잘 된 팸플릿을 가져다 주는 것이 아닌가. 특급호텔 안에 있는 관광안내소에서도 아바나 시내 지도 하나 구비해 놓고 있지 않았는데, 레스토랑 플로리디타의 안내 팸플릿은 서방의 것 못지않게 화려하게 만들어져 있었다. '다이키리의 요람, 레스토랑 바 플로리디타'라고 씌어진 겉장에, 헤밍웨이가 이곳에 와서 스펜서 트레이시, 게리 쿠퍼 등 유명 배우와 함께 찍은 큰 사진이 장식되어 있다. 그리고 헤밍웨이의 소설 중에 다이키리를 마시는 구절도 씌어 있다.

"세계 어느 곳에서도, 똑같기는커녕 이보다 더 좋은 술은 없다. 허드슨은

유리잔 가에 잔뜩 성에가 낀 얼음가루가 섞인 다이키리를 한 잔 더
마시면서, 얼음부스러기가 남아 있는 바닥의 투명한 유리를 들여다보며
바다 생각을 했다."
『멕시코만의 섬들』이란 작품에 나오는 구절인 모양이다. '다이키리의
요람'임을 내세우고 있는 이 식당은, 헤밍웨이의 소설에 나오는 이 한
구절 때문에 아바나에 온 관광객들이 빠짐없이 들르고 있다. 미국은
질색을 하며 쿠바 관광을 막고 있는데, 쿠바는 미국인인 헤밍웨이 덕분에
끊임없이 관광수입을 올리고 있으니, 재미있는 일이다.
비프스테이크와 샐러드 그리고 차를 마신 영수증에 이십칠 달러 오십
센트란 숫자가 씌어 있었다. 물론 다이키리 값도 포함되어 있다. 우리
돈으로 약 삼만 원. 그리 비싼 값은 아니지만, 쿠바 사람들의 평균 월급이
팔 달러에서 십 달러라고 하니 그들에게는 석 달치 월급에 해당하는
돈이었다.

아바나의 밤은 음악소리 때문에 외롭지 않다. 정열적이면서도 감미로운
리듬의 쿠바 음악. 쿠바에 오기 전에 다시 본 영화
〈부에나비스타소셜클럽〉생각이 났다. 아바나의 재즈음악 클럽에서
활약했던 유명 멤버들을 쿠바 혁명 이후 일거리가 없어서 해체된 지 사십
년 만에 찾아내어 그들의 음악을 되살린 이 뮤직 다큐멘터리 영화는
쿠바를 아는 데 많은 도움이 되었다. 지금은 나이가 들어 주름으로
가득한 얼굴이 된 부에나비스타소셜클럽의 멤버들이 한 사람 한 사람씩
스크린에 나와 자기의 어린 시절을 회상하는 장면과 더불어 젊은 날의

연주 솜씨를 멋들어지게 펼치는 장면들이 가슴에 뭉클하게 와 닿는 영화이다.

쿠바의 냇킹콜이라고 불리는, 빼빼 마르고 키가 큰 구십 세의 노인 이브라힘 페레가 무대 위에서 노래를 부른다.

"꽃들이 잠들었네. 글라디올러스와 장미 그리고 흰 백합, 깊은 내 영혼. 슬픔에 잠긴 내 영혼을 꽃들에게 알리지 마라. 내 슬픔을 알게 되면 꽃들도 울 테니. 깨우지 마라, 모두 잠들었네. 글라디올러스와 장미, 크고 흰 백합. 내 슬픔을 꽃들에게 알리고 싶지 않아. 내 눈물을 보면 시들어 버릴 테니."

구슬픈 멜로디의 이 노래를 여성 보컬리스트 오마라 포르투온도와 듀엣으로 부르고는 서로 가볍게 껴안는다.

여든이 넘은 루벤 곤잘레스가 피아노 앞에 앉아 건반을 두드린다. 카메라에 클로즈업된 노인의 손등에 핏줄이 선명하다. 그런 손가락으로 옛 솜씨를 발휘하며 피아노를 치는 루벤의 주변에서 아이들이 발레 연습을 하는 모습들이 화면에 나온다. 춤추는 어린 발레리나들과 피아노 치는 엄숙한 모습의 할아버지가 어찌나 아름답게 조화되어 화면을 구성하고 있는지 감동스럽기까지 하다.

기타리스트인 콤파이 세군도는 굵은 시가를 입에 물고 차를 타고 가면서 지나가는 사람에게 길을 묻는다. 사십 년 전에 부에나비스타소셜클럽이 있던 자리를 아는 사람은 없다. 그는 나이 많은 사람에게 묻는다. 간신히 건물이 있던 자리만을 찾은 아흔이 넘은 노인 콤파이는 여전히 자신의 전성시절의 위엄을 풍기며 아바나 거리를 달린다. 그가 옛 동료와 함께 기타를 치며 노래를 부른다.

"쿠바의 항구엔 특별한 노래가 있다네. 자랑스런 내 조국을 노래해 주지요. 카리브 해의 진주라 불리는 곳, 그곳의 여인들은 별처럼 아름답다네. 모두가 여인들의 우아함을 칭송하네. 그곳은 내 마음 깊이 자리잡았다네. 난 자랑스럽게 내 마음을 노래하지요. 자네도 꼭 가봐야지. 그곳엔 특별한 노래가 있다네."

멤버들이 연주를 하는 화면 사이사이에 올드 아바나의 골목들이 비춰진다. 검게 그을은 낡은 건물들 창가에는 빨래들이 널려 있고, 골목길 어두운 집집마다 사람들은 문 앞에 나와 하릴없이 서 있다. 그러나 그들의 표정은 밝고 명랑하다. 머리에 예쁜 리본을 맨 계집아이의 손을 잡고 걸어가는 여인의 탄력있는 몸매가 여간 매력적이지 않다. 가난 속에서도 그토록 순하고 착한 마음의 쿠바인들을 보면 왠지 신비롭다는 생각이 든다. 정열적이면서 감미로운, 그리고 슬프도록 아름다운 쿠바음악 속에는 어떤 주술이 숨어 있는 것일까.

"쿠바의 항구엔 특별한 노래가 있다네. …그곳의 여인들은 별처럼 아름답다네." 정말로 아름다웠다.

쿠바를 사랑합니다, 무초 무초!
아바나에서 5

"그는 멕시코 만류에서 조각배를 타고 혼자서 고기잡이를 하는 노인이었다" 헤밍웨이의 『노인과 바다』는 이렇게 시작하고 있다. 쿠바에 간다면 헤밍웨이를 생각하지 않을 수 없고, 그의 소설 『노인과 바다』를 떠올리지 않을 수 없었다. 그래서 떠나기 전에 책을 다시 한번 읽었다. 아니, 책을 다시 읽은 게 아니었다. 나는 영화로만 보고 책을 읽었다고 생각했던 것이다. 소설은 손에서 책을 놓을 수 없이 숨가쁘게 읽혔다. 『노인과 바다』에는 산티아고라는 이름의 노인과 한 소년이 나온다.

"고기 한 마리 잡지 못한 지 벌써 팔십사 일. 처음 사십 일 동안은 한 소년과 같이 잡았다. 그러나 고기를 못 잡은 날이 사십 일이나 계속되자 소년의 아버지는, 할아버지는 불운을 만난 것이라며, 소년을 다른 배에 타게 했다. 소년은 날마다 빈 배로 돌아오는 노인을 보는 것이 슬펐다. 야위고 초췌한, 그리고 목덜미에는 깊은 주름살이 잡혀 있는 노인. 열대의 바다에서 반사되는 태양열 때문에 노인의 볼에는 피부암을 연상케 하는 갈색 반점이 생기고, 그것이 얼굴 양쪽 한참 아래까지 퍼져 있었다. 그의 모든 것은 다 늙었으나 다만 바닷빛 같은 두 눈만은 명랑하고 패배를 몰랐다.
'산티아고 할아버지.' 소년이 노인에게 말했다. '다시 할아버지와 함께 배를 탔으면 좋겠어요. 저는 이제 돈 좀 벌었으니까요.' 노인이 소년에게 고기잡이를 가르쳤고, 그래서 소년은 노인을 좋아했다.
'아니야.' 노인은 말했다. '넌 재수있는 배를 탔으니 그냥 남아 있어.'
'하지만 할아버지는 팔십사 일을 고기 한 마리 못 잡았는데 우린 삼 주

동안 매일같이 큰놈을 잡은 걸 기억하시죠?'

'기억하지.' 할아버지는 말했다. '난 네가 내 실력을 의심해서 내 곁을 떠난 게 아니라는 걸 알고 있단다.'

'아버지 때문에 떠났어요. 난 아직 아이니까 아버지 말을 들어야 하고요.'

'그래, 알아.'

'카페 테라스에서 맥주 한 잔 대접할게요. 그러고 나서 어구들을 집으로 나르겠어요.'

'좋지.'

그들이 테라스에 가서 앉자 여러 어부들이 노인을 놀렸지만 그는 성을 내지 않았다. … 카페 테라스에는 햇빛도 잘 들고 있었고 기분도 좋았다.

'산티아고 할아버지.' 소년이 불렀다.

'응.'

'나가서 내일 쓸 정어리를 좀 구해 올까요?'

'오늘 썼던 것도 남아 있다. 궤짝에 넣어서 소금으로 절여 뒀지.'

'싱싱한 걸로 네 개만 구해 올게요.'

'하나만.' 노인은 말했다. 노인에게는 희망과 자신감이 남아 있었다.

'둘만.' 소년이 고집을 부렸다.

'그래, 둘만.' 노인은 빙긋이 웃으며 동의했다. …

노인은 해안의 초록빛을 볼 수 없을 정도로 바다 멀리 나갔고 마침내 낚싯줄로는 끌어올릴 수 없는, 자신의 몸보다 더 큰 고기를 만난다.

'이런 고기를 놓치고 죽을 수는 없다.' 그는 말했다. …

'이제 이렇게 멋있게 끌어 올리는데. 하느님, 제발 견딜 수 있도록 해주십시오. 주기도문과 성모송을 백 번 외우겠습니다. 하지만 지금은 못 외우겠습니다.' 외운 것으로 해 두자, 나중에 외울 테니까, 하고 그는 생각했다. 노인은 그가 잡은 큰 고기를 간신히 조각배 옆에 묶고 육지로 돌아오는데 상어들을 만난다. 배에 묶여 있는 고기에서 흘러 나오는 피 냄새를 맡고 달려드는 상어들과 싸우면서 노인은 소년이 옆에 있었으면 하고 생각한다. 밤과 낮, 몇 날을 수없이 상어의 공격을 받아 고기는 살점이 다 뜯기고 뼈와 꼬리만 남는다. 구제될 길이 없이 지치고 만 몸으로 간신히 노인은 아바나 항구로 돌아오면서, 아무것도 아닌 걸 가지고 무엇 때문에 이렇게 지쳤을까 생각했다.
아바나의 불빛을 보면서 노인은 침대를 생각한다. 침대란 훌륭한 것이다. 지쳐 빠졌을 때는 편안하거든. 얼마나 편안한 것인지 미처 몰랐어. …
아침에 소년이 문을 열고 안을 들여다보았을 때 노인은 잠들어 있었다. 소년은 노인이 곤하게 잠든 것을 알자 노인의 상처투성이가 된 두 손을 보고 울기 시작했다. 그는 커피를 좀 가지고 오려고 조용히 밖으로 나왔다. 길을 내려가면서 소년은 내내 울었다. …
길 위 판잣집에서는 노인이 또다시 자고 있었다. 그는 아직도 얼굴을 파묻고 엎드려서 자고 있었다. 소년이 옆에 앉아서 노인을 지켜보고 있었다. 노인은 사자 꿈을 꾸고 있었다."

소설을 읽으면서 쿠바에 가면 헤밍웨이 박물관에 꼭 들르겠다고 마음먹었다. 그런데 이곳에 와 보니 꼭 그래야 될 이유가 없음을 알았다.

그곳으로 가는 관광버스도 없을뿐더러 혼자서 일부러 찾아간다는 것은 의미가 없다는 것이 이곳 여행사 아가씨의 이야기였다. "볼 것이 별로 없어요. 박물관을 너무 오래도록 손질 못 하고 있어서 보기가 흉해요." 그나마 혼자서 가려면 택시를 타야 하는데 다녀오려면 하루 시간을 다 보내야 한다고 하니 고집을 부리고 갈 필요가 없었다.

언젠가 신문에서, 쿠바의 헤밍웨이 저택이 붕괴 위기에 놓여 있는데 복구비용 때문에 그대로 방치되어 있다는 기사를 읽었던 기억이 났다. 아바나 교외에 있는 헤밍웨이 저택의 침실과 지붕들이 거의 붕괴 직전인데, 미국의 헤밍웨이 재단이 복구사업을 하려 해도 미국의 쿠바 봉쇄정책 때문에 이루어지지 않고 있다. 미국정부는 쿠바에 대해 식의약품 같은 인도적 지원이나 학술, 종교 지원사업은 얼마든지 가능한데, 피델 카스트로의 독재를 종식시키는 데 저해되는 관광사업을 돕는 일은 하지 않는다는 내용이었다.

낮 열두시까지 온다던 안토니오 씨가 열한시에 벌써 호텔 앞에 와 있었다.

"천천히 하세요. 내가 미리 온 것뿐이니까요." 그의 얼굴은 여전히 명랑했다. 나의 요청에 의해 자기 집을 안내해 주고 나에게 쿠바인의 생활모습을 보여준 안토니오 씨가 나를 또 공항으로 데려다 주겠다고 해서 약속을 했던 것이다.

"시간이 이르니까 아바나의 말레콘을 한 번 더 보고 가세요. 아바나 시민들이 꿈과 희망을 버리지 않고 바닷바람을 들이마시며 자유를 누리는 곳이 그곳이거든요."

차창 밖으로 방파제에 부딪힌 파도가 산산조각으로 부서져 흩어지는 것이 보였다.

안토니오 씨는 택시의 창문을 열어 바닷바람이 들어오게 했다. 이 방파제 길을 아바나에 와서 오늘로 세번째 달리고 있다. 첫날 밤에 쿠바의 쇼 '파리지엔'을 보러 나시오날 호텔로 가면서 희미한 가로등을 따라 영화같이 달렸던 것이 첫번째이고, 안토니오 씨가 자기 집으로 나를 데려갈 때 이 길을 지나갔고, 그리고 지금 쿠바를 떠나면서 세번째로 아바나 시민의 휴식처인 긴 방파제 길을 지나고 있다.

"바다 저쪽에 바로 미국 땅이 있지요. 쿠바가 못사는 것이 오로지 '미국의 봉쇄정책' 때문이라고 미국 탓을 하며 선동을 하고 있는데도, 얼마나 많은 쿠바 사람들이 바다 건너 미국 땅을 밟기를 동경하고 있는지는 모르는 일 아닙니까. 미국의 달러를 벌기 위해 대학을 나오고도 관광 택시기사를 하고 있지요. 달러에 대한 욕망을 가지고 있지 않은 쿠바인은, 아마도 쿠바 혁명 전에나 있었을까요?"

"그런데 아바나 시내에서 카스트로의 동상을 보지 못했어요."

사회주의 독재자들의 상징인 동상이나 사진을 쿠바에 와서 보지 못한 것이 의아해서 물었다.

"사실 쿠바 국민들은 혁명의 영웅으로 카스트로보다 체 게바라를 더 생각하고 있습니다. 그래서 게바라의 동상만을 세우고 있지요. 카스트로가 자신의 동상이나 사진을 걸지 못하게 하는 것은 잘하는 일로 압니다. 국민들에게 자신을 우상화시키려는 독재자가 아니라는 것을 보여주기 위한 것이지요."

어느새 안토니오 씨의 차가 아바나 공항에 도착했다. 안토니오 씨가 나의 트렁크를 차에서 내릴 때 문득 트렁크 속에 있는 나의 책이 생각났다. 나를 안내해 주기로 한 쿠바 여인 마이라에게 주려고 가져온 책인데 주지 못한 것이다.

"안토니오 씨, 내가 쓴 책을 당신 나라에 두고 가고 싶은데 괜찮겠어요? 당신 나라 사람들에게 한국을 알리고 싶어서예요." 즉흥적으로 그런 생각이 들었다.

"아주 좋은 생각이군요. 그 책을 주변 사람들과 돌려 보겠어요." 나는 트렁크에서 책을 꺼내 그에게 다시 물었다.

"책에 한마디 쓰고 싶은데 무어라고 쓸까요?" 그랬더니 안토니오 씨가 대답한다. "쿠바를 사랑한다고 써 주세요." 나도 마음속으로 그렇게 쓸 생각을 하고 있었다.

책 속표지에 나는 그가 일러 준 대로 "I Love Cuba. Mucho, Mucho! Lee Kyung-Hee" 이렇게 적었다. 『서울의 뒷골목(*Back Alleys in Seoul*)』이란 제목의 영문 수필집이었다.

**지중해 크루즈 —
이탈리아 그리스 터키 프랑스
스페인**

새벽 여섯시에 잠에서 깼다. 어젯밤 배에서 잤다는 것을 눈을 뜨고서야 알았다. 커튼을 젖혔다. 바다가 보일 줄 알았는데 밖은 온통 회색빛일 뿐 하늘도 바다도 분간이 되지 않는다. 새벽바다는 그런 건지? 그렇게 바라보고 있는데 차츰 뿌옇게 바다가 눈에 들어왔다. 멀리서 배가 오고 있는 것이 보였다. 불빛이 반짝이고 있어서 배라는 것을 알았다. 바다의 빛깔이 느껴지기 시작하면서 수평선이 눈에 들어왔다. 하늘과 바다가 그제야 분간되기 시작했다.

백남준의 베네치아와 산마르코 광장
베네치아에서

아침 여덟시 십오분. 배에서 내리는 우리를 청년이 맞았다. "제가 여러분을 안내할 가이드입니다." 청년은 빨간 목도리를 하고 있었다. 아무렇게나 두른 것 같은 목도리였으나 빨간색이 확실히 눈에 띄었다. "오전 안에 관광을 마쳐야 하니 부지런히 저를 따라오세요. 아니면 열두시까지 배에 오를 수 없습니다." 지중해 크루즈의 첫날, 베네치아 관광은 시작부터 우리를 긴장시켰다.
"원래는 산마르코 광장까지 수상버스를 타고 갈 생각이었는데, 오늘은 보트경기 축제가 있는 날이어서 타지 못하게 되었습니다. 걸어서 가도 얼마 되지는 않지만 베네치아에 왔으니까 수상버스를 한번 타 보시게 하려고 했던 것이었습니다." 보트 축제의 이름은 '보가 랑가 페스티벌'. '보가'라는 말은 '노를 젓는다'는 뜻이란다. 동네 동호인들끼리 팀을 만들어 보트경기를 하는데, 이탈리아인들이 축구를 좋아해서 주로 축구 동호인들의 팀이 많다는 것.
"베네치아라는 말은 '다시 오고 싶은 곳'이라는 뜻입니다. 백열여덟 개의 섬으로 되어 있는데, 자연 섬은 여섯 개뿐이고 나머지는 다 인공으로 만들어진 거죠. 그 섬들을 잇는 다리가 사백열 개, 운하가 백예순여덟 개…." 나는 가이드의 말을 습관적으로 받아 적었다. 이런 숫자들은 책자에 다 나와 있는 것인데도 말이다.
부두에서 십 분이나 걸었을까. 계단으로 된 아치형 다리를 건너자 조그만 광장이 나왔다. 작은 광장이라는 뜻의 '라 피아체타' 광장이다. 노점 선물가게들이 많아 관광객들로 북적이고 있다. 한편은 바다, 다른 한편으로는 공화국 시대의 영화를 보여주는 베네치아 최고의 통치자 도제(총독)의 궁전이 있다. 일명 두칼레 궁전이라고도 불리는 이 궁전은 운하를 사이에 두고 음침한 느낌의 감옥 건물이 마주하고 있다. 궁전과 감옥 사이에는 지붕이 있는 다리가 가로놓여 있는데, 일명 '탄식의 다리'라고 한다. 궁전 안의 평의원회의에서 유죄판결이 난 죄인이 이 다리를 통해 감옥으로 가는데, 그때 다리에 있는 창문에서 바깥세상을 내다보며 "내가 언제 다시 저 세상을 보게 될지…"라고 탄식을 했던 곳이라고 해서 '탄식의 다리'가 되었단다. 베네치아의 탕아 카사노바가 감옥에서 탈출할 때 이 다리의 창문으로 도망쳐 나온 것으로도 유명하다. 베네치아에 오기 전에 우연히 『카사노바의 베네치아』(이용숙 옮김)라는 책을 읽었다. 장정이 예쁘게 만들어져 있어서 샀는데, 막연히 여성편력과 도박으로 특출한 베네치아의 탕아로만 알고 있었던 카사노바의 이야기가 여간 흥미롭지 않았다. 그가 문학, 수학, 의학, 외교 등의 분야에도 많은 저술을 남겼으며, 말년에 쓴 회고록 『나의 인생 이야기』는 그가 살았던 18세기 유럽 사회와 풍속을 아는 데 도움이 되는 문학작품이라는 것 등, 카사노바에 대해 많은 것을 알게 되었다. 또 감옥살이에 대한 카사노바의 다음과 같은 글은 '탄식의 다리'로 이어진 감옥이 어떤 곳이었는지를 상상케 하였다.

"자정을 알리는 종소리가 나를 잠에서 깨웠다. 잠들어 있는 일 말고는 아무것도 바랄 것이 없었기 때문에, 이렇게 깨어나는 건 끔찍했다. 잠든 덕분에 아무런 고통도 느끼지 못한 채 세 시간이 지나갔다는 것이 믿어지지 않았다. 자세를 바꾸지 않고 나는 왼편으로 누운 채 오른손을 뻗어 손수건을 움켜쥐려고 했다. 거기에 분명히 놓아 두었다고 생각했기 때문이다. 오른손으로 그곳을 더듬다가 나는 갑자기 기절할 듯 놀랐다. 내 오른손이 얼음처럼 차가운 다른 손에 닿았기 때문이다. 오싹한 전율이 머리끝에서 발끝까지 훑고 내려갔고 머리카락이 곤두섰다. 나에게 이런 일이 일어날 수 있다고는 결코 생각도 해 본 적이 없었다. … 나는 내가 잠든 사이에 사람들이 누군가의 시체를 내 옆에 갖다 놓은 것이라는 결론에 도달했다. 아까 감방 바닥에 몸을 누일 때만 해도 거기에는 아무것도 없었던 것이 분명하기 때문이다. 나는 우선 죄 없고 가련한 인간의 몸을 상상했다. 사람들이 내 친구를 목 졸라 죽인 다음 내 옆에 갖다 놓았을지도 모른다고 생각했다. 내가 깨어났을 때 내 운명에 대한 본보기로 나에게 보여주려고 그랬을 것이라고 믿었기 때문이다. 이런 생각이 들자 나는 분을 참지 못하고 새로운 결심을 하게 되었다. 그래서 세번째로 손을 뻗어 그 손을 단단히 잡고는, 그 시체를 내 옆으로 끌어당기기 위해 자리에서 일어서려고 하였다. 그러나 내가 몸을 일으키기 위해 왼쪽 팔꿈치로 버티려고 하자 내가 움켜쥔 이 얼어붙은 손은 움직이면서 뒤로 빠졌다. 그리고 오른손으로 바로 나 자신의 왼손을 잡고 있었음을 소스라치게 깨닫게 되었다. 믿을 수 없을 정도로 부드럽고 편안한 침대에 누워 있었기 때문에(차디찬 돌바닥을 그는 이렇게 반어적으로 표현했다) 마비되고 굳어서 감각과 온기와 움직임을 잃어버린 내 왼손이었다."

이 감옥은 원래 납으로 된 지붕으로 만들어져서 '납 지붕 감옥'이라고 불렸다. 여름의 살인적인 더위를 견디어야 하는 납 지붕 감옥에서의 고통도 카사노바는 알리고 있다.

베네치아의 좁은 골목길에는 가면을 파는 가게들이 많았다. 가이드 청년은 한 가면가게 앞에서, 베네치아에 와서 사 갈 것은 유리공예품과 가면들이라고 말한다. 그러나 크루즈 일행들의 표정은 덤덤했다. 이제는 지녔던 집 안의 물건들을 정리하지 못해 애쓰는 나이대의 일행들이니 반응이 있을 리 없었다. 그러나 지금은 생명 없는 관광상품으로 유리장 안을 채우고 있는 가면들이지만, 그것들이 옛 베네치아 사람들을 얼마나 미치게 만들었는지를 알게 하는 '괴테의 카니발'에 대한 글도 있다.

"카니발이 막바지에 이르는 일을 어떻게 묘사해야 할지 나 자신도 잘 모르겠다. 베네치아라는 도시 전체가 완전히 취해서 정신없이 달려가고 있는 모습을 보며 나는 놀라움과 두려움으로 돌처럼 굳어진다. 가면을 쓰고 목동이나 양치기 처녀, 정원사, 농부, 미국인, 아프리카인, 베네치아의 귀족 혹은 그 비슷한 다양한 인물들로 가장하는 것 정도로는 만족스럽지 않은 모양이다. 병자, 부상자, 절름발이, 혹은 나병환자로 변장하는 것도 전혀 부끄러워하지 않는다. 뿐만 아니라 오물을 뒤집어쓰고 피에 젖은 옷을 입은 건달로 자신을 나타내기도 하고, 또 이런 차림으로 사람들이 많은 장소에 나타나 지나가는 행인들을 놀라게

하거나 몸서리치게 만들기도 한다. 이런 구역질나는 변장으로 이들은
거의 온종일을 보내며, 한 순간이라도 자신의 참모습으로 돌아오려고
하지 않는다. 베네치아 정부에서는 이런 고삐 풀린 가면과 가장의 풍습에
약간은 규제를 가할 수도 있을 터인데도, 그렇게 하고 싶지 않거나 그럴
능력이 없는 모양이다. 이 점과 관련해 내 추측을 이야기하자면, 공화국
정부는 의도적으로 이런 미친 짓거리에 눈을 감아 주어 이 백성들이 다른
기회에 더욱 복종적인 충복들이 되도록 하려는 것 같다. 그래서
정부에서는 이처럼 못되고 지각없는 행위들을 개개인의 책임으로
내버려 두는 것이다."

사실 나는 베네치아 여행이 이번이 처음이 아니다. 1993년, 백남준이
독일 대표로 선정되어 베네치아 비엔날레에 참가했을 때 그것을 보러
왔다. 그때는 매일같이 비엔날레가 열리는 자르드니 공원에 가서 그의
비디오 조각작품들을 보느라고 베네치아 관광에는 관심을 갖지 않았다.
그가 황금사자상을 타는 것을 보는 것이 관광 이상의 의미를 가졌으니
말이다.
보트 축제 때문에 수상버스를 타지 못하고 빨간 목도리의 가이드 청년을
따라 걸었던 부두길이, 바로 자르드니 공원에 가느라고 매일같이 유월의
햇볕도 아랑곳하지 않고 걸었던 그 길이다. 그때 알라라는 이름의 호텔을
찾아가느라 좁은 아치형 다리를 건널 때마다 바퀴 달린 트렁크가
뒤뚱거리는 바람에 혼이 났던 일, 황금사자상 수상식 날 그의 독일
파빌리온 식구들과 수상택시를 탔던 일… 그런 일들이 떠올랐다.

"아드리아 해에 연해 있는 베네치아. 작은 섬들과 독특하게 연결된 운하와 아치형 다리들로 연결되어 있는 베네치아는 정취있는 광장과 아름다운 건축의 성당들로 사람들의 마음을 들뜨게 하는 도시이다. 산마르코 광장의 종소리, 바이올린의 선율, 연인들의 포옹, 그리고 관광객들은 쾌적한 카페에 앉아 카푸치노를 마신다. 나폴레옹이 가장 좋은 접견장이라고 일컬었던 산마르코 광장…."

이렇게 선전되는 베네치아가 있는가 하면, 이탈리아 최고의 희곡작가 골도니는 베네치아를 이렇게 묘사한다.

"베네치아는 너무나 독특한 도시여서 그곳을 가 보지 않고는 어떤 도시라고 상상하는 일이 정말 불가능하다. 무엇보다도 첫눈에 띄는 것은 사람을 놀라게 하는 끝없이 펼쳐진 도시 풍경이다. 그리고 헤아릴 수 없이 많은 작은 섬들이 그토록 가깝게 서로 붙어 있는 모습. 그리고 그 섬들이 정확하게 서로 다리로 연결되어 있어 마치 거대하고 평평한 육지를 보는 것 같은 느낌을 준다는 점이다."

독일의 사회학자 짐멜의 베네치아는 또 이렇다.

"베네치아의 모든 사람들은 무대를 가로지르듯이 지나간다. 특별히 하는 일이 아무것도 없으면서도 바쁜 듯이 지나간다. 이들이 지나가고 멈추어 서는 모습, 물건을 사고파는 모습, 관찰하고 이야기하는 모습, 이 모든

것이 우리에게는 베네치아라는 도시의 존재를 이차원의 존재로 보이게
한다. 거리들은 뚜렷한 단락의 구분 없이 무수한 다리들과 이어져 있다.
다리의 아치가 얼마나 높게 솟아 있든, 그것은 그저 거리에서 한 번
심호흡을 하는 구간일 뿐, 그 아치로 인해 이어지는 길은 끊어지지는
않는다."

이렇듯 사람에 따라 다른 모습의 베네치아. 그런데 나의 베네치아는
비엔날레가 열리고 있는 자르드니 공원과 연결될 뿐, 그 아름다운
산마르코 광장도 내게는 백남준의 비디오작품들이 전시되어 있는
바닷가의 자르드니 공원으로 가기 위해 매일같이 지나다녔던 길목에
지나지 않았으니, 지금 생각하면 우습기 짝이 없다.
시내 관광의 마지막 프로그램은 산마르코 광장에서의 자유시간이었다.
두말할 것 없이 우리 일행인 남편과 나, 그리고 함께 간 안과의사 이상옥
박사 부부와 노천 카페에 앉았다. 카페에 앉아서 바라보는 그 광장은
산마르코 성당의 멋진 건축과 조화되는 한 폭의 그림이다. 과연 "아, 참
아름답구나!" 하는 탄사가 저절로 튀어 나온다. 눈에 들어오는
건축물들이 보여주는 세월의 흔적들. 그곳은 확실히 지나다니기만 하는
길목은 아니었다.
정각 낮 열두시. 빨간 목도리의 가이드 청년은 우리를 다시 배에 오르게
했다.

니코스의 외할아버지로부터 들은 신화 이야기
아테네에서

새벽 여섯시에 잠에서 깼다. 어젯밤 배에서 잤다는 것을 눈을 뜨고서야 알았다. 커튼을 젖혔다. 바다가 보일 줄 알았는데 밖은 온통 회색빛일 뿐 하늘도 바다도 분간이 되지 않는다. 새벽바다는 그런 건지? 그렇게 바라보고 있는데 차츰 뿌옇게 바다가 눈에 들어왔다. 멀리서 배가 오고 있는 것이 보였다. 불빛이 반짝이고 있어서 배라는 것을 알았다. 바다의 빛깔이 느껴지기 시작하면서 수평선이 눈에 들어왔다. 하늘과 바다가 그제야 분간되기 시작했다.
배는 조용히 움직이고 있다. 속력이 빠른 것 같은데 어쩌면 이렇게 조용히 가고 있는 걸까.
오늘은 하루 종일 배 위에서 지낸다지? 서두르지 않아도 되어 좋다. 바람이 찬 듯하면서도 얼굴에 와 닿는 느낌이 그리도 다정하다.
크루즈 일정에 오늘은 '바다에서(At Sea)'로 되어 있다. 온종일 배 위에서 지낸다는 뜻. 일출 시간 오전 여섯시 삼십일분, 일몰 시간 오후 여덟시 삼십사분. 예상 온도 섭씨 십육 도. 그러니까 아까 바다에서 아무것도 보이지 않았던 것은 아직 해가 뜨지 않아서였던 것이다.
어제 오후 한시에 베네치아 항구에서 출항하였는데 오늘 하루 종일 바다에서 지낸다고 하니, 아테네로 가는 뱃길이 꽤나 긴 모양이다.
항해사가 쓴 항로 설명을 읽었다. "북아드리아 해를 아침 일찍 빠져나와 이탈리아와 알바니아 연안을 남으로 진행합니다. 오전 여덟시에,

이탈리아와 알바니아 사이에 있는 오트란토 해협을, 배의 우현 쪽으로
브린디시 항구가 보이는 오트란토 해협을 달립니다. 나머지 시간은
남동쪽에 있는 이오니아 해로 진입해서 오후 세시에 그리스의 섬
케파리니아를 지나갑니다. 나머지 저녁시간은 펠로폰네소스 연안을
지나면서 밤 열두시엔 항로가 번잡한 엘라포니소스 해협을
빠져나갑니다."
모르는 이름의 항구와 해협들 천지다. 가지고 갔던 지도를 넓게 펴 놓고
적혀 있는 대로 항로를 더듬어 봤다. 처음 해 보는 항로공부였다.

다음날 아침에 일어나 보니 배가 항구에 닿아 있었다. 어제 온종일 바다
위를 배가 달리던 생각은 나지 않고 처음부터 배가 그곳에 정박해 있었던
것 같은 느낌이 드는 것이 이상하다. 잠자는 사이에 배가 항해를 하고,
잠에서 깨었을 때는 육지에 와 닿아 있고, 이것이 크루즈 여행이구나.
그리스 아테네의 피레우스 항구. 여덟시 반에 배에서 내렸다. 오늘은
아테네와 코린토스를 관광한단다.
"아테네 시 인구는 천백만 명, 크기는 남한의 한 배 반쯤…." 아테네에서
이십구 년째 살고 있다는 여성 가이드의 목소리에는 애교가 듬뿍 배어
있었다. 항구에서 시내로 들어오자 버스 밖으로 교통순경이 보였다.
"이곳은 교통순경이 순합니다. 교통사고가 나면 사고증명만 해줍니다.
그러니까 순경을 봐도 겁이 안 나지요. 사람들도 순해서 데모도 잘 안
합니다. 해도 점잖게 하지요. 플래카드를 들고 구호를 외치는
것뿐입니다. 그리스 사람들은 정이 많아서 길을 가다 넘어지면 주변

사람들이 다 모여들고 물까지 떠다 줍니다. 그런데 돈 문제가 생기면 낯빛이 돌변하는 게 그리스 사람이에요." 그리스 사람이 돈에는 아주 무섭다는 이야기는 나도 들은 일이 있다.
"아테네엔 고층빌딩이 없습니다. 팔층까지밖에 건물을 올리지 못합니다. 아파트도 팔층 이하입니다." 가이드의 말대로 창밖으로 보이는 아파트들은 높지가 않았다.
"그리스 여인들은 아파트 창문을 여간 깨끗이 하고 살고 있지 않아요. 매일같이 유리 닦는 것을 필수로 생각한답니다. 집 안에도 늘 들꽃을 꽂아 놓고요. 돈이 많고 여유가 있어서가 아니라, 집 치장에 그렇게 신경을 쓰고 깨끗하게 하고 살지요. 몸단장에도 아주 신경을 씁니다. 나이 많은 할머니들도 꼭 미장원에 다니면서 머리를 단정하게 하고 다녀요. 그리고 바지는 안 입어요. 옛날엔 뚱뚱한 것을 좋아했는데 요즘은 날씬한 것을 좋아해서 다이어트를 합니다." 여성이라서 그런지 역시 우리의 가이드는 그리스 여성에 대해서 많이 알고 있었다.
아테네의 산에는 나무가 없었다. 돌산이라 그렇단다. 그러나 봄에는 들꽃들이 많이 피어서 산을 덮을 정도라고. 크레타 섬에는 육천 종의 꽃이 핀다고 한다. 아테네의 상징이라는 올리브나무도 계속 눈에 들어온다.
"올리브나무는 아테네의 수호신 아테나 여신이 시민에게 선물로 준 것입니다. 올리브나무가 주는 경제적 가치는 대단하지요. 올리브기름 중에서 제일 먼저 짠 것을 엑스트라 버진이라고 해서 값도 제일 비쌉니다." 가이드는 우리에게 엑스트라 버진이 좋다는 이야기를 몇 번이나 한다. 그리스에 온 김에 사 가지 않겠느냐는 것이겠지.
아테네에서 코린토스까지는 자동차로 한 시간 반. 기원전 8세기말부터
6세기까지, 도시국가 시절에는 제일 부를 누렸던 도시가 이 코린토스다.
그리스에서 가장 사치스러운 환락의 도시였으며 아름다운 창녀들이
매춘을 하는 도시여서 모든 고대 그리스 남자들은 그곳에 한 번만이라도
가 보고 싶어했다는 것. 지금은 폐허가 된 이 옛 환락의 도시는 이제는
관광지 아니면 오렌지 생산지일 뿐. 그리고 지진이 많은 한 시골
도시로밖에 남지 않았다.
지중해의 태양이 제일 눈부시게 빛나는 코린토스에는 포도나무가
많았다. 그래서 그리스 건축양식 중 코린트식 건축에는 포도나무 잎이
장식된 화려하고 아름다운 석주가 유명하다. 폐허가 된 도시에서
세계에서 가장 오래되었다는 수세식 변소, 도시에서 바다까지
대리석으로 깔린 레케온 대로, 게다가 아름다운 창녀들이 남자를
유혹했던 음탕한 표적들을 구경하느라 우리는 내리쬐는 햇볕을 양산으로
가려 가며 따라다녔다.
가이드가 말한다. "양산을 쓰고 구경하는 사람들은 한국
관광객뿐이에요." 나는 속으로 말했다. '이럴 때 쓰라고 만든 양산을 안
쓰고 다니는 사람이 이상한 거지.'
코린토스에서 아테네로 돌아오는 고속도로변에 색칠을 한 교회 모양의
작은 통들이 놓여 있는 것이 자주 눈에 띄었다. "고속도로에서
교통사고로 사람이 죽으면, 가족들이 죽은 자의 영혼을 달래기 위해
만들어 놓은 것입니다. 통 속에 촛불을 켜 놓고 영혼을 기리지요.

에크라사기라고 합니다." 가이드의 설명이었다.

가이드는 차에서 준비해 온 그리스 음악을 들려주었다. 검은 뿔테안경의 가수 나나 무스크리의 「트라이 투 리멤버」와 멜리나 메르쿠리가 부르는 「네버 온 선데이」, 그리고 영화 〈그리스인 조르바〉의 주제음악까지. 그리스 음악은 그 특유의 현악기 선율이 너무도 경쾌하고 감미롭다.

가이드는 또 버스 안에서 우리에게 수없이 많은 그리스 신화를 들려준다. 신들의 이름을 어떻게 그리 잘 외우고 있는지. 솔직히 나는 그리스 신화에 대해서 흥미를 갖지 않았다. 신들의 이름이 하도 많고 외우기가 어려워서이다.

삼십 년 전에 갔던 그리스를 처음 찾는 기분으로 신화 책을 뒤졌다. 그 중에 나에게 흥미를 준 책이 그리스인 니코스 일리아가스가 쓴 『그리스 신화』(이은진 옮김)였다. 그 책에는 저자 니코스가 어려서부터 자신의 외할아버지로부터 들은 신들의 이야기가 그의 삶과 연결되어 씌어 있었다. 더욱 흥미로웠던 것은 그리스의 풍속들이 우리의 풍속과 닮은 점이 많다는 것이었다. 어쩌면 그토록 흡사한 것이 많은지. 그의 책 서문은 이런 이야기로 시작된다.

"…나의 마음의 고향 메솔롱기의 포도나무와 뽕나무 그늘 아래서 스피로스 할아버지가 들려준 이야기 속에는 신비한 이름을 가진 주인공들이 가득했다. 테세우스, 이카로스, 오디세우스, 오르페우스, 제우스, 아프로디테, 에로스…. 신 또는 인간이었던 영웅들로 가득한 신화는 내게 끝없는 모험들을 펼쳐 보여주었다. 하지만 스피로스

할아버지는 그저 재미나는 신화만 들려주신 것이 아니었다. 할아버지의
말 한마디, 몸짓 하나하나가 신화와 연관되어 있었다. 할아버지는
새벽마다 올리브나무에 말을 건네곤 했다. 왜냐하면 올리브나무는
지혜의 여신 아테나의 성스러운 나무이기 때문이다. 할아버지는 밤이
되면 산자락 아래 불을 피워 놓고 춤추고 노래할 줄도 알았다.
신들에게서 불을 훔쳐 인간에게 전해 준 용감한 프로메테우스에게
경의를 바치는 것이다. 할아버지는 또 들판에서 목청껏 노래하면서
나날의 기쁨과 고통을 모두 발산할 줄도 알았다. 그렇듯, 그리스 신화와
전통을 소중하게 간직하면서 나날의 삶을 살아가는 것이 우리
할아버지에게는 인생에 의미를 부여하고 일상의 답답함과 부조리를
이겨내는 방법이었다. '그리스 사람답게 생각하기'는 할아버지만의
독특한 개념이었다."

그리스인 니코스는 쉴 새 없이 돌아가는 생활의 리듬을 잠시 멈추고 가슴
깊은 곳에서 느닷없이 올라오는 조상들의 노랫소리를 듣는다. 그는
스피로스 할아버지처럼 자기도 모르게 땅에 세 번 연달아 침을 뱉고,
길에서 검은 고양이가 자기 앞을 지나가면 얼떨결에 성호를 긋는다.
불운을 쫓는 그리스인의 버릇이다. 스피로스 할아버지처럼 그도 이사 갈
집의 기초를 단단히 다진다는 의미에서 새 아파트 건물 벽에 대고 오줌을
눈다. 니코스는 하늘을 나는 새들을 보면서 그것이 좋은 징조일까 나쁜
징조일까 해독해 보는 버릇이 있다. 까마귀의 불길한 울음소리와
마찬가지로 방울새, 나이팅게일, 제비의 노래도 많은 것을 알려 주기

때문이다. 또 어떤 일을 하려고 할 때 두려움을 느끼면, 할아버지가 그랬던 것처럼 그 또한 '제이베키코(Zeivekiko)' 춤을 춘다. 이 춤은 어떤 두려움을 이겨내게 하고 마음을 고양시키기 위한 독수리들의 춤이라고 할아버지가 가르쳐 주셨다. 두 팔을 어정쩡하게 벌리고 옆으로 고개를 숙인 채, 그리스 특유의 나른한 리듬에 취해서 그는 천천히 빙글빙글 돌다가 무아지경에 빠지는 것이다. 독수리는 춤이 주는 그 건강한 현기증을 맛보며 땅바닥을 응시한다. '제이베키코'는 자신과 싸우는 법을 가르쳐 준다.

"그리스인들은 고대부터 자신의 뿌리, 가계를 밝히는 것을 무엇보다 중요하게 여겨 왔다. 지금도 그리스의 고향 마을에 가면 검은색 옷을 입은 할머니들이 내게 묻는다. '티노스 에이사이(Tinos Eisai, 자네 어느 집 자손인가)?' 아버지는 안드레아스, 외할아버지는 스피로스라고 대답하면 그제야 비로소 할머니들은 고개를 끄덕이면서 '아, 그랬어!' 하고 마음을 놓는다. 이 이름들을 전혀 모른다고 해도 노인들은 대답을 들은 것만으로도 안심하는 것이다."

이런 것도 우리 민족의 정서와 얼마나 흡사한가.

"그리스의 전통은 고통과 슬픔을 다스리는 묘약을 제시하지 않는다. 누군가를 땅에 묻을 때, 고인의 친지들은 자제하지 않고 울부짖으면서 머리를 쥐어뜯는다. 나는 아들을 잃은 어느 아버지가 자기 얼굴을 할퀴는

것을 본 적도 있다. 날카로운 소리로 곡하는 여자들은 소포클레스의
비극에서 곧장 튀어나온 장례 합창단처럼 울부짖으며 관을 따라간다.
그러나 울다가 쉬 웃기도 하는 게 그리스 사람이기도 하다. 그리스에서는
마지막 선물로 무덤에 축성(祝聖)한 올리브기름을 붓는 게 전통인데,
한번은 기름병 뚜껑이 하도 열리지가 않아서 무덤 위에서 길길이 날뛰는
사제를 본 적이 있다. 자리에 있던 사람들 모두가 미친 듯이 웃어 대는
바람에, 나는 어디로 숨어야 할지 알 수가 없었다."

이런 전통도 왠지 우리와 비슷하다는 생각이 든다. 이제 나도 그리스
신화에 대해서 많은 흥미를 느끼게 되었다.

「일리아드」에 꿈을 안고 산 고고학자 슐리만
쿠사다시에서

오전 일곱시, 배가 터키의 쿠사다시에 기항했다. 기온은 섭씨 이십육 도.
쿠사다시? 처음 들어 보는 이름이다. 안내서를 펼쳤더니, "You may never
have heard of Kusadasi until now" 이렇게 시작되고 있다. 그러니까
쿠사다시라는 이름을 나만 모르고 있었던 게 아니었구나.
쿠사다시는 해안에 위치한 유서 깊은 도시이며 에페소를 포함한 수많은
고대도시가 함께 있는 도시이자 몇 년 전까지만 해도 조용한 어촌에
지나지 않았던 도시이다. 쿠사다시에는 터키의 통치자 메헤메트 파샤에

의해 설계된 대형 카라반사리가 있다. 카라반사리란 원래 낙타에 짐을 싣고 지나가는 대상(隊商)과 낙타들의 휴식을 위해 지어진 것이지만, 지금은 호화로운 호텔로 개조되었다는 것. 이것이 쿠사다시에 대한 설명 전부이다. 그런데 우리가 잘 알고 있는 호메로스의 이야기가 썪어 있다. 쿠사다시 가까이에 있는 스미르나는 어쩌면 시인 호메로스의 출생지였는지도 모른다. 왜냐하면 호메로스의 「일리아드」는 트로이 전쟁에 관한 이야기이고 또 스미나르는 고대 트로이에서 백 마일 남짓밖에 떨어져 있지 않은 도시이기 때문에 고대 전쟁의 얘기와 전설에 대해서 자세히 알고 있는 호메로스가 그것을 토대로 작품을 썼으리라는 것이다.

독일의 고고학자 슐리만이 쓴 『트로이의 부활』(박광순 옮김)이라는 책이 있다. 호메로스의 서사시 「일리아드」의 전설적인 이야기를 실제의 역사로 만든 슐리만이 자신이 살아온 삶의 이야기를 쓴 책인데 소설같이 재미있다.

"내가 여덟 살이었을 때 아버지가 1829년 크리스마스 날 게오르크 루트비히 에러 박사가 쓴 『어린이를 위한 세계역사』를 선물로 주었다. 그 책에는 불타오르는 트로이의 삽화가 있었다. 거기에는 거대한 성벽과 스카이아 문, 그리고 한 손으로는 아버지 안키세스를 업고 다른 한 손으로는 어린 아스카니오스의 손을 잡고 도망치는 아이네이스가 그려져 있었다. 이 삽화를 보고 나는 기쁨에 넘쳐 소리쳤다. '아버지, 에러 박사는 틀림없이 트로이를 보았을 거예요. 그렇지 않으면 이렇게 잘 그릴 수가 없어요!' 나는 친구들에게 트로이와, 마을에 가득 차 있는 신비하고 이상한 일들에 대해서 이야기하게 되었다. 그 애들은 하나같이 나를 비웃었지만 마을 소작인의 두 딸 루이제와 민나만은 나를 놀리지 않았다. 루이제는 나보다 여섯 살 많았고 민나는 동갑내기였다. 특히 민나는 나를 진심으로 이해해 주었다. 이런 일로 우리는 서로 호감을 품게 되었고, 이윽고 어린애다운 단순함에서 영원한 사랑과 충성을 맹세하게 되었다."

파란만장한 인생을 살았지만, 트로이가 실재한다는 확신을 가지고 그는 인생의 가을에 접어들어 머리가 희끗희끗해졌을 때에야 비로소 트로이 발굴에 착수하기 시작한다. 당시 민나와는 아주 멀리 떨어진 채 오십 년이 흘렀을 때이다. 슐리만은 지난날을 생각한다.

"1836년 부활절 전 금요일, 나는 궁정 악사 라우에의 집에서 우연히 오 년 이상 만나지 못했던 민나를 만났다. 나는 이때의 일을, 최후의 만남이 된 이때의 일을 결코 잊지 못할 것이다. 민나는 이때, 열네 살이 되어 마지막으로 만났을 때보다 무척 성숙해져 있었다. 그녀는 간소한 검은 옷을 입고 있었는데, 그 간소함이 그녀의 뛰어난 미모를 한층 더 돋보이게 해주는 것 같았다. 우리는 눈길이 마주치자마자 눈물을 비 오듯이 흘리며 말없이 서로 부둥켜안았다. 우리는 몇 번이나 말을 꺼내려 했지만 너무 흥분해 한마디도 할 수 없었다. 하지만 이윽고 민나의 양친이 방으로 들어와, 우리는 헤어지지 않으면 안 되었다."

민나가 아직도 자기를 사랑하고 있다는 것을 확인한 슐리만은 출세해서 민나 앞에 떳떳이 나타날 수 있다는 확신이 생겼다. 당시 그가 하나님께 유일하게 기원한 것은 어엿한 인물이 될 때까지 민나가 결혼하지 않게 해 달라는 것이었다. 슐리만은 돈이 없어 공부를 못했지만 배움에 대한 열망은 대단했다. 그는 제분소 직공인 헤르만이 백 행이 넘는 호메로스의 시구를 낭송해 준 것을 잊지 못하고 있다.

"아주 열정적으로 억양을 붙여 가며 소리 높여 노래했다. 물론 나는 한마디도 알아듣지 못했지만, 그 음악 같은 말에 강렬한 인상을 받았다. 내 처지가 안타까워 저절로 뜨거운 눈물이 흘러나왔다. 그는 그 뛰어난 명시를 나를 위해 세 번 되풀이해 낭송하지 않으면 안 되었다. 그리고 나는 그 답례로 내 전 재산인 몇 페니히를 털어 소주 석 잔을 대접했다. 그 순간부터 나는 언젠가 그리스어를 배울 수 있는 행운을 베풀어 달라고 하느님께 되풀이하여 기도했다. 나는 열심히 영어를 공부했다. 내 기억력은 어릴 때부터 단련되지 않았기 때문에 무척 나빴다. 그러나 나는 공부를 위해 모든 순간을 이용했다. 가능한 한 정확한 발음을 익히기 위해 일요일이 돌아오면 영국교회에 가서 언제나 두 번씩 미사에 참여했다. 그때의 아주 절박한 상황에서 나는 어떤 언어든 쉽사리 배울 수 있는 한 가지 방법을 깨달았다. 그 간단한 방법은 다음과 같은 것이었다. 날마다 꼭 한 시간씩 할애하는 것, 언제나 흥미로운 것을 주제로 글을 쓰고 이것을 교사의 지도를 받아 고치는 것, 전날 고친 것을 암기하고 다음 시간에 암송하는 것 등이다. 이렇게 해서 나는 반년 만에 영어를 완전히 마스터했다."

슐리만은 같은 방법으로 프랑스어, 네덜란드어, 스페인어, 이탈리아어,
포르투갈어 등을 배웠고, 러시아어를 배우기 시작할 때는 러시아어를
아는 사람이 없어서 교사 없이 공부를 시작했다. 『텔레마크의 모험』의
러시아 번역본을 암기하고 그것을 들어 주는 사람에게 텔레마크의
수많은 모험을 이야기해 줄 수 있으면 좀더 빨리 실력이 늘 것 같아, 주 당
사 프랑을 주고 가난한 유태인을 고용하여 그로 하여금 아침마다 두
시간씩 자기가 러시아어로 암송하는 것을 듣게 했다. 물론 그 유태인은
한마디도 알아듣지 못했지만 말이다. 네덜란드 집은 벽이 판자로 되어
있었는데, 일층에서 이야기하는 것을 사층에서도 들을 수 있을 정도여서
마침내는 세들어 사는 다른 사람들이 큰 소리로 암송하는 그의 목소리에
시달리다 못해 집주인에게 불만을 터뜨리곤 했기 때문에, 슐리만은
러시아어를 다 배울 때까지 두 번이나 이사해야 했다.
그후 슐리만의 지위가 안정되고 독립적인 지위가 확보되어서 곧 민나의
아버지 친구인 라우에 씨에게 자신의 이름으로 민나에게 결혼을 신청해
달라고 부탁했으나, 한 달 뒤에 받은 답장은 뜻밖에도 겨우 며칠 전에
민나가 다른 사람과 결혼했다는 것이었다.

"십육 년이란 긴 세월 동안 그녀를 얻고자 애쓰고, 겨우 얻었다고
생각하는 그 순간 그녀를 내게서 빼앗아 가야 했을까. 나는 당시 민나를
잃은 슬픔을 평생 극복할 수 없으리라 생각하고 있었다. 그러나 시간이

모든 것을 치유해 주었다."

슐리만은 첫번째 부인 카타리나와의 결혼에서 일남이녀를 두었으나, 고대를 향한 정열을 공유할 수 없는 그녀와의 결혼 생활을 청산할 수밖에 없었다고 한다. 두번째로 열여섯 살의 소녀 소피아를 소개받게 되었을 때, 그는 아테네로 가서 소피아를 만나자 "어디든 호메로스의 한 구절을 암송할 수 있어요?"라고 묻는다. 소피아는 호메로스를 훌륭하게 암송해 보였고, 그는 그 해에 소피아와 결혼하였다.
호메로스의 대서사시 「일리아드」를 사실로 굳게 믿은 슐리만에 의해 마침내 트로이는 부활했다. 「일리아드」만큼이나 전설 같은 이야기다.

앤서니 퀸의 춤과 「그리스인 조르바」
미코노스 섬에서

오늘 아침은 서두르지 않아도 되어 좋다. 배에서 내리는 시간이 낮 열두시. 이른 점심을 배에서 먹고 하선하기로 되어 있다.
미코노스는 그리스의 섬 중에서 가장 먼저 국제적인 관광지로 알려진, 에게 해의 대표적인 섬이란다. 이번 지중해 크루즈 기항지에 미코노스 섬이 빠져 있었던들 내가 이 여행에 그토록 매력을 느꼈을까. 에게 해에 깔려 있는 많은 그리스의 섬들, 크레타, 산토리니, 델로스, 미코노스 등은 그리스의 신들이 탄생했으며 사랑과 질투의 신화로 가득한 곳이기에, 꼭

한 번 이런 섬에 가 보고 싶었다.

"미코노스는 흰 돌이라는 뜻입니다. 헤라클레스가 거인과 싸워서 흰 돌로 변했다는 신화의 섬입니다." 아테네에서 우리를 안내했던 애교있는 목소리의 여성 가이드. 그녀가 우리를 또 안내하기 위해서 오늘 아침에 비행기로 이곳까지 날아왔단다. 두 번을 만나니 벌써 정이 들었는지 반갑다.

남빛 바닷물에 파란 하늘. 붉은빛 바위산을 새하얗게 덮은 집들. 새하얀 집들을 배경으로 빨간 부겐베리아 꽃이 카르멘 같은 정열로 피어 있다. 내가 기대했던 그리스의 섬은 그림엽서에서 본 그대로였다.

"미코노스는 나체 해수욕장이 있는 섬으로 유명합니다. 벌거벗은 채로 해수욕을 하는 파라다이스 비치. 또 나체 비치이면서 동성애자들로 유명한 슈퍼 파라다이스 비치가 있습니다. 반드시 나체로 들어가야만 하는 것은 아니에요. 사람에 따라서 그 노출 정도가 각양각색이랍니다. 이런 비치 때문에 십대와 이십대 젊은이들이 이 섬을 아주 좋아한답니다. 물론 어른들도 좋아해서 이곳에 한번 와 보는 것이 그리스 사람들의 소원이라고 합니다." 가이드의 목소리는 여전히 애교를 띠고 있었다.

섬의 길들은 무척 좁았다. 관광버스가 어렵게 뚫고 나가는 길을 젊은이들이 렌터 바이크로 여지없이 소리내며 질주하고 있다.

이 섬의 상징이라는 다섯 개의 풍차가 있는 바람 많은 언덕 위에서 일행들은 일제히 사진을 찍는다. 이 풍차들은 옥수수를 찧던 풍차였는데 지금은 가동하지 않고 있단다. 리틀 베네치아라고 불리는 해변에는 시푸드 레스토랑들이 늘어서 있는데 관광객들로 자리가 없을 정도. 그런 바닷가를 지나, 가이드는 우리를 좁은 골목길 동네로 안내했다. 골목길은 두 사람이 지나가기가 힘들다. 골목 안의 집들도 모두가 흰색. 벽에 스치면 옷자락에 흰 가루가 묻을 것만 같은, 그런 새하얀 골목 안쪽에는 민속품 상점들이 알록달록한 수공예품들을 벽에 걸어 놓고 관광객들의 발길을 잡고 있다.

"저를 꼭 따라오세요. 골목이 미로 같아서 길을 잃어버리면 찾아 나가기가 힘듭니다." 가이드는 그렇게 위협하고는 다시 안심을 시킨다. "그렇지만 염려하진 마세요. 골목길을 따라가다 보면 마침내 처음 들어간 길로 나오게 되어 있습니다." 그 말을 듣고야 일행들은 골목 안에 있는 민속품 가게들 안으로 흩어졌다.

"미코노스 섬에는 펠리컨 한 마리가 살고 있습니다. 페드로라는 이름의 이 펠리컨은 섬 사람들의 인기를 독차지하고 있지요. 백 년 전에 우연히 한 마리가 날아왔는데 섬 사람들이 짝을 맺어 줘서 현재 삼대째인데, 한 마리는 교통사고로 죽었답니다." 그래서 지금은 한 마리만 남았다고 한다. 페드로는 보통 때는 나타나지 않다가 배가 고프면 식당 앞에 나타나서 고기를 줄 때까지 가지 않고 기다리면서 손님들도 들어가지 못하게 한단다. 나는 운 좋게 그 페드로를 식당 앞에서 만나서 사진까지 찍었다. 미코노스 섬에 온 관광객 모두가 만날 수 있는 것은 아니라는데 말이다.

파란 지붕의 세인트 니콜라스 교회를 포함해 미코노스 섬에는 삼백 개 이상의 교회가 있다고 했다. 교회가 많다고 해서 섬 사람들이 주일마다 교회에 가는 것은 아니고 일생에 세 번밖에 가지 않는단다. 태어나서 한

번, 결혼식 때 한 번, 그리고 죽어서 장례식 때에 간다는 것. 그런 설명을 듣고 있는데 교회의 종소리가 들렸다. 아름다운 교회의 종소리. 이 소리를 듣는 것만으로 섬 사람들은 하나님의 은총을 받는다고 생각하고 있는지.

리틀 베네치아가 보이는 언덕길 옆에 '조르바' 라는 이름의 카페 레스토랑이 있었다. 이름이 마음에 들어 그 앞에서 발걸음을 멈췄다. "여보, 우리 여기서 커피 한 잔 마시고 갈까요?" 마침 남편도 아까부터 커피 이야기를 꺼냈었다.

빨간 티셔츠에 흰 머플러를 길게 목에 늘어뜨린, 건강미 넘치는 젊은 여성이 앉아 있는 커다란 테이블이 마음에 들어서 남편과 나는 그곳에 함께 앉았다. 젊은 여성 옆에는 선글라스를 쓴 두 남자가 앉아 있었다. 세 젊은이가 한가롭게 앉아 있는 모습이 현지 사람같이 느껴져서 나는 말을 건넸다.

"미코노스에 사세요?" 나는 빨간 셔츠의 여인에게 물었다. 여행 중에 그 고장 사람과 만나서 대화를 나누는 것은 또 다른 즐거움이다.

"네. 나는 미코노스 섬에서 태어나서 이 미코노스 섬에서 자란 토박이 섬 주민이랍니다." 젊은 그녀는 미코노스 사람임을 자랑하듯 강조하면서, 이름이 프란체스카라고 했다.

"미코노스 섬의 자랑이 무엇인지 이야기 좀 해주세요." 별 목적 없이 그냥 또 나는 물었다. 그녀와 대화를 더 나누고 싶어서였다.

"아름다운 해변과 좁은 골목, 그리고 사람들이 많다는 것이지요." 프란체스카는 미리 준비라도 하고 있었던 것처럼 쉽게 그렇게 대답했다.

"사람들이 많다는 것이 자랑인가요?" 내가 물었다.

"그럼요. 장사가 잘 된다는 뜻이니까요." 그녀는 그냥 쉽게 대답하는 것이 아니었다. 미코노스의 자랑이 무엇인지를 진정 알고 대답하는 것이었다.

"이 집, 식당 이름이 '조르바' 군요. 『그리스인 조르바』의 그 조르바인가요?"

"그래요. 내가 지은 이름이에요. 나는 부동산업을 하고 있는데, 남편의 친구가 식당을 한다고 해서 이 집을 구해 주었거든요. 그리고 이름까지 지어 주었죠. 조르바! 좋죠?"

프란체스카는 이 식당에서 바닷가재 요리를 잘해서 그것을 먹으러 온 것이라고 했다.

"작년 칠월에 결혼해서 지금 임신 육 개월이에요. 바닷가재가 태아에게 무척 좋다고 해서 일 주일에 한 번씩 남편과 함께 와서 먹고 있어요." 그녀 옆에 앉아 있는 선글라스의 남자가 남편이었다. 그녀는 결혼을 늦게 했기 때문에 뱃속의 아기에게 더 신경을 쓰고 있다는 것. 프란체스카의 목소리는 씩씩하고 당당하게 들렸다.

"영화 〈그리스인 조르바〉도 봤어요?" 내가 프란체스카에게 물었다.

"그럼요. 앤서니 퀸의 춤추는 모습, 너무 좋아요." 나도 바로 그 춤 이야기를 하고 싶어서 물었는데 그녀가 먼저 말했다. 프란체스카는 조르바 역으로 나온 앤서니 퀸의 춤동작을 흉내라도 내듯이 두 손을 옆으로 올린다. 나도 따라서 흉내를 냈다. 영화 〈그리스인 조르바〉에 홀딱 반해서 두 번을 연달아 본 것도 앤서니 퀸의 춤추는 모습이 감동적이었기 때문이다. 바닷가 모래 위에서 추는 그의 춤은 영혼까지도 녹일 것 같은, 그래서 잊을 수가 없는 장면이다.

그리스 신화의 번역자로 유명한 이윤기 교수에 의해, 니코스 카잔차키스의 소설 『그리스인 조르바』가 다시 번역되어 나온 것을 읽었다. 주인공 조르바가 내뱉는 말들이 어찌나 그렇게 가슴에 와 닿던지.

"아버지가 남겨 놓은 광산을 다시 일으키기 위해서 크레타 섬을 찾아가는 그리스 계 영국인 젊은 작가, '나'가 부두에서 배를 기다리고 있는데, 광산에서 일하고 싶어하는 조르바가 그에게 와서 말을 건넨다.
'여행하시오?' 그가 물었다. '어디로? 하느님의 섭리만 믿고 가시오?'
'크레타로 가는 길입니다. 왜 묻습니까?'
'날 데려가시겠소?'
'왜요?'
'왜요가 없으면 아무 짓도 못 하는 거요? 가령, 하고 싶어한다면 안 됩니까? 자, 날 데려가쇼. 요리사라고나 할까요. 당신이 들어 보지도 못한 수프, 생각해 보지도 못한 수프를 만들 줄 압니다.' (영화에서는 앤서니 퀸이 이 야생마 같은 주인공 조르바 역으로 나온다.)
'그 보따리 속엔 무엇이 들어 있습니까? 먹을 것인가요?'
'산투리(심발롬의 변형인 기타 비슷한 악기)올시다.'
'산투리? 산투리를 연주합니까?'
'먹고살기가 고될 때는 산투리를 연주하며 여인숙을 돌아다니기도 합니다. 마케도니아에서 전해지는 클레프트 산적의 옛 노래도 부릅니다. 그리고 나서 모자를 벗어 들고…. 바로 이 베레모 말이오. 한 바퀴 돌면 돈으로 가득 차는 게요.'

'이름을 여쭈어도 될까요?'

'알렉시스 조르바…. 내가 껑다리인 데다 대가리가 납작 케이크처럼 생겨 먹어 빵집 가래삽이라고 부르는 친구들도 있지요.'

'결혼은 하셨나요?'

'나는 사내가 아닌가요? 나는 수컷도 아닌가요? 눈깔이 멀었지…. 나보다 먼저 살고 간 사람처럼 결혼을 하고는 내리막길을 걸었어요. 가장이 되고 새끼를 둘씩이나 까고…. 하지만 산투리 덕분에 이렇게….'

'근심걱정을 잊으려고 산투리를 치셨던 게로군요?'

'이것 보소. 산투리를 치려면 환경이 좋아야 해요. 마음이 깨끗해야 하는 거요. 마누라가 한 마디로 되는 것을 열 마디 잔소리로 늘어놓는다면 무슨 기분으로 산투리를 치겠소? 새끼들이 배고프다고 빽빽거리는데 산투리를 어떻게 치겠소? 산투리를 치려면 온갖 정성을 산투리에만 쏟아야 해요. 알아듣겠소?' (작가인 카잔차키스는 조르바를 그가 오래도록 찾아다녔던 바로 그 사람이라고 했다. 살아 있는 가슴과 커다랗고 푸짐한 언어를 쏟아내는 입과 위대한 야성의 영혼을 가진 사나이, 아직 모태인 대지에서 탯줄이 떨어지지 않은 사나이라고 말한다.)

'조르바 씨. 이야기는 끝났어요. 나와 같이 갑시다. 마침 크레타엔 갈탄광이 있어요. 당신은 인부들을 감독하면 될 겁니다. 밤이면 모래

위에 다리를 뻗고 앉아 먹고 마십시다. 그러다 심드렁해지면 당신은
산투리를 치고….'

'기분 내키면 치겠지요. 내 말 듣고 있소? 마음 내키면 말이오. 당신이
바라는 만큼 일해 주겠고. 거기 가면 나는 당신 사람이니까. 하지만
산투리 말인데, 그건 달라요. 산투리는 짐승이오. 짐승에겐 자유가
있어야 해요. 제임베키코(소아시아 해안 지방에 거주하는 제임백족의
춤), 하사피코(백정의 춤), 펜토잘리(크레타 전사의 춤)도 출 수 있소.
그러나 처음부터 분명히 말해 놓겠는데, 마음이 내켜야 해요. 분명히 해
둡시다. 나한테 윽박지르면 그때는 끝장이에요. 결국 당신은 내가
인간이라는 걸 인정해야 한다, 이겁니다.'

'인간이라니, 무슨 뜻이지요?'

'자유라는 거지!' (조르바가 물 위로 떠오르는 돌고래를 가리킬 때 그의
왼손 집게손가락이 반 이상 잘려 나간 걸 알았다.)

'손가락이 어떻게 된 겁니까. 조르바.'

'안 해 본 것이 없다고 했지 않았소? 한때 도자기를 만들었지요. 그
놀음에 미쳤더랬어요. 흙덩이를 가지고 만들고 싶은 건 아무거나
만든다는 게 어떤 건지 아시오?'

'손가락이 어떻게 되었느냐니까?'

'참, 그게 녹로를 돌리는데 자꾸 걸리적거리더란 말입니다. 이게
끼어들어 글쎄 내가 만들려던 걸 뭉개어 놓지 뭡니까. 그래서 손도끼를
들어….'

'결혼은 몇 번 했었나요, 조르바?'

'이번엔 도대체 무얼 또 캐내고 싶은 겁니까? 나는 사람도 아닌 줄 아시오? … 몇 번 했는지 그걸 다 어떻게 계산합니까? 수탉이 장부를 가지고 다니며 한답니까?' (탄광을 일으키려고 한 젊은 작가는 더 이상 버틸 힘이 없었다.)

'조르바! 이리 와 보세요! 춤 좀 가르쳐 주세요!' 조르바가 펄쩍 뛰어 일어났다. 그의 얼굴이 황홀하게 빛나고 있었다.

'춤이라고요, 두목? 정말 춤이라고 했소? 야호! 이리 오소! 처음엔 제임베키코 춤을 가르쳐 드리지. 이건 아주 거친 군대식 춤이지요. 게릴라 노릇을 할 때, 출전하기 전에는 늘 이 춤을 추곤 했지요.' 그는 구두와 자주색 양말을 벗었다. '두목, 내 발 잘 봐요. 잘 봐요!' 그는 발을 내뻗으며 발가락만으로 땅을 살짝 건드리더니 그 다음 발을 세웠다. 두 발이 맹렬하게 헝클어지자 땅바닥에서는 북소리가 났다.”

둘이서 벌인 사업이 거덜 나던 날 그들은 해변에 마주 앉았다. 조르바는 숨이 막혔던지 벌떡 일어나서 춤을 춘다. 그는 중력에 저항이라도 하는 듯이 펄쩍펄쩍 뛰어오르면서 소리를 질렀다. "하느님, 작고하신 우리 사업을 보호하소서. 오, 마침내 거덜 났도다!" 바로 이 대목이 저 유명한 영화 〈그리스인 조르바〉에서 앤서니 퀸이 해변에서 춤을 추는 장면이다. 그 장면의 감동이 미코노스 섬에서 되살아난 것이다. 그리스 민속음악의 아버지인 미키스 테오도라키스의 감미롭고도 애환이 담긴 선율 〈그리스인 조르바〉의 주제음악과 함께.

양식을 먹을 때면 생각나는 우치다 햣켄의 수필
크루즈 선상에서

이름이 팔이라고 했다. "팔, 피 에이 엘(Pal), 팔입니다."
다빈치 다이닝룸에서 우리의 저녁식사 테이블을 맡고 있는 젊은 웨이터가 너무도 명랑하고 활달해서 이름을 물었더니 철자까지 알려 준다. 키가 후리후리하게 큰 팔은 잘 웃는다. 무엇이 그렇게 좋은지, 그가 웃지 않고 있는 얼굴을 본 적이 없다. 그는 테이블 사이를 긴 다리로 빠르게 오가며 우리의 저녁식사가 끝날 때까지 연신 웃으면서 시중을 드는 청년이다.

팔이 가져다 주는, 매일같이 바뀌는 메뉴를 받아 들면 우리 테이블에선 그때부터 즐거운 고민이 시작된다. 팔은 까맣게 적힌 메뉴의 음식들을 애피타이저에서부터 수프, 샐러드, 메인요리까지 하나씩 설명해 주며 테이블을 돈다. 자기가 먹는 음식인데도 무엇을 먹을지 결정하는 것이 쉽지 않으니, 이런 즐거운 고민도 없으면 서운하겠지.

우리 테이블에는 양식을 좋아하지 않는 G씨가 있었다. 빼빼 마른 G씨는 메뉴를 손에 쥐고는 고심이 크다. 양식을 좋아하지 않기 때문에 메뉴의 해독에도 익숙지 않다. 메뉴에는 영어, 이탈리아어와 함께 한국어로도 설명이 되어 있는데도 G씨에게는 메뉴에서 음식을 선택하는 것이 여간 힘들지 않다. 그럴 수밖에. 아무리 한글로 쓴 것이라지만, 예컨대 '버섯과 마늘이 들어간 부드러운 크림소스에 리코타 치즈와 쇠고기를 곁들인 파스타' 라고 씌어 있는 음식일 때 그것을 직접 맛보지 않았다면 어떤 음식인지 짐작이나 하겠는가. 가뜩이나 서양음식을 싫어하는 그에겐, 쇠고기 등심이라든가 꿩고기 요리처럼 알 수 있는 음식이 있어도 그게 그것 같은 생각이 들테니 말이다.

G씨 옆에서 지켜보던 부인이 "그냥 그것으로 하세요"라고 할 때에야 겨우 포기한 듯 결정을 끝낸다. G씨의 어려운 결정이 끝나고 손가락으로 메뉴를 짚을 때면 팔은 신이 나서 큰 목소리로 "엑스랑테!" 하고 외친다. "아주 잘 선택하셨습니다!" 이런 뜻으로 하는 말이겠지. 팔은 우리의 요구에 빼놓지 않고 크고 명랑한 목소리로 '엑스랑테' 라는 표현으로 대답했다. 그가 영어 발음이 아닌 '엑스랑테' 라고 하기 때문에 나는 그에게 어느 나라에서 왔는지를 물었다. 팔은 루마니아에서 왔단다. 루마니아의 호텔 식당에서 일하다가 이번에 처음으로 크루즈 배에서 웨이터를 모집하는 데 신청해서 배에 타게 되었다는 것. 그러고 보니 테이블마다 서빙하는 웨이터들의 나라가 달랐다. 바로 오른쪽 옆 테이블은 작은 체격의 태국 청년이고, 왼쪽 테이블에서는 브라질에서 왔다는 청년이 서빙을 하고 있었다. 아마도 크루즈 여행객들이 각 나라에서 온 사람들이어서 종업원들도 그때마다 여러 나라에서 모집을 하는 것 같았다. 하지만 한국과 일본인 종업원은 보이지 않았다. 아무튼 루마니아에서 온 청년 팔이 손님에게 유쾌하게 서빙하는 모습이야말로 '엑스랑테!' 이다.

팔이 양식을 좋아하지 않는 G씨를 위해서 몇 번이나 음식을 다른 것으로 가져오는 것을 보면서 일본의 우치다 핫켄의 수필이 생각났다. 자신이 양식을 먹을 때면 생각나는 이야기라고 쓴 수필이다.

어느 고급 양식당에 시골영감 한 사람이 들어왔다. 시골영감은 샐러드를
먹고 스프를 마시더니, 그 다음에 웨이터가 생선인지 무언지가 있는
접시를 가져다 주자마자 갑자기 큰소리를 질렀다. 사람을 무시해도
분수가 있지, 내가 시골사람이라고 얕잡아 보는 거냐고. 웨이터는 깜짝
놀라서 주춤하더니 허리를 구부려 절을 했다. 시골영감은, 자기가
시키지도 않았는데 이런 것을 계속 가져다 주느냐며, 이 집은 강제로
계산을 올리려고 한다고 웨이터에게 소리를 질렀다. 웨이터는 "손님이
정식을 드신다고 하셔서"라고 말했지만 시골영감은 그런 말을 한 적이
없다며, 주문하지도 않았는데 가지고 왔다며 막무가내다. 웨이터는,
식당 입구에 '정식시간(定食時間)'이라는 표찰이 걸려 있다고
설명했지만 시골영감은 뭐라고 지껄여도 소용없다며, 얼마냐고
계산서를 가지고 오라고 했다. 낮시간에는 세트 메뉴인 정식으로만
식사할 수 있는 것인데, 서양음식 메뉴에 익숙지 않은 시골영감은 그
말을 알아듣지 못한 것이다.
"정식으로 되어 있어서 지금까지 나온 것만을 따로 내신다면 대단히
비싸게 계산됩니다."
"상관없어. 누가 먹어 주나 봐라."
웨이터는 가지고 온 생선요리 접시를 도로 가지고 갔고, 시골영감은
얼굴에 잔뜩 노기를 띠고는 자리에서 일어나면서, 한 손으로 접시에 남아
있는 딱딱한 빵을 집어서 입으로 뜯어먹는다. 그러고는 다시 유리컵에
남아 있는 술을 따라서 또 한 손으로 들어 마신다. 당시 그런 정식은
어디에서든지 일 원 오십 전이었다. 그런데 웨이터가 계산서를 가지고

와서는 "구십오 전입니다"라고 하자 시골영감은 또 한 번 소리를 질렀다.
"뭐가 어째서 이렇게 비싼 거야. 사람을 어떻게 보고 이렇게 엉터리로 값을 받는 거야."
"그래서 처음부터 말씀을 드리지 않았어요? 세트 메뉴로 하시면 대단히 싸게 되는 것이라고요."
"알았어. 돈 낼 테니까."
시골영감은 일어서서 돈을 냈다. 그러고는 테이블 위의 버터 접시에 있던 남은 버터를 호주머니 속에 넣고 나가 버렸다. 무더운 여름날이어서 아마도 기차역 밖을 나가기 전에 버터가 녹아서 배로 흘러들어 화가 났을 것이다.

화가 나는 일만을 모아서 쓴 수필 중의 하나인데, 그 중에 남이 화내는 모습을 보는 것도 재미있다며 쓴『릿부쿠초(立腹帖)』속의 수필이 팔과 G씨를 보면서 생각난 것이다.

뜻도 모르고 부르던 노래 「우스쿠다르」
이스탄불에서

항구에 배가 많다. 유람선도 있고, 고기잡이배들도 벌써 바다에 나갔다가 돌아온 것인지 이스탄불 항구는 다른 항구에 비해서 배가 많았다.
아침에 눈을 뜨면 습관적으로 제일 먼저 선실 테라스에 나간다. 항구마다 그 다른 모습을 보기 위해서다. 그런데 나만 그렇게 하고 있는 줄 알았더니 그게 아니었다. 난간에 손을 대고 좌우로 고개를 돌렸더니 테라스마다 승객들이 나와 있다. 나처럼 모두들 잠옷 바람인 것이 우습다. 게다가 다들 나처럼 카메라를 들고 있다. 사람들이란 같은 상황에서 어쩌면 이렇게 행동이나 생각들이 같을까. 새삼 경이롭다. 배에서 내리니까 약간 선선하다.

"날씨 변덕이 심합니다." 최미애라는 이름의 가이드가 말한다.

"칠면조를 뜻하는 '터키(turkey)' 같이 잘 변한다고 해서 나라 이름을 터키라고 지었다지요." 그녀는 처음부터 우스갯소리로 우리를 맞이했다. 그러면서 터키 국기에 대해서도 설명한다. 빨간 바탕에 초승달과 별이 그려져 있다고. 순진하고 착실한 여인이다.

"이스탄불은 오스만투르크의 수도였습니다. 비잔틴 시대의 유물이 많은 도시이지요. 보스포루스 해협을 사이에 두고 유럽과 아시아가 함께 있습니다." 가이드는 터키의 역사를 교과서 낭독하듯 숨차게 엮는다. 성 소피아 사원과 블루 모스크 사원을 관람하며 다니는 동안 가는 곳마다 관람객들이 어찌나 많은지, 우리는 일행을 놓치지 않으려고 필사적으로 가이드 뒤를 바싹 붙어 다녀야 했다. 구름처럼 몰려다니는 관광객 틈에서 키가 크지 않은 우리의 가이드를 놓치는 일은 눈 깜짝할 사이. 왜 그녀의 손에는 가이드가 들고 다니는 빨간 깃발이 들려 있지 않은지 이상했지만 그런 것을 물어볼 여유도 없이 그저 따라다니기만 해야 했다. 혹 요즘의 가이드는 그런 유치한 빨간 깃발을 들지 않기로 조약이라도 맺었는지. 다른 나라 관광단에서도 빨간색이 눈에 띄지 않았다. 그러니 급한 쪽은 따라다녀야 하는 우리들이다.

그러자 일행 중 한 사람이 부인의 양산 끝에 손수건을 묶고는 그것을 거꾸로 높이 쳐들어 보조가이드 역할을 하는 바람에, 졸지에 우리의 스타가 되었다. 우리가 탄 크루즈 배에서 내린 사람만 해도 이천 명이 넘기 때문에, 그 관광객들이 한꺼번에 이곳에 다 몰려서 그렇다고 한다. 게다가 사원 밖 광장 곳곳에서는 터키의 민속의상을 입은 젊은 아가씨들이 춤을 추고 악기를 연주하고 있다. 그래서 이곳이 언제나 이렇게 복잡한지 물었더니, 오늘 5월 19일이 터키공화국의 건국기념일이라는 것이다.

오래된 석주들과, 그리스 신화에 나오는 여신 메두사가 머리를 옆으로 누이고 있는 지하궁전, 역대 술탄이 거주하던 톱카프 궁전과 하렘, 이런 곳들을 우리는 정신없이 따라다녔다. 그런 세계적 유적들이 이곳에 있었지만 '참 대단하구나' 하는 정도의 느낌일 뿐, 나는 그저 따라다녀야 하기 때문에 따라다녔다.

그러던 중 제일 관심있게 내 눈에 들어온 것은 오리엔탈 익스프레스의 종착역이었던 아가시 기차역사였다. 1883년부터 1977년까지 운행하고는 적사로 너 이상 다니지 않게 된 이 기차를 얼마나 내가 타고 싶어했었는지. 바로 그 기차역 앞을 지나가면서 그곳 광장 앞에 전시된, 침대차로 쓰였다는 검은 열차만을 버스 창문 밖으로 바라볼 수밖에 없었으니, 쓸쓸한 마음이었다.

가이드는 정해진 시간 안에 책임을 다하느라고, 땀을 빼면서도 성실하게 설명을 다 하며 인산인해 속을 다니고 있다. 그런 그녀의 성실한 모습을 보는 것도 명소를 감상하는 것만큼이나 흡족했다. 아주 오래 전에, 앙카라에 있는 우리 대사관의 B씨가 일부러 이스탄불까지 와서 나를 안내해 줘서 무척 호강스럽게 이스탄불 여행을 한 일이 있다. 그 시절에는 국제행사 참가 같은 특별한 목적이 아니면 여권을 발급받기가 어려워서, 한번 김포공항을 빠져나가면, 다닐 수 있는 한 많은 나라들을 들르곤 하였을 때였다. 그런 시절이었기 때문에 여자 혼자 다니는 여행을 보호하는 차원에서 대사관 직원분들이 안내를 해주곤 했었다.

사실 나는 그런 안내와 보살핌이 더할 수 없이 고맙고 편하기는 했지만, 내 모습이 여자가 집에서 살림은 안 하고 돌아다니는 것으로 좋지 않게 보일 것 같아서, 그런 배려를 사양하곤 했었다. 그럴 때면 그분들은 "이것이 해외공관에 있는 우리가 하는 일이니까 염려하지 마세요" 하는 말로 나를 마음 편하게 해주곤 하였다. 특히 북한과 긴장상태에 있을 때여서 무슨 일이라도 일어나면 안 된다는 말에 나는 그저 해주는 대로 따라다녔다.

그때 세계에서 가장 크다는, 거미줄같이 복잡한 그랜드 바자르의 민속품가게에 들른 것도, 그리고 저녁에 식당에서 터키의 젊은 청년들과 고유음식을 먹으며 즐거운 시간을 가진 것도 B씨가 아니었으면 경험하지 못할 뻔한 일들이었다.

보스포루스 해협에 가서 바다 건너 아시아 대륙을 바라보고, 또 페리를 타고 우스쿠다르에 다녀오고, 그렇게 골고루 구경할 수 있었던 일들이 달콤한 회상으로 떠오른다. 그때 쓴 이스탄불 이야기에 무어라고 썼는지 책을 뒤졌다.

"…나는 뒷골목에 있는 한 목로주점을 구경하였습니다. 거기에는 아코디언과 기타 반주로 노래하는 퇴역한 늙은 오페라 가수가 이 구석 저 구석에서 웃음소리와 박수소리를 받으며 우리를 흥겹게 해주는 것이었습니다. 이런 분위기는 오래간만이어서 나는 외로움을 잊고 이들 젊은이들과 같이 마냥 어울렸습니다. 특히 터키 말이 우리 한국말과 같은 우랄·알타이 어족이란 사실도, 나는 여기 현장에서 실제로 체험하였습니다. 떠들어 대는 소리들이 마치 서울의 명동 뒷골목 곱창구이 집에서의 우리말 소리, 그것과 조금도 다르지 않았습니다. … 이스탄불 길가에는 군밤장수들도 있었습니다. 해외여행을 나서는 것은 우리와 다른 것을 보기 위한 것이 아니겠어요? 그런데 정작 외국에서 우리와 똑같은 것을 보았을 때 향수를 느끼게 되는, 그런 감정에서 여행의 또 다른 맛을 느꼈습니다. 반가운 김에 몇 알 샀답니다. 그런데 이들은 군밤을 개수로 팔지 않고 세 개건, 네 개건 간에 저울로 달아서 팔고 있지 않겠어요? 얼마나 재미있는지 깔깔대고 웃었습니다. 그러나 가만히 생각하니 이 방법이 너무도 옳고 합리적인 방법인 것을 깨달았습니다. 사실 서울에서는 같은 백 원어치의 군밤을 놓고도 어느 것이 더 많을까 하고 이것저것 고르느라고 실랑이를 하는데, 저울로 단다면 그런 신경을 쓸 필요가 없지 않습니까. 혹 타 버린 밤 껍데기가 많이 떨어진 것을 찾는 사람이 있을지는 몰라도 말입니다. 또 이곳에서는 석류가 흔하여 놀랍고도 반가웠습니다. 그래서 즉석 석류 주스를 만들어 파는 장사꾼이 많았습니다. 우리나라 석류 크기의 두세 배쯤 되는 큰 석류들을 산더미처럼 쌓아 놓고 압착기로 짜서 주스를 파는 그런 장사입니다. 한 컵을 만드는 데 그 큰 석류를 네 개 정도 터뜨리더군요. 그들은 마치 우리나라의 토마토 주스 정도나 되듯 압착기 속에 석류를 하나씩 넣고 눌러서 그 석류 속의 즙이 채 다 나오기도 전에 그것을 버리고 또 새 석류를 집어넣고 눌러 한 잔을 만들어 손님에게 내주는 것이었습니다. 말하자면 지극히 비경제적으로 만드는 그런 주스 장사였습니다. …

'우스쿠다르' 라는 말을 많이 들어 보셨죠? 저는 노래에서 익숙해진 그 단어에 흥미가 있어서 바로 눈앞에 보이는 해협 저쪽에 그 우스쿠다르가 아시아 대륙과 유럽 대륙을 연결한다는 그런 물리적인 사실이 아니고, 두 개의 다른 정신문화가 교류될 수 있었던 길목 역할을 맡은 지점이란 뜻에서 새삼 감회가 깊었습니다. 여학교 때 역사 선생님이나 지리 선생님이 옛날의 콘스탄티노플이 오늘의 이스탄불이라는 것에 역점을 두어 하시던 얘기가 가끔 기억에 떠올라, 이스탄불이란 곳에는 뭔가 신비한 것들이 있을 것만 같아 막연하나마 그곳으로 여행하는 꿈을 꾸었습니다. 바로 그 지점에 내가 서 있는데, 그런 신비의 모습은 아무 데도 찾을 수 없고 그저 자동차의 행렬과 사람들의 질서 없는 행렬만이 줄을 잇고 있더군요. 필경 모든 여행자들이 그랬듯, 나도 여기서 감상적인 편지 구절을 생각해 봅니다. '이 땅을 지배하려던 신과 영웅들의 꿈은 지금 어디, 갈매기의 흰 날개만이 푸른 파도를 덮고….' 나는 이 긴 다리 곁에서 아름답고 푸른 보스포루스 해협을 내려다보며 일부러 여학교 때의 기억을 되살리려고 노력하였습니다. 러시아와 그리스와 터키의 쟁점으로서의 이 지역에 대하여. 그러나 그것들은 모두

학기말 시험을 치르면서 완전히 잊어버린 사실을 알았습니다. 누가 곁에서 조금만 일깨워 준다면, 적어도 나는 이 주변에 얽힌 오스만 제국이 누린 대영화의 얘기를 기억해낼 것 같은 자신감과, 그리고 다른 많은 생각을 하면서 호텔로 돌아왔습니다."

이스탄불에서 제일 떠오르는 것은 역시 「우스쿠다르」라는 노래였다. 육이오가 한창이던 부산 피난시절, 그때 막 대학생이 된 나는 이 노래를 뜻도 모른 채 불렀다.
"우스쿠다르 기데리켄 알다다 (단 다다…) 둠! 엔디림인 (단 다다 단다…)", 그러다가 또 '둠!' 하고 북소리를 내며 말이다.
세월이 흘러서 이젠 가사도 다 잊었지만 그 뜻이 궁금해서 가이드에게 물었더니, 그녀도 그저 어느 병사가 고향을 그리는 노래라고밖에는 설명을 못 했다.
서울에 돌아와 이스탄불 문화원에 전화를 걸어 그 뜻을 알고 싶다고 하였더니 일 주일 만에 그 노래의 뜻을 알려 주는 이메일이 왔다.
"우스쿠다르로 가는데 그때 비는 내리고, 시인의 얼굴에는 슬픔이, 치마는 젖어 있네. 시인은 잠에서 깨어났으나 눈은 아직 부어 있고, 시인은 나의, 나는 시인의. 사람들이 우리를 떼어놓을 수는 없네. 시인의 물에 젖은 셔츠가 어찌 그리 잘 어울리는지.
우스쿠다르로 갈 때 손수건 하나를 발견했네. 손수건에는 캔디가 가득 싸여 있네. 시인을 찾을 때 나는 곁에 있는 그 수건을 발견했네. 시인은 나의, 나는 시인의. 사람들이 우리를 떼어놓을 수는 없네. 시인의 물에 젖은 셔츠가 어찌 그리 잘 어울리는지."

다시 간 이스탄불에서 생각난 옛 글. 아름다운 추억이다.

혁이 오빠의 노래 「돌아오라 소렌토로」
폼페이, 소렌토에서

베수비오 산의 대폭발로 화산재에 묻혀 흔적도 없이 사라졌던 도시가 천구백 년 만에 그 모습을 드러낸 폼페이를 보러 간다는 것이 왠지 나에게는 긴장되는 일이었다. 영화로 본 〈폼페이 최후의 날〉이 아득하긴 하지만, 배를 타고 탈출하는 사람들의 비참한 모습들이 아직도 기억에 남아 있어서인지도 모른다.

폼페이는 잿속에 깊이 묻혔다가 발굴된 것 같지가 않고, 처음부터 그렇게 남아 있었던 유적지같이 느껴졌다. 팔십 퍼센트의 발굴이 끝났기 때문일까. 반듯반듯하게 구획된 길들과 집들, 그리고 상가와 관청 건물들. 신전의 돌기둥들도 그대로 있고, 야외극장의 좌석들이며 유흥가였던 골목길들이 그대로 있는 것이 신기했다. 넙적한 돌들이 깔린 곧게 뻗은 큰길 양쪽으로 인도가 있고, 인도를 따라 상점들이 늘어서 있다. 그런 상점 길모퉁이마다 수도전이 있다. 이천 년 전의 폼페이 사람들이 수돗물을 마시고 살았단다. 길가에 있는 상점들 하나하나를 들여다보면 그곳이 옷가게였는지, 술집이었는지, 빵 가게였는지를 알 수 있다. 빵을 굽던 화덕이라든가, 술잔을 놓고 앉았던 바와 계산대, 벽에 그려진 요염한 그림들을 통해 그곳이 어떤 곳이었는가 쉽게 알 수 있었다.

주택가 가정집으로 들어가 보았다. 문으로 들어가자마자 하늘이 보이는 네모난 마당이 있고, 냉온탕이 갖춰진 사치스런 욕실이 있는가 하면, 네로 황제가 시녀들을 데리고 향연을 벌이는 장면을 연상시키는 연회장, 그리고 거실과 침실. 이런 방에는 반드시 모자이크 그림이나 프레스코 벽화들이 그려져 있어서, 폼페이 사람들이 얼마나 사치스럽게 향락을 벌이고 살았는지를 짐작할 수 있었다.

폼페이는 지중해 전역으로 물건들을 수출했던 활기찬 항구도시여서 상인들과 뱃사람들이 묵던 여인숙들이 많았고, 한편 유곽도 많았다는 것. 그런 여인숙과 유곽이 있는 골목에는 집집마다 담벽에 낙서가 되어 있다. 모두 남자들을 유혹하는 글들과 그림이다. "나는 이 아스(화폐 단위)로 당신의 것" "최고로 행복하게 해 드립니다. 이 아스" 등. 선술집 낙서에 "이 카운터에서 와인을 일 아스로 마셨다"라고 씌어 있는 것을 보면 이 아스는 와인 두 잔 값 정도라는 것인지. 아무튼, 식당의 메뉴를 벽에 써 붙여 놓듯, 폼페이의 뒷골목엔 이런 낙서가 있다. 어떤 집에는 그림까지 섞어서 벽에 써 놓았는데, 이런 낙서 형식의 글들은 아마도 금지된 것을 알리고 싶었기 때문인 듯했다.

폼페이에는 도시를 둘러싼 성이 있고 성문이 있었다. 또 성문 밖에는 길 양 옆으로 잘 만들어진 공동묘지가 있었다. 이천 년 전에도 사람이 죽었을 때 매장을 하고 정성껏 묘지를 만들었다는 것이 경이롭게 생각된다.

폼페이의 끔찍한 재앙을 실감할 수 있는 현장이 있다. 화산 폭발 때 죽은 사람들의 시신이 마지막 다급했던 순간의 표정과 모습을 그대로 지니고 있는가 하면 금붙이를 손에 꽉 쥔 채 죽어 있는 시신도 누워 있다. 어린이를 가슴에 감싸 안고 죽은 여인의 모습이 생생하게 화석으로 남아 있는 것은 공기 중의 미생물이 시신을 분해할 수 없을 정도로 순식간에 화산재가 모든 것을 덮어 버렸기 때문이라는 것. 그야말로 '폼페이 최후의 날'을 현장에서 본 것이다.

카프리로 갈 일행들과 헤어지고 우리는 나폴리로 왔다. "아래를 내려다보세요." 가이드의 말에 고개를 아래로 내렸더니 그렇게 아찔할 수가 있을까. 절벽이었다. 까마득히 아래서 바닷물이 출렁이고 있었다. 가이드는 우리를 개인 별장으로 쓰였다는 한 저택으로 안내했다. 그 집의 테라스에서 바라다보이는 쪽빛 바다와 절벽 위의 집들, 그리고 밝은 태양빛. 아, 이래서 그 유명한 노래 「돌아오라 소렌토로」가 작곡된 거구나! 여학교 때 친구 숙이의 사촌오빠 생각이 났다. 혁이라는 이름의 사촌오빠를 숙은 혁이 오빠라고 불렀고 나도 따라서 혁이 오빠라고 불렀다. 혁이 오빠는 노래를 좋아했다. 그냥 좋아만 한 것이 아니라, 잘 불렀다. 나는 같은 동네에 살았던 숙이네에 자주 놀러갔다. 숙이네 집에 가면 혁이 오빠가 늘 와 있곤 해서 그랬을 거다. 혁이 오빠가 잘 부르는 노래는 「오 솔레 미오」와 「돌아오라 소렌토로」였다. 혁이 오빠는 노래를 부르기 전에 음정을 잡는다고 "아아, 아아" 또는 "으음, 으음" 하고 소리를 낸다. 조율을 하기 위해서 활로 바이올린 줄을 그으며 소리를 내

보듯, 혁이 오빠는 으레 그렇게 소리를 내며 목소리를 가다듬는다. 노래 부르기 전에 한 번도 그 "아, 아"와 "으음, 으음" 소리를 내지 않은 적이 없었다. 그럴 때면 숙이는 혁이 오빠를 가리키며 빈정댄다. "지가 뭐, 테너 가수라구!" 사실 숙이와 나 둘뿐인 자린데, 무대도 아닌 좁은 방에서 이탈리아 가곡 하나 부르기 위해 일일이 음정을 맞추고 있는 혁이 오빠를 나는 그냥 보기도 무안했지만, 혁이 오빠는 아무렇지도 않게 매번 아, 아, 으음, 으음 하고는 두 손을 배 앞에 마주 잡고 본격적으로 노래를 부르기 시작한다. 숙이와 나는 웃음이 나오는 것을 억지로 참아야 했다. 그것만이 아니다. 혁이 오빠는 우리말로 부르는 것이 아니다. 꼭 이탈리아 원어로 부른다. 예컨대 "오 맑은 햇빛, 너 참 아름답다" 이렇게 부르는 것이 아니라, "케 벨라코사, 나 유르 나타 에 솔레" 그리고는 "오 솔 오 솔레 미오, 스탄프론테 아 테, 스탄프론테 아 테!" 이런 식으로 말이다.

혁이 오빠는 부산 피난 때 미국으로 유학을 갔다. "얘, 혁이 오빠가 교회에서 노래를 부른단다. 노래를 부르면 교회에서 돈도 준다는구나." 참으로 노래 부르기를 좋아하는 숙이의 사촌 오빠였다. 친구 숙이는 오래전에 저세상으로 떠났다. 그래서 혁이 오빠의 소식도 더 이상 들을 수가 없다. 지금도 미국에서 노래를 즐겨 부르고 있는지. 소렌토에서 떠오른 여학교 추억의 한토막이다.

사바티니 식당에서 떠올랐던 코미디 같은 실화
크루즈 선상에서

새벽에 흐리고 바람 불다.

아침 느지막하게 식당을 찾았다. 오늘은 바다 위에서만 지내는 날이기 때문이다. 십사층에 있는 호라이즌 코트. 궁전처럼 엄청난 크기의 뷔페식당. 사방이 유리로 되어 있어 호라이즌 코트란 이름 그대로 수평선을 바라보며 식사를 할 수 있다.

테이블 위에 만화 같은 그림이 그려 있는 종이판에 'Escape Completely' 라고 씌어 있는 글이 눈에 들어왔다. "이스케이프 컴플리틀리? 이게 무슨 뜻이지?" 혼잣말처럼 말했는데 남편이 얼핏 듣고 대답한다. "모든 일에서 떠나 자유로워지라는 말이지. 마누라도 떼어 버리고 말야." 함께 앉은 테이블의 일행들이 한바탕 소리 내어 웃었다. 남편은 다시 말을 바로잡았다. "완전히 일상에서 탈출하라는 뜻인 거야." 그렇구나. 'Escape Completely!' 크루즈 여행의 캐치프레이즈로는 아주 제격인 말이다. 배 안 여기저기 씌어 있었는데 왜 오늘에야 이 말이 눈에 띄었을까. 크루즈에서는 역시 선상에서만 지내는 날, 'At Sea'가 필요하다. 이런 문구가 눈에 들어오는 한가로운 시간을 가질 수 있기 때문이다. 크루즈에 대한 화제로는 뭐니 뭐니 해도 먹는 이야기를 빼놓을 수 없다. 그 이야기를 해야겠다. 저녁식사는 정식 코스요리가 제공되는, 오층에 있는 미켈란젤로 다이닝룸과 육층에 있는 다빈치 다이닝룸에서 한다. 둘 중에 어느 곳을 택해도 좋다. 또 스테이크 요리만을 전문으로 하는 보티첼리 다이닝룸이 있는데, 여기에서는 한 사람이 십 달러씩을 더 내야 한다. 또 이탈리아 식당인, 사바티니 트라토리아가 있다. 이 배에서 가장 내세우는 식당인 이곳은 바닷가재 요리가 전문인데 일인 당 이십 달러씩을 더 낸다.

식당 안내서에 씌어 있는 글을 읽었다. "Sabatini's Trattoria는 이탈리아의 피렌체에 있는, 유서 깊은 이백 년 된 사바티니 식당의 이름을 딴 전통있는 트라토리아('작은 음식점' 이라는 뜻의 이탈리아어)입니다. 이곳은 이탈리아 요리에서는 절대로 빼놓을 수 없는 애피타이저가 하나도 빠지지 않고 종류별로 모두 나옵니다. 갖은 소스를 곁들인 파스타 종류와, 왕새우에서부터 바닷가재 꼬리는 물론이고, 그 동안 손님들이 맛들여 온 피자와 디저트들이 망라되어 있습니다. 식당 안은 선명한 색채의 타일로 만든 테이블과 정교하게 세공한 단철로 만든 의자, 그리고 물방울이 일고 있는 분수, 이런 것들이 잘 조화된 지중해풍으로 되어 있습니다. 이 식당은 예약하지 않으면 절대로 들어갈 수 없으므로, 실망하지 않도록 일찌감치 예약을 하십시오."

참 고약하게도, 뭘 절대로 예약하지 않으면 안 된다고 한담. 우리는 하라는 대로 일찌감치 함께 간 이상욱 박사 부부까지 네 사람 자리를 예약했다.

"바다가 보이는 자리로 할까요?" "그게 좋겠네요." 정중하게 다가와서 자리를 물은 남자가 창가는 아니지만 바닥이 약간 높은 자리로 우리를 안내했다. "곧 바다를 보이게 해 드리겠습니다." 그는 창쪽으로 가서 창문을 가리고 있던 묵직한 커튼을 옆으로 젖힌다. 바다가 보였다.

"마음에 드십니까?" 식당 매니저인 듯한 남자의 손님을 모시는 세련된 솜씨가 오히려 우리를 긴장시켰다. 식당 안은 넓지도 않고 화려하지도 않았지만 고급스럽다는 것을 느끼게 했다.

마침내 애피타이저가 나오기 시작했다. 머리가 희끗한 나이든 웨이터가 두 사람씩이나 와서 우리 테이블을 서빙한다. 차례대로 애피타이저 접시를 가져와서 손님 앞에 놓을 때마다, 무슨 재료로 어떻게 만들어서 어떤 소스를 얹었는지를 설명하고 가지만 우리가 그 자세한 요리방법까지 알아들을 필요가 어디 있는가. 못 알아들어도 그저 알아들은 척하고 앉아 있을 뿐. 그러기를, 아마도 열 번은 더 애피타이저 접시를 가지고 왔을 것이다.

수도 없이 내 앞에 놓여지는 애피타이저가 이제는 다 나왔는가 싶더니 또 귀엽도록 작은 피자 조각이 나왔다. 하도 여러 종류의 피자가 나오는 동안, 배불러서 메인 요리를 어떻게 먹겠나 하는 표정으로 우리는 서로를 쳐다보며 웃기만 하였을 뿐이다.

피자 하면 떠오르는 일이 있다. 아주 아주 오래 전의 일.
민속놀이패, 남사당을 데리고 프랑스 렌에서 열린 세계전통예술제에 참석한 일이 있었다. 렌 페스티벌을 마치고 이탈리아 밀라노에 갔을 때였다. 그곳에 도착하자마자 우리 일행은 공연 주최측의 안내양을 따라 저녁식사를 위해 식당에 갔다. 남사당 일행 일곱 명이 테이블에 둘러앉았는데 얼마 후 우리 앞에 가져온 것은 요리가 아니라, 작은 크기의 피자 한 판씩을 각자 앞에 달랑 갖다 놓는 것이었다. 두둑한 스테이크 요리를 기대했던 남사당 청년 패거리들의 얼굴이 동시에 일그러졌다. 한참 나이의 그들에게 피자로 저녁을 때우게 할 생각을 하니 실망이 이만저만이 아니었다. 스테이크 요리가 안 나오는 것을 보니 그 집이 피자만 파는 집이구나. 젊은 남사당 패거리가 조금 후에 한바탕 뛰어야 할 판인데 피자 한 판 가지고는 될 것 같지가 않아서, 나는 안내양에게 피자 한 판씩을 더 주문해 달라고 말했다. 안내양은 눈이 동그래져서 나를 쳐다보며 머뭇거리더니 할 수 없다는 얼굴로 피자 한 판씩을 더 주문했다. 그러자 그때, 커다란 두께의 스테이크 접시가 테이블 위에 하나씩 놓이는 게 아닌가. 순간 서로를 쳐다보며 입을 벌리고 놀란 표정을 지었지만 그땐 이미 늦었다. 그러고는 두번째 주문한 피자가 잇따라 나왔다. 그걸 어찌 다 먹으랴.

나는 또 용기를 내어 남은 피자를 싸 달라고 안내양에게 부탁했다. 처음에 나온 피자가 바로 이탈리아 요리의 애피타이저였던 것. 피자가 이탈리아 요리의 애피타이저로 제공된다는 것을 그때 나는 알지 못했던 것이다. 코미디 같은 실화이다.

죽은 뒤에도 산 사람과 가까이 있고 싶어하는 로마인
로마에서

"성악공부를 하러 온 유학생인가 봐요. 목소리가 좋은 것을 보니까." 앞자리의 최 여사가 뒤돌아보며 나에게 말했다. 그러자 청년 가이드가 자기소개를 한다. "저는 이탈리아에 벨칸토 성악을 공부하러 온 유학생입니다. 이곳에 온 지 육 년이 됩니다." 최 여사가 다시 고개를 뒤로 돌려 나와 눈을 마주치며 웃는다. 알아맞히지 않았느냐는 표정. "이탈리아에는 한국 사람이 삼천 명가량 살고 있는데 그중 육칠십 퍼센트가 음악, 미술, 건축 등을 공부하러 온 유학생들입니다. 나머지는 회사 주재원과 그 가족들이구요." 이탈리아는 이민을 받아들이지 않기 때문에 한국 교민이 없단다.

"우리가 지금 가는 곳은 티볼리라는 곳입니다. 티볼리는 꼭 가 보셔야 할 곳이기 때문에 그곳에 먼저 들른 후에 로마로 가겠습니다."
티볼리는 고대 로마의 휴양지로 황제와 귀족들이 쓰던 별장이 많은 곳. 그 중에서도 하드리아누스 황제가 사용하던 별장이 제일 아름다운데, 그곳을 보러 간다고 한다.

"한국이 지난번 월드컵 축구경기에서 이탈리아를 이긴 것 때문에 이곳에 사는 한국 사람들이 얼마나 미움을 받았는지 몰라요. 유학생들도 이탈리아 친구와 사이가 좋지 않아졌고 따돌림을 당하는 등, 아주 힘들었어요." 이탈리아 사람들은 축구에 대한 열정이 엄청 강해서, 한국에 졌다는 것이 너무도 자존심이 상했기 때문이란다.

"그런데 지금은 한국 사람들에 대한 이들의 인식이 싹 달라졌습니다. 로마에서 전자통신제품의 국제박람회가 열린 후부터는 이 친구들이 아부할 정도로 한국 학생들을 가까이 하고 있습니다." 그 이유는 삼성의 휴대폰과 엘지의 텔레비전의 인기 때문이란다.

"세계의 내로라하는 회사 제품들을 제치고 한국 제품들이 정상을 차지하고 가장 좋은 자리에 진열되고 있습니다. 휴대폰 코너에서는 삼성의 제품이 관람객들의 눈높이와 맞게 제일 윗자리에 진열되어 있어요. 그 전시대가 한 바퀴 빙 돌아 앞으로 오면, 번쩍 하고 불이 비치면서, '삼숭(SAM SUNG)!' 그러고는 또 한 바퀴 돌고는 '삼, 숭!' 번쩍! 이러는 것 아닙니까." 그는 마치 무대 위의 배우같이 실감나게 장면 설명을 하고 있다. "가격도 다른 나라 제품들보다 훨씬 비싸게 붙어 있어요. 그래서 제가 살 것도 아니면서 괜히 한번 물어보지요. 이거 왜 이렇게 비싸요?" 하고요. 그러면 "한국의 삼성 제품이니까 비쌉니다"라고 아주 정중하게 대답한단다. 그러면 그는 양 어깨를 뒤로 젖히면서 으스댔다는 동작까지 해 보이면서 우리를 즐겁게 한다.

가이드 청년은 조수미 씨와 정명훈 씨 얘기도 꺼냈다. "이탈리아 사람에게 인기가 이만저만이 아니어서 그 덕에 한국 사람들이 음악에 소질이 있다며 부러워하고 있어요. 이탈리아 사람들은 테너 가수라면 식당에 가서도 밥을 공짜로 먹을 정도로 성악가를 대단하게 여깁니다. 그래서 사람을 구분할 때 남자와 여자, 그리고 테너, 이렇게 세 종류로 구분합니다. 그리고 클래식 음악 코너에 가면 세계적 음악가들 사이에 '마에스트로'라는 칭호로 정명훈 씨의 사진이 커다랗게 걸려 있지요." 가이드는 정명훈 씨가 지휘하는 음악회에 갔던 이야기도 했다. 연주회가 끝난 후에 무대 뒤로 갔으나 마에스트로 정을 보기 위해서 몰려든 이탈리아 사람들이 얼마나 많은지 앞으로 갈 수가 없었는데, "거기, 한국 사람이 있는데 미안하지만 조금만 비켜 주세요" 하며 자기를 앞으로 오게 해서 악수를 해주었다며, 그때의 감격스러웠던 기억을 온몸으로 연출했다. 목소리 좋고 웃는 얼굴이 인상적인 가이드 청년이 '로마 속의 한국인 자랑 이야기'를 얼마나 재미있고 신나게 하는지. 먼 나라에 가서 거꾸로 내 나라 이야기로 기쁨을 얻는 즐거움은 새로운 여행의 경험이었다. 그러는 동안 우리는 티볼리에 도착했다.

하드리아누스 황제의 별장은 언덕 위에 있었다. 그런데 일이 벌어졌다. 별장의 입장권을 사러 갔던 가이드가 기운이 하나도 없는 얼굴로 돌아오더니 모기소리만한 목소리로 입을 연다. "여러분, 죄송해서 어떻게 하지요? 오늘은 휴관이라서 관람할 수가 없게 되었습니다." 월요일이 휴관이라는 것을 잊고 우리를 그곳까지 데려온 것. 자그마치 두 시간이 넘게 걸려서 온 길이다. 별장 정원에 여러 개의 분수들이 있고, 이 분수들이 각각 유명한 건축가들에 의해서 만들어졌기 때문에 그 형태들이 모두 다른 예술적 특성을 가지고 있어서 그 아름다움에 탄복할 것이라는 등의 이야기로 잔뜩 기대를 가지고 온 우리는 실망으로, 버스에서의 한국 자랑 열기에 찼던 감정이 순식간에 싸늘해졌다. 일행들은 와자지껄 실망의 투정을 한마디씩 던지면서 다시 버스에 올라탔다. 여행 중의 사람 마음은 참으로 묘하다. 자기의 실수는 빠르게 포기하는데 상대의 실수는 쉽게 용서하기가 어렵다. 친한 친구 둘이 여행을 떠났다가 도중에 서로 싸우고는 원수가 되어 각자 따로따로 돌아왔다는 이야기를 들은 일도 있다.

로마로 돌아오는 버스 안의 분위기는 내내 가라앉아 있었다. 청년 가이드에게 열정적으로 박수를 보내며 좋아했던 사람들의 마음이 그렇게 싸늘하게 돌아설 수 있는 것인지. 하기야 여행은 똑딱똑딱 지나가 버리는 초침과 같은 것. 그 순간순간이 단 한 번의 기회라는 기대가 망가질 때 마음의 너그러움도 함께 떠나기 때문이라고. 이해가 되지 않는 것은 아니었지만 그렇더라도 이 경우는 좀 지나치다는 생각에 나는 마음이 좋지 않았다.

한참 만에 가이드가 입을 열었다. "어제, 여러분을 모시게 되었다는 연락을 받고 오랜만에 고국에서 온 분들께 무슨 재미있는 이야기를 해드릴까, 이것만을 밤새 연구하고 생각하는 바람에 티볼리 관람에 대한 것을 확인하지 못했습니다. 죄송하기 그지없습니다." 그제야 모두는 그에게 박수로 위로를 보냈다. 진작 그랬어야지! 안 좋았던 마음자리에 더 큰 기쁨이 차올랐다.

티볼리 관광 대신 가이드는 카타콤베로 우리를 안내했다. 기독교인의 지하묘지인 카타콤베는 로마 근교에 있는 아피아 가도 가까이에 있었다. "로마는 고대부터 길을 잘 만들었습니다. 군사도로이지요. 가장 오래된 길이 아피아 가도입니다. 성경에도 나옵니다. 주여, 어디로 가시나이까. 예수의 수제자 베드로가 예수를 만났을 때 한 말, 바로 그 '쿼바디스'의 길이 이 아피아 가도입니다." 아피아 가도 옆에 'DOMINE QUO VADIS'라고 새겨져 있는 것이 차창 밖으로 보였다.

아피아 가도 양쪽으로는 거대한 우산을 펼친 듯한 소나무들이 긴 터널을 이루고 있다. 이런 우산 소나무들이 로마의 상징물이라는 것. "소나무 길이 보이면 로마로 가는 길이라는 것을 압니다."

시오노 나나미가 쓴 『로마인 이야기』(김석희 옮김)에는 길에 관한 이야기가 나온다.

"아피아 가도는 처음 건설되었을 당시부터 로마 시대 공공 건조물에 일관된 방침이었던 견고함, 기능성, 미관을 두루 갖추고 있었다. 아니, 그것은 방침이라기보다 오히려 철학이었다. 입안자이자 공사 시행의 최고 책임자였던 아피우스는 가도가 얼마나 평탄한지를 확인하기 위해 샌들을 벗고 맨발로 걸어 보았다고 한다."

로마로 가는 길가에는 무덤들이 많았다. 시오노 나나미의 글에는 죽음에 대한 이야기도 나온다.

"로마인은 길가에 묘비를 세우거나 무덤을 파는 관례가 있는데 이런 관례를 만든 것도 최초로 로마 가도를 창안한 아피우스였다. 아피우스는 아피아 가도 옆에 자신의 무덤을 만들어 달라는 유언을 남기고 죽었다고 한다. 로마인의 생사관은 비종교적이고 비철학적이다. 그들은 죽음을 싫어하지 않았다. 로마인들은 '인간' 이라고 말하는 대신에 '죽어야 할 자' 라는 표현을 쓰는 것이 보통이었다. 산 사람이 살고 있는 곳에서 멀리 떨어진 곳에 묘지를 만들고, 죽은 사람들만 그곳에 모아 두지 않았다. 교외 단독주택 마당 한쪽에 묻히는 사람도 있었지만, 마당이 있는 산장 주인도 일부러 길가에 무덤을 만들기를 좋아했다. 길은 산 사람들이 오고가는 곳이다. 길가에 무덤을 만드는 것은 죽은 뒤에도 되도록이면 산 사람들과 가까운 곳에 있고 싶기 때문이었다. 특히 오가는 사람의 수가 어디보다 많은 도시 근처의 가도는 양쪽에 무덤이 즐비하게 늘어서 있어서, 무덤 사이를 걸어가는 거나 마찬가지였다. 이런 무덤들은 각양각색의 구조로 설계되어 있고, 묘비에 새긴 문장도 다양했기 때문에, 나그네에게는 좋은 휴식시간과 휴식처를 제공했을 것이다."

묘비에 새겨진 글들 중엔 이런 것이 있었다고 쓰어 있다.
"행운의 여신은 모든 이에게 모든 것을 약속한다. 하지만 약속이 지켜진 적은 한 번도 없다. 그러니 하루하루를 살아가라. 한 시간 한 시간을 살아가라. 아무것도 영원하지 않은 산 사람의 세계에서는."
"오오, 거기 지나가는 길손이여, 이리 와서 잠시 쉬었다 가시게. 고개를 옆으로 흔들고 있군. 아니, 쉬고 싶지 않은가? 하지만 언젠가는 그대도 여기 들어올 몸이라네."
내가 죽은 후에 만약에 묘비가 세워진다면 거기에 나는 무어라고 새길 것인지. 아직은 생각나지 않는다.

나의 자화상과 김소운 선생의 크루즈
리보르노에서

로마의 관문인 시비타베키아 항구를 떠난 다음날 배는 리보르노 항구에 기항하였다.
"리보르노는 이탈리아 북서부의 토스카나 주(州)에 있는 인구 십사만 명의 항구도시입니다. 원래는 작은 어촌이었는데 이탈리아 메디치 가에 의해 항구도시로 발전하여 지금은 이탈리아에서 세번째로 큰 부두를 가지고 있습니다. 피렌체와 피사, 그리고 시에나로 가는 관문입니다."
이탈리아에서 십이 년째 음악 공부를 하고 있는 가이드의 설명이다.
"리보르노는 지중해 기후로, 여름은 덥고 건조합니다. 지중해에서
시칠리아 섬이 제일 햇빛이 강하지요. 자연 발화하는 경우가 있을 정도로
햇빛이 강해서 여름에는 사람들을 밖에 두 시간 이상 못 있게 합니다.
그러나 이 지역은 세계보건기구가 지정한 세계 최고의 환경도시입니다.
오월인 지금이 가장 아름답지요." 가이드는 배에서 내린 우리를 곧바로
중세도시인 시에나로 안내하면서, 리보르노에 대해 설명을 계속한다.
"아르노 강을 끼고 있는 넓고 비옥한 땅인 토스카나 평야에는, 고대
에트루리아 족이 정착해 살았습니다. 에트루리아 민족은 거칠고 전쟁을
좋아하는 종족인데, 그 조상에 대해서는 아직도 알려지지 않았지만
그들은 이탈리아에 산 첫번째 문명인으로, 도시를 건설하고 무역을
개척하고 법률을 만들었고, 질 높은 예술작품을 창작하였습니다. 생활을
즐기고 아름다운 물건을 창조하는 사람들인 토스카나인의 문명의 정점이
바로 세계 역사에 있어서 위대한 문화폭발의 하나인 이탈리아
르네상스를 낳았습니다." 그는 교과서를 읽듯이 좋은 목소리로 분명하게
설명한다.
"토스카나 지방에서는 세계적인 예술가와 문호들이 많이 태어났습니다.
작곡가 푸치니, 레오나르도 다 빈치, 미켈란젤로, 마키아벨리, 단테 등이
있지요. 그리고 마스카니와 모딜리아니도 바로 이곳 리보르노에서
태어났습니다."
모딜리아니의 이름을 듣자 문득 내가 그린 자화상 생각이 났다. 오래 전,

취미로 그림 그리기에 열중해서 전상수(田相秀) 화백으로부터 지도를 받은 일이 있다. 이곳저곳 야외를 다니면서 풍경화도 그리고, 집 안에 모아 두었던 백자 항아리와 옛것들을 앞에 놓고 정물화도 그리고, 자화상도 그렸다. 사실은 모딜리아니의 여인상을 늘 마음에 두고 있었기 때문에 그런 여인상을 그리려다 아예 자화상으로 바꾸게 된 것이다. 모딜리아니의 여인 초상화의 얼굴들은 결코 예쁜 얼굴이 아니다. 그런데 한참 들여다보고 있으면 앉아 있는 여인의 자태에서 우아함을 느끼게 된다. 〈젊은이의 초상〉〈몽마르트르의 젊은 여자〉〈검은 넥타이를 맨 여인〉 등 모딜리아니 초상화의 특색은 목이 길고 얼굴이 갸름하다. 그리고 무엇보다도 눈에 검은 눈동자가 없다. 눈동자가 없을 뿐 아니라 아예 눈동자 대신 붉은색으로 칠해져 있기도 하다. 긴 목을 비스듬히 옆으로 기울이고 표정 없는 얼굴들을 한 여인들인데, 그 앉은 모습에서 묘하게 여성의 독특한 향기를 느끼게 되는 것이 신비롭다. 그래서 모딜리아니의 여인상을 흉내 내어 자화상을 그린다고 이젤 앞에 앉아 팔레트를 잡았다. 나의 목도 길고, 눈도 작고 길쭉해서 그것이 어려서부터 얼굴에 대한 콤플렉스였기 때문에, 모딜리아니를 흉내내어 그리면 미운 부분은 가려지고 우아하고 여성적 향기가 느껴지는 여인이 될 것 같은 생각에서였다.

그런데 정작 닮게 그려야 할 눈을 그렇게 못생기게 그리지 않고 크고 둥그렇게 그렸다. 저절로 예쁜 얼굴이 되고 말았다. 아무리 나를 닮은 얼굴을 그리려 해도 자꾸 예쁘게만 붓끝이 움직이게 되는 것을 어쩌랴. 마침내 나는 모딜리아니의 여인의 포즈조차 흉내 내지 못하고, 오른쪽

손을 살짝 가슴 위에 얹은 둥글고 예쁜 눈의 여인을 자화상이라고
그렸다. 그리고 그 자화상을 『봄 시장』이라는 수필집에 저자 사진 대신
실었다. 사진을 싣는 것보다 나을 거란 생각에서였다. 그러고는 왠지
미안해서 초상화 밑에 이런 글을 달았다.
"사진 대신 십 년 전에 그렸던 자화상을 넣는다. 그림 솜씨가 서툴러서
내가 이렇게 예쁜 여인이 되어 버렸지만, 자기가 제 얼굴이라는 데에
누가 뭐랄 거냐 하는 심정으로 벽에 걸어 놓고 회심의 미소를 짓는다."
모딜리아니는 입을 열면 단테의 시가 줄줄 나오는 바람에 여자들이 입을
벌리고 그를 쳐다보았다고 한다. 부유한 유태인 집안에서 태어났으나
어려서부터 몸이 약해서 폐결핵으로 시달리다가 서른여섯이라는 젊은
나이로 세상을 떴다. 얼굴이 잘생겨서 여자들에게 인기였지만 파리의
몽마르트르 시절 그는 매일매일 빵을 걱정해야 하는 극도로 가난한
생활을 하면서 그림을 그려야 했다. 이런 이야기들이 천재 화가
모딜리아니를 더 좋아하게 만들었다.
 나의 이 자화상과 관련해서 김소운 선생의 수필 속 이야기가 생각났다.
어느 화가가 친한 벗의 초상화를 그리는데 매번 왼쪽 얼굴만을 그렸단다.
"왜 바른편은 안 그리나요?" 이렇게 묻는 이에게 화가가 낮은 목소리로
대답했다. "바른쪽 얼굴에는 새까만 점이 있답니다. 친구 화상에 흠점을
그리고 싶지 않아서요." 물론 이 작은 이야기의 주제는 초상화가 아니라
사랑하는 사람의 결점이나 단점은 숨겨 주고 덮어 주라는 처세의
교훈이다. 또 폴과 베르나르의 이야기가 있는데, 둘 다 신경통으로 한
병실에 입원했다. 언제나 마사지를 받을 때마다 폴은 소리를 지르면서

아프다고 야단인데 베르나르는 태연자약 눈 하나 깜박하지 않는다.
마사지사가 병실에서 나간 다음 폴이 물었다. "여보게 베르나르, 자네
다리는 도대체 무쇠냐 나무토막이냐? 어쩌면 그렇게 천연스럽게 그 아픈
마사지를 견디어내누." 코웃음을 띠면서 베르나르가 대답하길, "이 천치
같으니라구. 내가 그래, 아픈 쪽 다리를 내놓도록 바보 멍텅구린 줄 아나,
흥" 하더란다.
김소운 선생의 이 수필은 조국에 대한 잘못된 애국심을 안타까워하는
마음으로 인용한 이야기이지만 어쨌든 좋지 않은 것을 감추려는 얕은
생각에 대한 나무람이 나의 자화상과도 무관하지 않아서 생각나는
글이다.
김소운 선생이 「조국을 묻는 이에게」라는 제목으로 쓴, '라
마르세유' 라는 이름의 배로 마르세유에서 요코하마까지 지중해,
인도양을 한 달을 걸려 여행한 이야기도 재미있다.

"라 마르세유 호는 프랑스가 자랑하는 호화선이기는 하나 뱃머리 아래쪽
창 곁에 이등 운임의 사분의 일밖에 안 되는 값싼 뱃값으로 태워 주는
사등 선실이 있다. 삼등이 없고 사등이 있다는 게 약간 문학적인 묘미가
있다고 할 것이지만, 이 사등 선실에는 한국인인 나 외에 프랑스,
파키스탄, 중국, 월남, 필리핀, 일본 등등 도합 칠개국 사람이 이단식
침실 한 자리씩을 차지했고, 덕분으로 항공기 여행과는 비할 나위 없는
좋은 경험을 얻었다. 사실 이렇게 여러 나라 사람들과 한 방 안에서 한
달을 같이 지낸다는 것은 내 생애를 통해서 두 번 있기는 어려운

일이었다.

벨기에서 유학하고 돌아온 일본인 학생, 장장 이십 일을 두고 일체 육식은 하지 않고 하루에 빵 한 조각과 물만으로 지내면서 낮이나 밤이나 『코란』만을 읽고 있던 파키스탄 상인, 원칙으로는 태우지 않는다는 프랑스인은 유별나게도 빡빡 낡은 곰보 청년인데 월남인에게는 대단한 우월의식을 발휘하는 것이 마치 과거 어느 시절의 일본인을 연상케 했고…. 이런 인물들의 얘기도 많지만 내게 이십여 년이 지난 오늘까지 잊혀지지 않는 감명을 남겨 준 인물이 있다. 필리핀의 경제학자로 영국의 무슨 회의인가에 참석하고 오는 길이라는 로렌조 씨. 학식이 도저하고 풍채도 당당한 인물인데 그런 사람이 왜 화물 대접을 받는 사등 선객이 됐는지 그 사정은 나도 모른다. 영국인 아버지, 필리핀인 어머니 사이에서 태어났다는 로렌조 씨가 왜 자기를 영국인이라고 하지 않고 필리핀인이라고 자처하는지 그 연유를 두고도 나는 아는 바가 없다. 배가 마닐라에 닿자 로렌조 씨는 여기서 하선을 하게 되고 나도 마닐라 시내를 구경할 생각으로 그를 따라 같이 배에서 내렸다. 부둣가의 버스정류장에서 로렌조 씨와 나란히 버스를 기다리고 있노라니, 젊은 아가씨들이 다섯 여섯씩 떼를 지어 그 앞을 지나간다. 남루한 옷차림에다 모두 맨발들이다. 그런 처량한 풍경들을 포트사이드, 지프티, 콜롬보, 싱가포르 할 것 없이 배가 항구에 닿을 때마다 싫증이 나도록 보아 왔지만 여기서도 나는 그 맨발의 아가씨들이 몹시도 측은하게 여겨졌다. '가엾어라. 모두 맨발이구먼요. 필리핀 사람들이지요?' 로렌조 씨를 돌아보며 내가 물었다. '그럼요. 마이 시스터(내 누이)들인걸요.' 로렌조 씨는 혼잣말처럼 중얼거리며 한마디를 덧붙였다. '내 어머니와 같은 피를, 나와 한핏줄을 이은 사람들이지요. 내가 평생토록 사랑해 갈 사람들입니다.' 그 자리에 엎드려 절이라도 하고 싶도록 그 한마디가 내 가슴을 찔렀다. 측은하고 가엾게만 바라다본 내 자신이 부끄러워졌다. 다정스런 눈으로 그 아가씨들의 뒷모습을 바라다보고 있는 로렌조 씨가 그 순간 내 눈에는 보살처럼 보였다는 것도 과장은 아니다. 피는 물보다 진하다지만, 도대체 피가 무엇이기에, 겨레가 무엇이기에, 그 피가 이토록 사람들의 가슴에 사무친단 말인가? 그보다 앞서 또 하나 그 뱃길에서 느낀 것이 있다. 수에즈 운하의 길목인 포트사이드에 배가 닿은 것은 마르세유를 떠난 지 불과 사오 일 후였다. 기후가 갑자기 더워지면서 아프리카의 열풍이 불어닥친다. 반바지로 갈아입고 나도 육지에 내렸다. 배가 닿는 날이 바로 이 항구도시의 장날이다. 온갖 상인들이 눈을 붉히면서 우왕좌왕하는 거리 모습도 스산했지만, 머튼(양고기)을 종이나 광주리에 담는 법이 없이 마구 손에 쥐고 가는 여인네들의 그 처량한 모습이 보기에도 섬뜩했다. 대개는 누더기 같은 낡은 옷을 걸친 데다 역시 맨발이다. 주위를 살펴봐야 눈에 띄는 것은 시뻘건 흙더미와 뿌연 먼지…. 하릴없는 신개척지나 매축지 풍경인데, 그런데도 빌딩 같은 고층건물은 심심찮게 서 있어 도시의 스타일만은 갖추고 있다. 수도 카이로에서 겨우 몇 시간 거리밖에 안 되는 이 운하도시에서 황량 그것뿐이었지만, 면도를 하려고 들렀던 작은 이발소(종업원이 두 명밖에 없었다)에서 나는 놀라운 사실을 발견하였다. 바로 그 몇 달 전, 타하 후센이라는 맹인 시인을 내가

이탈리아에서 만났다고 하니까, 이발소 주인은 면도하던 손을 놓고
안으로 들어가더니 표지가 낡아빠진 책 몇 권을 들고 나와 이것이 모두
타하 후센의 시집이라고 사뭇 자랑스러운 표정으로 내 눈앞에 펼쳐
보였다. 타하 후센이란 시인이 얼마나 그 국민들과 가까운 사이라는 것을
그로 해서 알았고, 내 나라의 경우에 비추어서 부러운 생각도 들었지만
그보다도 여기 이 나라에 태어난 사람들에게는 지상의 어디를 가도
여기만이 정든 조국이라는 생각이 들자 무언가 눈물겨운 감개가 내
가슴을 스쳐 지나갔다. 황량한 이 산하도 거기에 태어난 사람들에게는
어느 낙원과 바꾸지 못할 마음의 보금자리가 아닐까 보냐! 하물며
산고수려(山高水麗)한 내 조국! 인정이 감싸 도는 내 겨레! 조국은 나
하나만이 가진 것이 아니오, 어느 민족 없이 저마다 가슴속에 지니고
있는 것. 그것을 깨달음으로 해서 나는 나 자신의 조국과 내가 속한
민족애의 신앙을 다시금 새롭게 하지 않을 수 없었다."

지금으로부터 오십 년 전인 1952년에 김소운 선생이 했던 크루즈 기행은
조국애로 가득 차 있었다. 십사 일 동안의 내 크루즈 기행이 아무런
일관된 목적 없이 쉽게 씌어진 것이라고 생각하니, 갑자기 부끄럽기
그지없다. 그저 오십 년 동안 숨가쁘게 발전해 온 조국 덕분이라고
감사하며 쓰고 있다.

알퐁스 도데의 「아를의 여인」 마을
마르세유, 아를, 아비뇽에서

마르세유 항구. 이 도시에는 나에게 감미로운 추억이 있다. 오래전, 니스 공항에서 한 인도 부부를 만났다. 그들이 나를 보고 먼저 알은 체를 한 이유는 니스에 오기 전 제네바에서 나를 보았다는 것. 혼자서 여행하는 동양 여자가 눈에 띄었던 모양이다. 그들은 공항에서 빌린 렌터카로 친절하게도 나를 호텔까지 데려다 주었다. 그들은 나를 태우고 스릴 넘치는 드라이브로 바닷가 절경을 관광시켜 주었다. 하루 동안의 일이었지만 여행지에서 우연히 만난 나그네끼리 보낸 하루는 서로의 정을 느끼기에 결코 짧은 시간은 아니었다. 그들 인도 부부는 나를 두고 먼저 마르세유로 떠났다. 그들이 마르세유로 떠나기 전날, 밤부터 내리기 시작한 비가 혼자 남은 나를 어찌나 쓸쓸하게 했던지. 그때의 그 '마르세유'란 도시 이름은 오래도록 나에게 슬픈 기억으로 남아 있다가 어느새 감미로움으로 변했다.

얼굴이 희고 눈이 옴폭한 우리의 가이드는 이국적인 인상이었다. "영화 〈화니〉의 무대가 바로 마르세유 부두이지요." 〈화니〉가 어떤 영화더라? 바다를 사랑한 한 청년과 그를 사랑한 한 여자의 비련의 스토리라는데, 자신도 보지 못했다고 한다.
프랑스 국가(國歌) 「라 마르세예즈」와 몽테-크리스토 백작 이야기도 마르세유에서 빼놓을 수 없다. 마르세유 시민 지원병이 부르며 파리까지

행진했던, "가자, 조국의 아이들아, 영광의 날이 왔다"로 시작되는 이 행군가가 프랑스 국가가 되었으니, 마르세유 시민들의 긍지가 어떠하랴. 몽테-크리스토 백작이 십삼 년 동안 억울하게 감옥살이를 한 샤토 디프 성의 라토노 섬은 마르세유에서 얼마 되지 않는 곳에 있단다.

이국적인 얼굴의 가이드는 피렌체에서 성악공부를 마치고 지금은 툴롱에서 오페라 가수로 육 년째 일하고 있다고 한다. 한국을 떠난 지 십이 년. 그는 피아노 전공의 부인과 여섯 살인 딸, 네 살짜리 아들이 있다.

"이탈리아가 한국 사람에게는 프랑스보다 더 살기가 좋습니다. 툴롱에서는 제가 한국 사람으로는 처음으로 오페라 단원이 되었는데, 한 단원이 동양 사람은 필요없다는 투서까지 할 정도로 한국 사람들을 좋아하지 않아서 힘들었습니다. 이 도시에서 한국 사람은 우리 가족밖에 없어요. 그러니까 교민이 한 가족뿐이라는 거죠. 그래서 제가 한인회 회장이고 우리 집사람이 부회장이고 여섯 살짜리 우리 딸이 총무로 등록되어 있답니다." 그렇게 해서 지중해 연안도시 툴롱에도 한국 교민회가 등록되어 있다는 얘기였다. 툴롱은 해군의 군사기지가 있는 항구라서 항공모함이 있고, 이라크전 때 무기 소송도 툴롱 항구에서 했다는 것. 툴롱에는 『레 미제라블』의 주인공 장 발장이 숨어 다녔던 지하 하수처리장과 그가 십칠 년이나 갇혀 있었던 감옥이 있다는 얘기도 들려주었다.

가이드는 베르디의 오페라 「라 트라비아타」에서 바리톤의 제르몽 역으로 무대에 섰던 이야기를 한다. 제르몽은 남자 주인공 알프레도의 아버지이다. 알프레도와 여주인공 비올레타의 슬픈 사랑의 이야기인 오페라 「라 트라비아타」에 한국인이 무대에 섰다는 것은 분명히 자랑할 만한 이야기여서 우리는 다같이 감격해서 들었다.

"음악을 하기 때문에 생일에는 꽃을 받기도 하고 또 저에게 사인을 부탁하는 사람들도 있습니다. 이곳에서는 오페라에 초대권이라는 것이 없습니다. 누구나 돈을 내고 삽니다. 관객들은 거의가 중년 이상인데 모두가 오페라 마니아들입니다." 그가 한국에 돌아가지 않는 이유는 한국에 돌아가도 하고 싶은 오페라 단원이 된다는 보장이 없고, 학생들을 가르치는 일이 고작일 것이기 때문이란다.

마르세유에서 한 시간쯤 거리의 아를에는 로마 시대의 유적들이 많았다. 콜로세움, 고대극장, 투기장 등…. 건물 정면에 최후의 심판이 정교하게 조각되어 있는 생트로핌 교회가 아를의 자랑이라는 말이 실감나게 아름답게 서 있다. 반 고흐가 말년에 정신병으로 입원했던 병원부지에 지어진 '반 고흐의 집'에도 들렀다. 고흐의 그림에서 본 네모난 집 안뜰에서 일꾼들이 꽃밭을 가꾸고 있었다. 론 강이 옆으로 흐르는 프로방스의 마을. 아를의 골목길에는 오래된 붉은 기와집들이 온화하게 옛 정취를 느끼게 한다.

아를 옛 마을을 안내하는 가이드의 걸음걸이는 느렸다. 가이드의 뒤를 따라다녀야 하는 우리가 가이드보다 앞장서서 걸으면서, "시간 괜찮아요? 늦지 않아요?" 하고 거꾸로 그를 재촉하며 걸으니까, "좀 천천히 걸으세요. 이런 좋은 마을 풍경을 감상하며 다니셔야지 왜들 그렇게 서두르세요" 한다. 그제야 우리는 걸음이 빨라진 이유를 알았다. 바로 전날 시에나, 피렌체, 피사를 한나절 안에 관광한다고 하도 서두르며 쫓아다녔던 뒤여서 그렇게 빨라진 것이다. 그것을 알고는 모두들 웃었다.

"아를은 알퐁스 도데의 작품으로도 사람들이 매력을 갖고 찾아오는 도시입니다. 「아를의 여인」에 나오는 풍차 방앗간이 마을 밖 퐁피에뉴라는 시골에 있습니다." 장이라는 이름의 주인공, 그리고 칠월 축제 등, 가이드는 소설 속의 이야기를 들려주었다.

론 강이 흐르는 아를 관광을 마치고 우리는 또 다른 프로방스의 마을 아비뇽으로 향했다. 피카소의 그림 〈아비뇽의 처녀들〉, 그리고 세계의 연극인들을 열광케 하는 아비뇽연극제. 이 년 전, 파리에서 테제베를 타고 당일로 다녀온 아비뇽에 다시 들른다는 것에도 기대가 컸다. 여행에서 돌아와서 책꽂이에 꽂혀 있는 알퐁스 도데의 책을 찾아 「아를의 여인」(김성수 옮김)을 읽었다.

"장은 이제 아를의 여인 이야기를 하지 않았다. 그러나 마음속으로는 계속 그녀를 사랑하고 있었다. 불쌍하게도 그러한 생각이 그를 죽음으로 몰아넣은 것이다.(아를의 투기장에서 만난 젊은 여인과 첫눈에 사랑에 빠져 결혼까지 약속한 장은, 그녀가 동네 한 남자의 정부라는 것을 알게 된 아버지 에스테브로부터 결혼하는 것을 취소당했다.) 상심한 장은 아침부터 저녁까지 한쪽 구석에 앉아 혼자서 지냈다. 어떤 날에는 밭에

나가 열 사람 몫의 일을 혼자서 해치우기도 하였다⋯.
저녁이 되면 아를로 향하는 길을 종탑이 서쪽에서 보일 때까지 걸었다. 그리고 거기서부터 다시 집으로 돌아왔다. 더 이상 멀리 가는 일은 없었다. 그러자 장의 어머니는 아들에게 말했다. '장, 네가 굳이 그 여자와 결혼하기를 원한다면 우리도 너를 도와주겠다.' 그러나 장은 머리를 옆으로 흔들며 밖으로 나갔다.
이날부터 장은 부모님을 안심시키기 위하여 슬픔을 감추고 명랑하게 보이려고 모습을 바꿨다. 그후, 무도회에서나 카페에서 그의 모습을 다시 볼 수 있게 되었다. 아버지는 '이제는 되었어' 하셨지만, 어머니는 그전보다 더 장에게 신경을 쓰고 살폈다. 장이 양잠실 바로 곁에서 동생과 자고 있었기 때문에 어머니는 그들의 침실 곁으로 잠자리를 옮겼다⋯. 농가의 수호신인 성 엘로아 축젯날이 돌아왔다. 불꽃이 오르고 모닥불이 타고, 마을 사람들은 들뜬 듯이 춤을 추고 마셨다. 장도 몹시 즐거운 듯이 보였다. 그는 어머니를 춤추게 하려고 하였다. 밤중이 되어 사람들은 잠자리에 들었다. 그러나 장은 잠들지 않고 있었다.
이튿날 새벽, 어머니는 침실에서 누가 빠져나가는 소리를 들었다. '장. 장이지?' 장은 아무 대답도 하지 않았다. 장은 이미 층계 쪽으로 가서 다락방으로 올라가고 있었다. 어머니가 그 뒤를 따랐다. 창이 열리자 마당에서 무엇인가 떨어지는 소리가 들렸다. 그리고 그만이었다⋯. 그날 아침 마을 사람들은 에스테브의 집에서 누가 저렇게 부르짖고 있는 것일까 하고 모두들 궁금해 했다. 그것은 이슬과 피에 젖은 돌 테이블 앞에서, 죽은 아들을 두 팔에 앉고 통곡을 하고 있는 장의 어머니였다."

책을 읽고는 아를에서 찍은 사진들을 다시 보았다. 얼굴이 희고 눈이 옴폭해서 이국적으로 생긴 가이드의 키가 그렇게 큰 줄 몰랐다. 고흐의 집, 안뜰에서 찍은 사진이었다.

다시 삶이 주어진다면 구엘 공원에서
바르셀로나에서

아침 여섯시 삼십분, 배가 바르셀로나 항구에 서서히 닿고 있다. 오늘이 지중해 크루즈 마지막 날. 어젯밤에 방문 밖에 내놓은 짐들은 이미 치워져 있었다. 일곱시 사십분까지 칠층에 있는 필 하우스 바 앞에 모이라는 지시대로 서둘러 식사를 마치고 칠층으로 내려갔다. 내가 지냈던 선실은 십일층에 있었다. 각 층마다 돌핀(Dolphin), 리도(Lido), 카리브(Caribe) 등으로 이름이 붙여져 있다. 우리의 십일층은 바하(Baja)이다. 엘리베이터를 타고 내릴 때마다 듣던, "바하, 일레븐 플로어" 하고 층을 알리던 묵직한 남자의 목소리도 이제 마지막으로 듣는다. 배에 탔던 총 이천육백 명의 승객이 모두 하선해야 하기 때문에, 자기 그룹이 모이는 시간과 장소들이 다르다. 그 엄청난 수의 사람들이 줄을 서서 질서있게 통관을 마치고 하선하는 광경이 왠지 경이롭다. 아무 사고 없이 열하루 동안을 한 배에서 같이 먹고 자고 다니고 한, 십여 개국 사람들과의 항해가 아무 사고 없이 끝난 성취감 때문일까, 사람들의 얼굴은 활기에 가득 차 있었다.

바르셀로나에서의 마지막 한나절. 오늘의 일정은 구엘 공원과 사그라다 파밀리아 성당 관광이다. 그런 다음에 점심을 먹고 공항으로 이동하는 것으로 크루즈 여행은 끝난다.

바르셀로나는 오 년 전에 혼자서 왔던 곳이다. 그때 사흘을 묵으면서 가우디의 성당과 공원, 1992년 올림픽이 열렸던 경기장과 한국의 황영조 선수가 마라톤 우승의 감격을 남긴 몬주익 언덕, 그리고 미로미술관과 피카소미술관 등을 바쁘게 보고 다니다가, 마지막 날 그만 호텔로 돌아오는 길을 잃고 밤길을 헤맸던 기억이 있는 곳이다.

여덟 개의 옥수숫대 모양의 성탑이 하늘을 찌르고 있고, 성당 벽을 장식한 조각들은 성경 속 이야기로 가득하다. 도심 그라시아 거리는 카사 밀라와 그 맞은편에 카사 바티요가 있고, 구시가지를 지나면 언덕 위에 꿈속에서나 만날 법한 환상적인 집들이 있는 구엘 공원이 있다. 가우디가 미래의 주택단지를 구상해서 설계하면서 이곳에 예술가들이 살 수 있는 주택 예순 채를 지을 생각이었는데 예산 부족으로 두 채밖에 짓지 못하고 공원으로 바뀌었단다.

가우디의 아버지는 금속세공업자였지만 집안은 가난했다. 어려서부터 몸이 약한 가우디는 일찍부터 건축에 관심이 많았다. 가우디가 주목받게 된 것은 1878년 파리 만국박람회 때 출품된 독특한 디자인의 진열장이 사람들의 눈을 사로잡으면서였다. 그의 천재성을 발견한 구엘은 가우디의 이상향, 즉 구엘 공원 건설에 후원자가 되어 주었다. 가우디는 평생 결혼도 하지 않고 오로지 성당에서 일에만 몰두하고 살았다. 그가 하도 남루한 옷차림으로 다녀서 때때로 걸인으로 취급받아 행인들이

동전을 주었다는 일화도 있다. 어느 날 오후, 그는 보통 때처럼 산책을
나갔다가 성당 앞길에서 전차에 치여 죽었다. 그의 남루한 차림새 때문에
행려병자인 줄 알고 쓰러져 있는 노인을 한참 동안 그대로 방치했다가
너무 늦게 병원으로 데리고 간 바람에 살릴 수가 없었다고 한다. 마침내
가우디는 칠십사 세를 일기로 세상을 떠났다. 가우디의 죽음에 대한
이야기까지도 전설 같다.
레오나르도 다 빈치가 잔잔히 퍼져 가는 물결을 들여다보며 신비스런
미소의 선을 그려냈듯이, 안토니오 가우디는 자연의 초목들을
들여다보며 나뭇잎이나 넝쿨, 열매들의 형태를 건축에 되살렸다. 그런
가우디의 건축 속에 발을 들여놓고 있으면 눈에 보이는 모든 것이 공상의
세계같이 황홀하여 찬사만이 터져 나온다.
오래전에 타계한 문학평론가 김현 선생이 쓴『김현 예술기행』에도
가우디에 대한 이야기가 있다.

"구엘 공원에서 순진하게 뛰놀고 있는 아이들을 보았을 때, 나는 나에게
다시 삶이 주어져서 그 삶의 장소를 선택하라고 한다면 가우디의 구엘
공원에서 살겠다고 생각하였다. 한 예술가가 자신의 꿈을 아름답게
표현한 곳에서 산다는 것, 다시 말해서 예술가의 위대한 꿈속에서 산다는
것처럼 행복한 일이 어디 있으랴."

김현은 유럽여행을 하면서 작품 안에 살아 있는 많은 예술가들을 만난다.

"그들 앞에서 나는 놀라고 당황해 하였고 감탄하였고 감동했다. 그 감탄과 감동은 나로 하여금 그들에 대해서 생각하지 않을 수 없게 만들었고, 그 생각은 글을 쓰고 싶다는 욕망을 낳았다."

그래서 쓴 글들이『김현 예술기행』으로 엮인 것이다.
고인이 된 문학평론가 김현 선생을 생각하면 누군가에게 들려주고 싶었던 이야기가 있다. 그 동안 말하지 않고 있던 이야기. 김현 선생이 내 책을 읽고 쓴 서평을 자랑하고 싶다.
마흔을 앞에 두고 나는 글을 쓰기 시작했다. 외로운 작업이었다. 두번째 수필집을 냈을 때 친구한테서 전화가 왔다.『현대여성』이라는 잡지에 서평이 실려 있으니 읽어 보라는 것. 거기에는,「글은 왜 쓰는가」라는 제목으로 김현 선생이 쓴 서평이 실려 있었다.

"이경희 씨의『뜰이 보이는 창』을 읽고, 나는 글은 왜 쓰는가라는 문필가 본래의 문제와 다시 마주쳤다. 아름다운 삽화와 간단한, 그리고 생활 주변에서 쉽게 얻을 수 있는 사건들에서 삶의 지혜를 찾아내는 그녀의 노련한 솜씨, 그리고 그녀의 애교 있는 여행담 같은 것을 충분히 즐길 수 있는 그 책의 마지막 장을 넘긴 후 나의 맨 처음의 느낌은, 도대체 글은 왜 쓰는가 하는 것이었다. 왜 그러한 질문과 부딪치게 되었을까. 그녀의 무엇이 나로 하여금 그녀의 몽상적이고 동화 같은 세계 속에 그대로 침잠할 수 없게 만든 것일까. 그 글들이 재미없어서일까. 아니다. 그 글들은 내가 볼 수 있었던 아름다운 수필들에 속한다."

이렇게 시작하고 있는 서평은 내 글에 대한 본격적인 분석으로 들어갔다.
나는 긴장된 마음으로 읽어 갔다.

"여자 특유의 감수성과 직관력은 충분히 독자들을 글의 세계로
인도한다. 그렇다면? 그녀의 감수성과 직관력에 그 무슨 꺼림칙한 것이
있단 말인가. 천만의 말씀이다. 그녀의 글에는 한국 여성 특유의
넋두리도 없고, 고요한 밤에 별빛을 바라보니 가슴이 울렁거린다라는
따위의 사춘기적 몸부림도 없다. 한 가정을 지키는 주부의 애정 어린
입김이, 그녀가 묘사하고 있는 모든 대상들과 인물들을 감싸고 있다.
거기에다가 서구라파의 어떤 국왕의 파티에, 초대장도 없이 돌입해 나간
것을 묘사한 일절에서 볼 수 있듯이 우아한 대담성까지 보인다. 그런데
왜 그 책은 나에게 글은 왜 쓰는가라는 질문을 유발시킨 것일까.
그런 질문을 풀기 위해서 다시 한번 그 책을 통독한 연후에, 나는 그
의문을 제기시킨 내 의식상태의 어떤 모습을 볼 수 있는 한 실마리를
찾아내었다. 그것은「즐거움을 주는 시간」이라는 제목이 붙어 있는
조그마한 글의 한 토막이었다. '아이들한테도 시어머니한테도 사실 나는
미움받지 않는 글을 쓰기 위해서 일부러 많은 시간을 내어 그들을 돌보게
됩니다' 라는 구절이 바로 그것이다. 그 구절은 그녀가 커 가면서 점차로
느끼기 시작한 허무감을 이겨내기 위해서 글을 쓰기 시작했다는 진술
바로 뒤에 나온다. 그러니까 그녀는 자기 내부의 공동(空洞)을 메우기
위하여 글을 쓰기 시작했고, 그러다보니까 집안일에 등한할 수 없게
되었다라는 진술이다. … 글은 단순히 허무감이나 공동을 메우는 약재가

아니다. 그것은 정신을 더욱 고문하고 자극하여 허무감이나 공동을 더욱 크게 드러나게 하는 자극제인 것이다. '미는 세계를 구할 것이다' 라는 도스토예프스키의 말을 솔제니친은 다시 인용하면서, '예술작품이 세계를 구할 수 있는 것은 그것이 거짓을 싫어하기 때문이다' 라는 의미심장한 말을 하고 있다. 쉬운 해답은 위험한 것이다. 그것은 곧 거짓으로 변할 가능성을 갖기 때문이다. 쉬운 해답보다는 거짓 없는 질문을 글은 하지 않으면 안 된다. 그것이 글을 쓰는 유일한 이유이다."

『현대여성』 1973년 2월호에 실린 김현 평론가의 서평, 「글은 왜 쓰는가」는 이렇게 끝난다. 평론이란 원래 재미있게 읽히는 글이 아니다. 자기와 관계가 없을 땐 더욱 그렇다. 그런 글을 일부나마 여기에 옮긴 이유는, 언젠가 한 번은 꼭 자랑하고 싶었던 일이기도 하고. 그의 서평은 뒤늦게 글을 쓰기 시작한 나에게 용기와 자신감을 갖게 해주었기 때문이다. 그런데 너무도 아쉽고 슬픈 일은 생전에 한 번도 김현 선생과 인사할 기회가 없었다는 점이다. 문단에 낯을 못 익혀 외곽에서만 서성이던 나에게 그런 기회가 주어지지 않았기 때문이다.
 1990년 6월 27일, 그의 타계 소식을 듣고 나는 서울대학병원 영안실에 찾아가 영정 속의 고인에게 처음으로 인사를 드렸다. "김현 선생님, 이제야 인사를 드립니다. 부디 편히 쉬십시오." 그리고 감사의 인사도 드렸다. 바르셀로나에서 가우디의 건축에 감탄하다가, 문득 김현 선생의 서평 생각이 나서 밝혔다. 삼십 년 만의 일이다. "다시 삶이 주어진다면 구엘 공원에서 살고 싶다"는 선생의 명복을 빌며 두 손을 모은다.

스페인 기행—
빌바오 그라나다 세비야 마요르카

여행 중에 시장을 자주 찾는 것은 구경거리가 많아서이다. 싱싱한 야채와 과일, 그리고 생선들. 이런 것들을 보면 공연히 기운이 솟는다. 특별히 살림에만 신경을 쓰고 사는 여자도 아니면서 시장 구경을 좋아하는 것은 이상한 일이다. 그러나 항구도시 빌바오에서 어시장 이야기를 듣고서야 가 보지 않을 수 없지 않은가. 그래서 찾아나설 생각을 한 것이다.

찾지 못한 프란치아의 어시장과 골목길 아이들
빌바오에서

빌바오의 구겐하임 미술관에서 열린「백남준 회고전」을 돕기 위해 온 L씨가 나보다 먼저 빌바오를 떠나면서, "프란치아에 가면 어시장이 볼 만하니 가 보세요. 지하철을 타고 종점에서 내리면 돼요" 한다. L씨는 이곳에 온 지 여러 날이 되었기 때문에 현지 사람의 안내로 남이 가 보지 못한 곳을 간 모양이다.

"프란치아에서 내려서 택시를 타고 가면 됩니다. 한참 가야 하긴 하지만…." 내가 진짜로 갈 것 같은 얼굴로 자세히 물으니까 L씨가 말끝을 얼버무리는 것이 좀 마음에 걸리긴 했지만, 가서 물어보면 찾을 수 있겠지 생각하고 아침식사를 마치자마자 호텔을 나섰다.

여행 중에 시장을 자주 찾는 것은 구경거리가 많아서이다. 싱싱한 야채와 과일, 그리고 생선들. 이런 것들을 보면 공연히 기운이 솟는다. 특별히 살림에만 신경을 쓰고 사는 여자도 아니면서 시장 구경을 좋아하는 것은 이상한 일이다. 그러나 항구도시 빌바오에서 어시장 이야기를 듣고서야 가 보지 않을 수 없지 않은가. 그래서 찾아나설 생각을 한 것이다.

백 피아스타짜리 동전 두 개를 넣고 자동판매기에서 차표를 빼냈다. 옆에 있던 청년이 가르쳐 주어서 자동판매기 사용하는 법을 쉽게 알았다. '프란치아'란 글씨가 굵게 적힌 화살표가 오른쪽을 가리키고 있어서 그 표시를 따라 오른쪽 계단으로 내려가고 있는데, 마침 열차가 들어오고 있었다. 기다리지 않고 차에 올라탄 것이 왜 그리도 신나는지. 그런 조그만 행운에도 오늘 하루는 운이 좋을 거라는 기대가 생긴다.
L씨가 말한 대로 빌바오의 지하철 안은 깨끗했다. 내가 탄 모유아 역에서
종점인 프란치아까지 얼마나 될까 해서 정류장 수를 세어 봤더니
가물가물한 이름들이 스물한 개나 적혀 있다. 먼 곳이란 생각에 조금은
불안했다.
종점에서 내리는 것이라 정류장에 신경을 쓰지 않아도 되므로 마음 놓고
앉아 있었으면서도, 열차가 설 때마다 정류장 이름을 입속으로 발음한다.
어떻게 발음해야 할지 모르는 이름이 있어도 내 식대로 한 번씩은
입속으로 소리내 보는 것이 내 버릇이다.
그렇게 정류장 이름을 읽고 있는데 이상한 일이 생겼다. 조금 전에
읽었던 이름을 내가 또 읽는 것 같아서였다. 비슷한 이름이겠지 하는
동안 차는 움직여서 다음 정류장에 닿았다. 역시 그 이름도 이미 한 번
읽었던 이름이다. 갑자기 긴장이 되어 지하철 지도를 펼쳤더니, 어떻게
된 일인지 열차가 거꾸로 가고 있었다.
마치 의정부행 기차를 타야 하는데 청량리까지만 가는 것을 탄 것이나
마찬가지인 상황이었다. 그랬다 하더라도 청량리역에서 승객들을 다
내리게 할 일이지, 그대로 놔 두다니. 어이가 없어 지하철을 탈 때 신났던
기분이 한꺼번에 사라졌다. 열차는 내가 탔던 모유아 역에 와서 섰다. 몇
정류장 안 가서 그렇게 된 것을 그나마 다행스럽게 생각하며 차에서
내렸다.
'프란치아'란 글씨를 이마에 붙인 열차가 나에게 보란 듯이 플랫폼에
들어오고 있었다. 한 번 혼이 난 바람에 글씨를 다시 한번 읽어 보고

이번에는 천천히 차에 올라탔다.

종점인 프란치아까지 사십 분이 걸렸다. 오는 동안 열차는 거의 지상으로 달려서 차창 밖의 밝은 풍경에 취하기도 했다. 산과 들이 어쩌면 한국의 시골과 그리도 같은지! 좋은 집들이 있는 마을도 지나갔다.

프란치아 역에서 내리자 멀리 갯벌이 제일 먼저 눈에 들어왔다. 어시장이 그쪽 어디쯤 있을 것 같은 생각에 미리부터 가슴이 설레었다.

그런데 또 문제가 생겼다. 어시장으로 가는 길을 물어야 할 텐데 도무지 지나가는 사람이 없다. 지하철 역무원인 듯싶은 사람이 한참 만에야 어디선가 나타났다. 몸이 뚱뚱한 역무원은 사람은 좋게 보였지만 내가 묻는 말을 전혀 알아듣지 못하자 그대로 가 버리려고만 한다. 어렵게 만난 사람인데 그냥 가 버리면 큰일이어서 나는 무슨 말이라도 해야 했다. 급한 나머지 불어 단어를 동원했다. '푸아송(생선)?' 하고 말해 봤으나 표정이 없다. '마르쉐(시장)?' 라고 해도 전혀 무반응이다. 뚱뚱한 역무원은 야속하게도 그대로 가 버렸다.

프란치아에만 오면 어시장을 금방 찾을 수 있을 거란 생각에서 나서긴 했지만 길을 물어볼 이 나라 말도 모르면서 여기까지 찾아나선 내가 분명 잘못이었다. 그런데도 나는 L씨를 원망했다. "싱거운 사람, 찾아가기 힘든 어시장 얘기를 무엇 때문에 꺼냈담! 자기나 다녀왔으면 그만이지." 잘못되면 남의 탓이라도 해야 마음이 풀리나 보다. 그러고 나니 조금은 마음이 풀렸다.

갯벌로 이어져 있는 작은 강에 다리가 있었다. 다리를 건넜다. 그쪽 어디로 가면 택시 타는 곳이라도 있을까 싶어서 다리를 건넜는데, 택시

타는 곳은 보이지 않고 빈터에서 커다란 사내녀석들만이 놀고 있었다. 그
애들에게 크게 기대를 하진 않았으나 물어보지 않을 수 없어서 말 반,
손짓 반으로 어시장 가는 길을 물었다. 하지만 아이들은 낯선 여자의
모습에 흥미를 가질 뿐, 아예 내 설명은 알아들을 생각을 하지 않는다.
이번에는 말 대신에 땅 위에 그림을 그렸다. 분청사기 항아리에 그려진
물고기 문양을 흉내 내어 그렸다. 사내녀석들은 그림을 알아보곤
재미있어 했다. 나는 물고기 한 마리로는 시장 설명이 안 될 것 같아서
같은 물고기 여러 마리를 나란히 그렸다. 사내녀석들은 재미있어서
야단이다. 처음에는 저희들끼리 마치 논쟁을 벌이듯 떠들어 대더니,
집들이 있는 골목길 쪽을 일제히 손가락으로 가리킨다.
'이 녀석들이 잘못 알아들었구나. 내가 어시장을 묻고 있는데 왜 갯벌
쪽을 가리키지 않고 집들이 있는 쪽을 가리키는 거야?' 하지만 나는 그
애들의 말을 들어 주지 않을 수 없다는 생각이 들었다. 기껏 물어 놓고는
그렇게 아우성치며 가르쳐 주고 있는 녀석들의 말을 안 들을 수가 없다.
그렇지 않으면 저희들 말을 못 알아들은 줄 알고 내 손이라도 잡아끌고
갈 판이다.
"어시장 가는 것은 이제 포기하자!" 그러자 마음이 편해졌다.
공연히 사내녀석들한테 말을 시킨 탓에 나는 꼼짝없이 그 녀석들이
하라는 대로 골목 안으로 들어서면서 일이 우습게 됐구나 싶었다.
골목길로 들어설 때까지 녀석들은 나를 지켜보고 있겠지. 나는 뒤도
돌아보지 않고 걸었다. 골목길은 길었고 언덕으로 되어 있었다.
어시장을 간다는 사람이 언덕으로 올라가고 있다니! 그러나 속으로 이미

어시장을 포기한 후여서 다른 재미있는 일에 기대가 생긴다. 바쁠 것이 없었다. 천천히 발을 떼었다. 좁은 골목길 양쪽으로 스페인식 집들이 다정하게 붙어 있는 이런 곳을 걷는 것은 처음이다. 이런 것도 이국의 정취라고 할 수 있겠지. 그런 감정을 느끼며 한 발 한 발 걸어 올라가고 있는데 뒤에서 사내녀석 하나가 나를 따라 올라오고 있었다. 녀석들한테서 해방된 줄 알았는데 왜 또 따라오고 있는 걸까.
"세뇨라!" 녀석들 중 제일 작은 사내아이였다. 햇빛에 그을려 시커멓게 탄 녀석의 검은 얼굴에서 말을 할 때 드러나는 하얀 이가 귀여웠다. 그 애는 골목길 언덕에서 몇 번인가 모퉁이를 돌다가 노란 집 앞에서 멈췄다. "세뇨라!" 아이는 또 한 번 나를 부르면서 그 집 안쪽을 가리키고는 뒤도 안 돌아보고 쏜살같이 뛰어 내려갔다.
아이가 손가락으로 가리킨 집 안을 들여다보고 나는 웃음을 참을 수 없었다. 그 집은 생선가게였다. '어시장 대신에 생선가게라!' 사내아이가 뛰어 내려간 골목길에 서서 나는 소리를 내어 웃었다. 어시장은 아니어도 참으로 유쾌한 경험이다.
친절하게 그곳까지 데려다 준 사내아이를 생각해서 가게 안이라도 들여다보지 않을 수 없었다. 가게 안에서는 한 여인이 생선을 사고 있다. 유리장 속에 어떤 생선이 있는지 궁금했지만 들어가지 않은 것은, 무슨 생선을 찾느냐고 주인이 물어보면 또 설명하기가 복잡해질 것이 두려웠기 때문이다.
작은 성당 하나가 나타났다. 건물 벽이 여기저기 헐어 있는 것을 보니 아주 오래된 성당 같았다. 영화에서나 나올 것 같은 그런 분위기의 오래된 성당. 나무 문을 살그머니 밀어 봤으나 열리지 않는다.
미사시간을 안내하는 종이가 붙여져 있는 것을 보니 폐쇄된 교회는 아닌
것 같았다.
흰 교회 담을 따라 한 바퀴 돌자 골목이 넓어지고, 크고 좋은 집들이
나왔다. 창가에 놓인 화분과 창문을 장식하고 있는 레이스 커튼들이 골목
초입에서 본 것보다 세련돼 보였다. 서양에선 좋은 집일수록 높은 곳에
짓는다는 것을 이 마을에서도 보여주고 있었다.
낮은 담 너머로 빨간 부겐베리아 꽃나무가 넘치도록 생기를 뿜고 있는 집
앞에서 잠깐 걸음을 멈췄다. 꽃나무가 있는 집에서 흰 드레스를 입은
계집아이가 나왔다. 리본이 달린 모자까지 쓴 깜찍한 차림새의
계집아이는 문밖에 나와 사방을 둘러본다. 그렇게 두리번거리고 있는데
맞은편 골목 안에서 같은 또래의 사내아이가 나타났다. 계집아이는
사내아이를 보자마자 집으로 들어가 버렸다. 사내아이는 나를 보더니
무안한지 담에 기대어 등을 비빈다. 계집애와 사내아이가 보여준 골목 안
정경. 문득 나의 어렸을 적 일이 생각났다.
초등학교 때 우리집은 종로 이가에 있었다. 우리집에서 관철동 긴
골목길을 지나면 장교다리가 있고, 다리를 건너면 외갓집이 있었다. 나는
학교에서 돌아와선 외갓집에 가곤 했는데, 그 골목길에서 종종
사내아이들과 마주치는 일이 있다. 그 애들 중에서 한 사내아이가 늘
내가 지나갈 때면 골목길 한가운데로 걸어나와 길을 막곤 했기 때문에,
골목길에 그 애들이 나와 있는지 없는지를 확인해야 했다. 나는 골목길을
막는 그 애가 나를 결코 해치지는 않는다는 것을 알고 있었다.

사내아이의 아버지와 우리 아버지는 회사 동료로서 가까이 지내는 사이였기 때문이다. 골목길 가운데 와서 섰다가 내가 그 앞까지 가면 금방 슬슬 비켜 주는 그 애를 나는 징그럽다고 생각했다. 나는 그런 어린 시절의 나를, 흰 드레스의 계집아이를 보면서 까마득한 기억 속에서 찾아냈다.

언덕 아래 넓은 광장에는 스페인식의 큰 건물이 있었다. 깃발이 걸려 있는 것을 보니 시청 건물인 듯. 아이들의 놀이공원도 그 옆에 보인다. 잠시 쉬었다 갈 생각으로 광장 벤치에 앉았다. 바로 옆 나무그늘 밑에 있는 벤치에는 여인이 책을 읽고 있다. 곁엔 유모차가 놓여 있었다.

갑자기 가까이에서 종소리가 들렸다. 시청 건물 종탑에서 나는 소리였다. 정오를 알리는가 하고 손목시계를 보니 아직 열두시가 안 되었다. 광장을 가로질러 걸어가는 젊은이가 눈에 띄어 망설임 없이 다가가서 카메라 셔터를 눌러 주길 부탁했다. 사람 만나기가 쉽지 않은 시골마을에선 이런 동작은 날쌔야 한다고 생각했다.

"무초, 그라시아스!" 젊은이에게 고맙다는 인사를 하고는 지하철 역으로 걸어가는데 자꾸 콧노래가 나온다. 프란치아까지 오게 한 L씨에게 고맙다는 생각이 들었다.

종소리가 또 들린다. 시계가 열한시 사십오분인 것을 보니 십오 분마다 종을 치는 모양이다.

갯벌이 다시 저만치 눈에 들어왔지만 이제 어시장 생각은 나지 않았다.

「그라나다」 노래가 절로 나오는 골목길에서
그라나다에서

카를로스 베아스 씨는 못 만났어도 산 안톤 호텔에 방이 예약돼 있었다. 호텔 창밖으로 작은 강이 보인다. 멀리 있는 산 정상이 하얗게 보인다. 오월이 다 간 계절. 아직도 눈이 녹지 않고 있는 것일까. 이따가 물어봐야겠다.

스페인 남쪽, 안달루시아 지방의 대표적인 도시 그라나다. 짐만 방에 놓고 거리로 나왔다. 여정에 없던 도시였는데, 마드리드에서 갑자기 마음먹고 찾아온 곳이니 부지런히 돌아다녀야지. '그라나다'라는 이름만 들어도 마음이 설렌다. 이곳까지 내가 왔다는 것이 꿈만 같다.

시내지도를 손에 들고 호텔 앞 산 안톤 길을 따라 걷는다. 돌이 깔린 좁은 길. 양쪽에 보도가 있고 길 가운데로 차들이 지나가지만 길이 좁아서 골목길같이 느껴지는 그런 길. 그라나다의 길들은 좁았다.

길은 오른쪽으로 구부러지다가 세 개의 골목으로 갈라졌다. 지도에서 대성당으로 가는 길을 찾는다. 가운뎃길로 똑바로 가게 돼 있는데 길은 더 좁아지고 있으니 이 길이 맞는 걸까? 다시 한번 지도를 펼친다. 큰 은행 건물이 마주 보이더니 광장이 나왔다. 그 뒤로 대성당이 보인다. 거대한 세 개의 아치로 된 대성당 안을 둘러보고 제단 앞에 가서 성호를 그었다. "성부와 성자와 성신의 이름으로…." 짧게 긋는 성호 속에 사랑하는 이를 위한 기원을 담고는 딸들의 얼굴도 떠올린다.

광장에선 언제나 꽃집들이 제일 먼저 눈에 들어온다. 꽃집 앞으로 다가갔다. "세뇨라!" 꽃집 남자가 나를 반긴다. 꽃을 사지 않는 것이 미안해서 미소로 응답하곤 꽃가게 앞을 떠났다. 광장의 노천카페는 늘 나를 유혹하는 곳이지만 들어가지는 않았다. 유혹하는 곳이 어디 한두 군데랴. 그런 곳들만 보면서 다니는 것에도 더 큰 기쁨이 있다.
좁은 골목길로 다시 들어섰다. 골목길 이름은 '카이예 자카틴'. 자카틴 골목에는 상점들이 많았다. 옛날에 상업지구였던 모양이다. 세련된 디자인의 패션 상품들이 쇼윈도 안에서 눈요기를 시켜 준다. 가죽공예품과 여러 가지 색채의 유약이 칠해진 도자기들은 그라나다의 특산품인 모양이다. 골동품가게 안을 들여다보는 일은 빠뜨려지지 않는다.
골목길 사이사이로 안달루시아의 황금빛 햇살이 돌길 위에서 반사되고 있다. 고개를 드니 푸른 하늘이 눈부시다. 창문에 달린 발코니와 나무 덧문들이 이국의 정취를 더해 준다.
발걸음이 빨라졌다. 입에서 저절로 노래가 나왔다.
"그라나아다…" 아무도 없는 골목길, 소리를 내어 불렀다.
그런데 노래가 안 나왔다. "그라나아다…" 하고는 더 이상 부를 수가 없었다. 가사를 몰라서였다.
"그라나아다…" 다시 한번 불러 보았지만 역시 거기까지 부르면 다음이 나오지 않는다. 겨우 시작만 아는 노래를 가지고 소리까지 내며 부르려고 하다니. 나도 참으로 웃기는 여자로다. 하여간 웃음이 나온다.
'뭘 그렇게 노래를 잘 부른다고, 길에서 노래를 부르려고 한담.' 내가 노래를 못 부르는 것은 사실이다. 그 사실은 이미 초등학교 때에 증명된 일이라 지금까지 노래를 못 부른다는 내 콤플렉스와 이어지고 있다.
초등학교 이학년인가 삼학년 때의 일이다. 담임선생님이 노래 좋아하는
사람은 손을 들라고 했다. 내가 손을 들었더니, 선생님은 앞에 나와서
노래를 부르라고 하셨다. 교단에 나가서「푸른 하늘 은하수」를 불렀다.
어머니가 혼자서 잘 부르시던 노래라서 나도 많이 따라 부른 노래였다.
"푸른 하늘 은하수 하얀 쪽배에, 계수나무 한 나무 토끼 한 마리…."
이렇게 부르다가 "돛대도 아니 달고 삿대도 없이, 가기도…" 하는데 그만
'가아기도'에서 올라가는 음이 나오지 않아 이상한 소리를 내고 말았다.
반 아이들이 일제히 웃었다. 나는 자리에 돌아와 울어 버렸다. 그때
나하고 제일 친했던 짝인 하경이란 애가 계속 "큭, 큭" 하고 웃는 소리를
냈다. 하경이는 반에서 노래를 제일 잘 부르는 애였다. 그런 하경이로선
나의 형편없는 목소리가 참을 수 없이 우스웠던 모양이다. 나는 내가
노래를 못 한다는 것을 그때 처음으로 알았다. 그러면서도 노래는 계속
좋아해서 아무도 없는 이런 골목에서는 한번 뽑아 보고 싶어지는 것
같다.

여행사 직원이 써 준 메모에, "알람브라 궁전에 들어가는 표를 예약해
놓았으니 오후 두시까지는 찾으셔야 합니다"라고 했기 때문에 서둘러
골목길을 나왔다.

센트로 플라자에서 택시를 탔다. 길을 건너서 타려 했는데 택시 한 대가
화살같이 달려와 내 앞에 서는 바람에 그대로 타 버렸다. 차를 타려고
하는 것을 용케도 알아채고 나타난 택시기사가 밉지가 않았다. 얼굴이
소년같이 어려 보였다.

"알람브라로 가 주세요."

"저쪽은 복잡해서 그냥 이 길로 가겠습니다. 조금 돌아가긴 하지만 길이 더 좋아요." 그의 영어는 많이 서툴었지만 대강 그런 내용이었다. 차는 이미 번화한 센트로 플라자 거리를 빠져나가고 있었다.

"저패니이즈?"

"아아뇨. 코리아!"

"아, 꼬레아… 서울?" 하고 묻는다. 젊은 택시기사는 관광객을 대하는 솜씨가 여간 익숙하지 않다. 돌아가겠다는 말에 요금을 더 받으려고 하는가 싶었는데, 생각지도 않게 서울을 알고 있어서 반가웠다.

택시는 돌로 포장된 좁은 언덕길을 올라간다. 돌담과 넓은 정원이 있는 집들이 그 옛날의 영화(榮華)를 말해 주듯 좁은 돌길과 대조를 이루고 있다. 잎이 무성한 나무들 사이사이에 피어 있는 붉은 꽃이 아름다운가 하면 노란 꽃도 그 빛이 화려하다. 거친 엔진 소리를 내며 가파른 언덕길을 여러 번 돌며 올라가던 택시가 조용해졌다. 언덕길이 끝나고 내리막으로 시작되는 곳에 관광버스들이 서 있었다.

"여기가 알람브라입니다." 택시 미터기에 오백팔십오 피아스타가 표시되어 있다.

"그라시아스!" 소년 같은 동안의 택시기사가 기분 좋게 인사를 하고 떠난 자리 앞쪽에 미니버스 한 대가 서 있다. '센트로 플라자-알람브라'라고 쓴 노선 안내판이 붙어 있다.

'아 참, 알람브라 궁전으로 가는 셔틀버스가 있다지.' 그제야 생각났다. 센트로 플라자에서 알람브라로 가는 셔틀버스가 있다는 것을 호텔

안내데스크에서 기껏 알아보고 나왔으면서도 그 잘난 목소리로 「그라나다」를 부르다가 그만 셔틀버스가 있다는 것을 까맣게 잊었지 뭔가.

'바보같이! 그걸 잊어버리고 택시를 타고 오다니.' 작은 일이지만 망각증은 늘 약 오르는 일이다. '인도 사과' 이야기나 생각하며 웃어 보자. 이런 일이 있었다.

인도라는 이름의 푸른빛 사과가 처음 나왔을 때였다. 향이 좋고 맛도 달아서 특별히 내가 좋아했던 과일이다. 어느 날 부엌아이에게 인도 사과를 사 오라고 했더니 한참 만에야 아이는 빈손으로 돌아왔다.

"얘, 너 사과 어떻게 했니?"

"니그로가 없대요."

"뭐, 니그로?"

'인도'를 사 오라고 했는데 '니그로'를 찾았으니 있을 리가 없었다. '인도'라는 말을 잊어버리고 생각난 것이 '니그로'였던 것이다.

'인도'와 '니그로'. 얼마나 근사한 연상인가. 배를 잡고 웃었다. 뭔가 잊어버리는 일이 있을 때면 생각나는 일화다.

알람브라 궁전 앞에 있는 노천식당에서 점심을 먹었다. 빈 자리가 나기를 한참 기다려서야 겨우 테이블에 안내받을 정도로 손님이 많았다. 갖가지 야채와 햄, 아보카도를 넣어서 만든 샐러드 요리와 빵, 그리고 맥주 한 잔을 주문했다. 그런데 이 간단한 점심을 먹기 위해 기다리는 시간이 얼마나 걸렸는지, 마치 기다리기 위해 식당에 간 것 같았다.

그런데 놀라운 것은 자리에 앉아 있는 모든 손님들이 다 그렇게 기다리면서도 단 한 사람도 재촉하는 사람이 없다는 사실이다. 오로지 나 혼자만이 빨리 주문을 받으러 오라고 하는 사인을 종업원에게 보내고 있었다. 종업원은 나의 사인을 받고는 알았다는 표현으로 머리만 끄덕 뒤로 젖힐 뿐, 기다리게 하기는 마찬가지였다. 나는 종업원이 잊어버린 줄 알고 그 짓을 두 번씩이나 했으니, 얼마나 지긋하지 못한 모습으로 보였을까.

서구 사람들의 기다리는 문화 앞에선 어지간히 버티고 앉아 있던 나였지만 두 손을 들고 말았다. 서구 사람들의 그 지독한 인내심은 아마도 평등에 대한 믿음 속에서 살아오며 길러진 것이 아닌가 하는 생각이 들어 부럽기만 했다.

이슬람의 가장 아름다운 건축, 알람브라 궁전은 최근에 그 입장객 수를 제한하고 있어서 그냥 찾아가서는 들어가기가 힘들다. 마드리드에서 예약해 놓은 표를 찾아 내 입장시간에 맞추어 오후 두시에 궁전 안으로 들어갔다.

모든 궁전이 그러하듯 알람브라 궁전에도 정원들이 아름다웠다. 그라나다에서 이슬람 예술 최고의 상징으로 꼽힌다는 라이온 정원에는 그 둘레에 백 개가 넘는 흰 대리석 기둥이 위엄있게 서 있었다. 거기에는 여러 마리의 사자들이 입에서 물을 뿜어내고 있는 라이온 분수가 가장 많은 관광객들의 발을 멈추게 했다.

알람브라에서 돌아올 때는 잊지 않고 셔틀버스를 탔다. 이번에는 잊지 않았다는 것 때문에 기분이 좋았다. 셔틀버스는 언덕을 굴러 내려오듯 빠른 속도로 센트로 플라자까지 와서 손님들을 내려놓았다. 요즘은 백삼십 피아스타. 택시비의 사분의 일도 안 되었다.

호텔로 돌아오는 골목길.

"그라나아다…."

걸으면서 또 노래가 나온다.

다섯 양자를 키우는 헬즈리 부인과의 만남
세비야에서

Q씨, 세비야에 왔습니다. 저는 이제껏 세비야를 '세빌리아'라고 부르고 있었지 뭡니까. 그라나다에서 버스표를 사면서 창구 아가씨에게 세빌리아라고 말했더니, 세비야? 하더군요. 지도에도 분명히 세비야라고 적혀 있는 이 도시 이름을 그 동안 왜 그렇게 불러 왔는지 모릅니다. 아마「세빌리아의 이발사」때문이었던 모양입니다. '세빌리아'라고 하던 것을 갑자기 '세비야'라고 말하려니까 입속에 넣은 음식을 씹지 않고 그냥 삼키는 것 같아 제맛이 나지 않는군요. 사실 하나의 이름을 가지고 나라에 따라 다르게 부르는 경우가 어디 한두 가지이겠습니까. 재미있는 이야기가 생각납니다.

오래전 남편이 기업의 그룹사에 있으면서 복싱 일에도 관계하고 있을 때, 선수단을 데리고 덴마크에 갔습니다. 시합을 마치고 서울로 돌아오는 전날 밤에 처음으로 선수들에게 자유시간을 주었답니다. 시합에서 좋은 성과도 올리고 해서 남편도 술 한 잔을 마시고는 정신없이 자고 있는데 새벽녘에 호텔 직원한테서 전화가 왔답니다. 즉시 아래로 내려와 주시오. 그러지 않으면 경찰을 부를 겁니다! 이렇게 말입니다. 방글라데시인인지 파키스탄인지, 밤에 근무하는 호텔 아르바이트 청년의 서툰 영어가 더욱 협박조로 들려서 겁을 한껏 먹고 아래층으로 내려갔다는군요. 프런트의 청년이 잔뜩 화난 얼굴을 하고, 당신네 복싱 선수들이 호텔 앞 공원에서 피투성이가 되어 싸우고 있으니 나가 보라고 하더랍니다. 코치가 쫓아 나가 싸움을 말리고는 두 선수들을 무릎을 꿇려 앉히고 싸운 이유를 물은즉, 택시를 탔는데 한 선수가 운전사에게 '비킹 호텔'로 가자고 했답니다. 그랬더니 또 한 선수가 "'비킹 호텔'이 아니고 '바이킹 호텔'이야"라고 했고 그 말에 앞의 선수가 "이 자식아, 호텔 직원이 '비킹 호텔'이라고 했어." "아냐 이 자식아, 우리 단장님이 '바이킹 호텔'이라고 했단 말야!" 그래서 싸움이 벌어졌다는군요. '비킹' 이야! 아니야 이 자식아, '바이킹' 이야! 해서 두 선수가 싸우기 시작하다가 마침내 주먹질까지 하게 된 모양입니다. 권투선수들이니 오죽 주먹질들을 잘했겠어요. 프런트의 청년이 살인이라도 나는 줄 알고 단장을 불러 댔던 것은 너무도 당연했죠. 영어로는 바이킹(Viking)이라고 발음하지만 덴마크에서는 비킹이라고 하는 것을 선수들이 알지 못했던 것입니다. 폭소를 자아내는 얘기였지만, 자기가 옳다고 생각한 일에 목숨까지 걸 만큼 우직하고 소박한 그들의 행동에 가슴이 찡하기도 하였습니다. 세비야와 세빌리아의 발음 차이 같은, 아무것도 아닌 일에 그런 난투극이 벌어진 것입니다.

오래 머물지 않을 도시에선 관광버스를 타는 것이 제일입니다. 오늘 안으로 마드리드로 다시 돌아가야 하기 때문에 생각할 여지 없이 관광버스 타는 곳을 찾았습니다. 같은 코스를 도는 관광버스의 종류가 두 가지였습니다. 하나는 창문이 달리지 않은 '로맨틱 투어' 이고 다른 하나는 '클래식 투어' 라는 이층 관광버스입니다. 저는 창문 없는 로맨틱 투어 버스를 탔습니다. 다른 뜻은 없었습니다. 그 버스가 먼저 와서 내 앞에 섰기 때문이지요.

Q씨, 세비야는 세계적 문학인 돈 후안 이야기의 중심이 된 도시이고, 미대륙 발견과 정복에 아주 중요한 역할을 한 도시이기도 합니다. 남미에서도 느꼈지만 카리브 해에 있는 도미니카와 아이티에서도 그들이 안내하는 관광지는 모두가 스페인과 관련된 곳이었습니다. 콜럼버스의 유해가 묻힌 교회, 콜럼버스가 탄 산타마리아 호를 묶어 두었던 나무기둥이 있는 곳…. 이렇게 어느 곳을 가나 스페인 식민지의 유적과 유물들이 그들의 자랑거리로 보존되고 있었습니다. 천혜의 아름다운 바다가 있는 휴양도시라는 것만 가지고는 관광객들의 흥미를 덜 끌 수도 있겠지요. 그 땅을 정복한 스페인의 흔적이 그곳을 찾는 사람들에게 더 관심을 가지게 하는 것인지도 모릅니다.

그런데 바로 그 남미대륙과 카리브 해 연안의 섬나라들을 통틀어 지배했던 스페인 역시, 한때는 아랍의 지배를 당하고 그들에 의해 남겨진 문화유적을 가지고 관광객을 불러들이고 있는 것입니다. 묘한 생각이 들지 않습니까?

지구라는 큰 땅덩어리만이 태양 궤도를 따라 돌고 있는 것이 아니라, 땅

위에 살고 있는 민족의 힘도 시간의 궤도를 따라 돌고 있는 것임을 알게
됩니다. 움직이는 것이 이치라면, 그 이치 또한 우주공간에서 질서있게
움직이고 있는 별들처럼 세월 속에서 서서히 움직이고 있을지도
모른다는 생각이 듭니다. 힘없이 지배만 당했던 작은 땅, 우리나라의
생각이 나서 이런 이치를 꿈꿔 본 것이지요.

세비야는 도시 전체가 하나의 정원입니다. 도시 전체의 가로수는
오렌지나무로 심어졌습니다. 밝은 햇살을 넘치도록 쬐고 서 있는
오렌지나무 가로수길을 창문 없는 투어버스를 타고 돌고 있습니다.
"오렌지 꽃향기 바람에 날리어…" 이런 노랫말이 저절로 입가에서
맴돌지만 이번에는 참고 소리를 내지 않습니다.

버스 안으로 들어오는 바람이 아주 세찹니다. 어린이공원에 있는
코끼리차 모양의 문이 하나도 없는 관광버스 안으로 바람이 마음대로
불어닥쳐, 머리카락들이 방향 없이 날립니다. 손바닥을 아무리 갖다 대도
막을 길이 없습니다. 맞은 편에 앉은 노부부도 손으로 열심히 바람을
막고 있습니다.

그런데, 그런 난폭한 바람인데도 그 촉감이 얼마나 부드럽게 느껴지는지,
그것이 이상합니다. 이런 바람이 없으면 내리쬐는 태양의 열기를 식혀 줄
수 없겠지요. 마냥 상쾌한 바람. 그래서인지, "오렌지 꽃향기 바람에
날리어…"가 입가에서 떠나지 않습니다.

시내 한가운데를 흐르고 있는 강가에는 야자수가 한가로운 모습을
보입니다. 1992년 엑스포 때 건설되었다는 긴 다리는 마치 하늘에 걸린
무지개만큼이나 그 자태가 아름답습니다.

이 지역을 지배했던 여러 민족들이 남겨 놓은 유적들, 이슬람의 회교
사원과 가톨릭의 성당, 그리고 독특한 세비야식 정원이 황금 태양빛을
받아 더욱 선명한 사진같이 눈에 들어옵니다. 개울과 폭포, 도자기로
만든 연못, 자스민과 부겐베리아 나무들이 사치스럽기 이를 데 없는 정원
옆을 지나갑니다. 그런 정원의 연못 앞에선 『아라비안 나이트』의
무희들이 금방이라도 나와서 춤을 출 것만 같습니다. 이 정원도시가
세계에 더욱 알려지게 된 것은 1929년에 열린 라틴아메리카 박람회의
기여가 컸다고, 빨간 스커트의 관광버스 아가씨가 설명합니다.
점심은 공원에 있는 카페식당에서 먹었습니다. 앉자마자 종업원이
메뉴를 놓고 갔지만 메뉴에 적힌 것들 중에 아는 게 있어야지요. 겨우 알
수 있는 것이 파에야하고 앙살라다뿐이었습니다. 마실 것은? 하기에
맥주를 할까 하다가 그냥 물을 달라고 했습니다. 종업원이 다시
묻더군요. "상 가스?" 가스가 들어 있지 않은 것을 줄까 묻는 것이지요.
"시, 아쿠아 상 가스!" 종업원은 몸을 돌려 주방 쪽으로 힘차게
걸어갔습니다.
홍합을 넣은 볶음밥식의 파에야는 한국 사람의 입에도 아주 맞는
음식입니다. 샐러드는 야채를 먹기 위해서이기도 하지만 뭔가를
으적으적 씹어 먹어야 하는 우리의 직성에 맞아서 으레 이것을 시키곤
합니다.
공원 바로 건너에 궁전이 보입니다. 넓은 정원을 앞에 두고 궁전 건물이
위엄있게 자리하고 있습니다. 저 속에까지 들어가 볼 필요는 없겠지 하고
생각했습니다.

Q씨, 앞 테이블에는 한 중년 부부가 대여섯 살쯤 되어 보이는 딸애와
함께 앉아 있었습니다. 종업원에게 아이스 티를 주문했는데 아이스 티가
없다고 하나 봅니다. 그럼 아이스 커피를 달라고 하니까 잠시 후
종업원이 가지고 온 것은 커피 따로, 조각얼음이 든 유리컵 따로, 이렇게
가지고 온 게 아니겠어요? 부부는 어이없는 표정으로 서로를 쳐다보곤
웃었습니다. 알아서 섞어 마시라는 뜻인가 본데, 안 될 것은 없지요.
오히려 자기 입에 맞게 만들어 마실 수 있으니 얼마나 기발한 서비스
방법입니까. 모로 가도 서울만 가면 된다고, 커피에 얼음을 넣으면
아이스 커피인데, 그것을 꼭 미리 만들어 와야 하는 것은 아니지요. 아마
원래 이 집 메뉴에는 아이스 커피도 없었는지도 모릅니다.
템포가 빠른 경쾌한 라틴음악이 들립니다. 볼륨이 커서 좀 시끄럽다는
생각을 하고 있는데, 어느새 앞 테이블의 계집아이가 음악에 맞춰서 춤을
추고 있는 게 아니겠습니까. 계집아이는 엉덩이까지 흔들며 신나게 춤을
춥니다. 음악을 들으면 몸을 흔들지 않고는 못 배기는 아이처럼 제법
무대 위의 댄서 같은 흉내를 내고 있습니다.
계집아이가 나하고 눈이 마주쳤습니다. 그러자 무안한지 테이블로
달려가 엄마 무릎 사이에 얼굴을 파묻습니다. 엄마는 딸애가 무엇 때문에
그러는지 알고는 나를 보곤 찡긋 윙크를 합니다. 나도 웃음으로
답했지요.
커피에 얼음을 넣어 마시고 있던 남편도 따라서 나를 쳐다봅니다.
"날씨가 무척 덥지요?" 남편은 웃기만 하는 게 아니라 다정하게 말까지
건넵니다. 말이 통할 수 있는 사람과 만난 것이 반가워서, 나는 당신

딸아이가 춤을 아주 잘 춘다고 말했지요.

"우리는 뉴질랜드에서 왔습니다. 당신은 어디에서 오셨죠?" 남편이 다시 나에게 묻습니다. 그들 부부와 나는 이미 친근한 사이가 되고 있었습니다. 여행자끼리는 어째서 이토록 쉽게 경계심 없는 사이가 되는지, 신기하기만 합니다. '전생에서 우리는 알고 지냈지 않았습니까?' 그들은 나의 마음을 알고 이렇게 말하는 듯한 눈빛을 보냅니다. '평화' 라는 단어가 머리에 떠올랐습니다.

뉴질랜드 부부가 자리를 떠나고 나니 갑자기 쓸쓸한 생각이 들었습니다. 몇 마디의 말을 나누었을 뿐인 사람들과의 헤어짐 뒤에도 이런 쓸쓸함이 있다는 것을 알았습니다.

Q씨, 오늘 아침, 그라나다를 떠날 때 만난 캐나다 여인 생각이 났습니다. 아침 산보를 하러 나온 그녀에게 길을 묻다가 얘기를 나누게 되었지요. 시외버스 터미널로 가는 택시를 타야 하는데 어느 방향에서 타야 좋을지를 몰라서 말을 건넸더니 너무도 똑똑한 영어로 택시를 탈 필요 없이 버스를 타고 가라고 가르쳐 주는 거예요. 그냥 영어를 잘한다고 생각되는 것이 아니라, 이 사람의 영어는 참 아름답구나 하는 생각이 들 정도로 똑똑했습니다.

조깅복 차림의 그 여인은 조금만 걸어가면 버스터미널로 가는 버스가 있는데 자기도 어제 그 버스를 타고 왔으니 나에게도 그걸 타고 가라고 한 거지요. 얼마나 친절합니까. 같은 여행자끼리 도움이 되는 것을 친절히 일러 주고 있는 그녀의 마음이 고마웠습니다.

그 여인과 금방 헤어지기가 싫어서 사진 한 장 같이 찍자고 했지요.

여인은 조깅복 차림의 자기 모습이 이상하니 나만 찍어 주겠다고 하다가,
내가 진정으로 함께 찍고 싶어하는 것을 알고는 그렇게 하더군요. 사진을
보내 주기 위해 그녀의 주소와 이름을 적어 받았습니다. 캐나다에서
왔다는 그녀가 적어 주는 주소가 미국으로 되어 있어 물어봤더니,
캐나다와 미국 국경에 살고 있기 때문에 집이 두 군데에 다 있어서, 미국
쪽 주소를 썼다는 것입니다. 이름은 미세즈 이리나 헬즈리. 그녀의 직업은
다름 아닌 영어교사였습니다. 그러니, 그녀가 영어를 잘한다고 한 것은
마치 마라톤 선수를 보고 잘 뛴다고 하는 것과 같은 일이지요. 어쨌든
그녀의 영어가 아름답다고 느낀 것은 틀림없으니까요. 무엇이나 진짜로
잘하는 일은 아름답게 느껴진다는 것을 여기서도 실감하였습니다.
버스 타는 곳이 여러 곳이라 잘못 찾을 수도 있다며, 굳이 그곳까지
데려다 주겠다고 해서 헬즈리 부인과 나는 같이 길을 걸으며 이야기를 더
나눌 수 있었습니다.
그녀는 남편하고 둘이 어제 이곳에 왔는데 며칠 더 머문다고 합니다.
남편도 불어 교사랍니다. 그녀에게 아이들 이야기를 물었습니다.
그랬더니 놀랍게도, 아이들이 여덟인데 그 중 자기 아이는 셋이고 다섯은
입양한 아이들이라고 합니다. 더군다나 그 입양한 아이들이 모두 한국
아이들이라고 하더군요.
아이들의 나이는 제일 큰아이가 서른여섯 살이고 제일 작은아이가
스물두 살이라고 합니다. 어떻게 그런 많은 아이들을, 자기 아이들이
셋씩 있는데도 데려다 키울 수 있는지 믿기가 어려울 정도였습니다.
그러니까 Q씨, 우리나라에서라면 아이가 없는 사람이 자식이 필요해서

남의 아이를 데려다 키우지만, 서양 사람들은 부모의 사랑이 필요한
아이들에게 그 사랑을 주기 위해 입양을 하는 것입니다. 그 목적이
우리와 얼마나 다릅니까. 사랑이 필요한 아이가 있으면 그 애가 남의
나라 아이이든 혹은 장애아이든 간에, 또 자신의 아이가 몇이 있고 없는
것과는 상관없이 입양하는 것이지요. 참으로 복 받을 사람들이라는
생각이 들었습니다.

Q씨, 여행이란 이런 천사 같은 사람들과의 만남이 있어서 기쁨이
더하고, 또한 끊임 없는 유혹을 느끼게 되는가 봅니다.
오렌지 꽃향기 바람에 날리는…, 이 정원의 도시 세비야가 낙원처럼
느껴진 것도 바로 그런 이유 때문인 것 같습니다.

떠나기 전날, 혼자서 거리를 걸었습니다
마요르카에서

Q씨, 마요르카에 간 이유는 안익태 선생의 미망인 로리타 여사를
만나겠다는 생각 때문이었습니다. 안익태 선생이 사시던 집에도 가 보고
싶었고요.
그런데 Q씨, 그런 이유들은 사실 절대적인 것은 아닙니다. 유럽
사람들이 즐겨 찾는 휴양도시로 지중해에 있는 섬이라는 마요르카에 가
보고 싶지 않겠습니까. 더군다나 한국을 좋아한다는, 인상적인 스페인
신사 하신토 씨가 그곳에 산다는 것도 저의 마음을 쏠리게 한 이유 중의

하나였기도 하지요. 어쨌든 스페인의 지중해 연안도시 알리칸테라는
곳까지 간 김에 마요르카에 간 것입니다. 제 머리는 어느 곳을 여행하고
싶을 때 그곳에 가야 할 명분을 만드는 데 거의 천재나 다름없지요.
그래서 그 많은 도시들을 돌아다닐 수 있었던 것입니다.

로리타 여사를 만나러 간다고는 했지만, 갑자기 가기로 마음먹은 것이라
그녀의 주소를 가지고 있는 것도 아니고 전화번호를 알고 있는 것도
아니었습니다. 그냥 '남대문입납'으로 간 것입니다. 여행은 미리부터
계획을 하고 떠나야 하는 것이겠지만 즉흥적으로 찾아가는 것도 미지의
세계에 대한 설렘과 기대 때문에 의외의 즐거움을 경험할 수 있는
것이지요.

마요르카 섬의 주도 팔마는 듣던 대로 세계적인 휴양지였습니다. 구월
중순인데도 유럽 각국에서 찾아든 피서객의 열기가 식을 줄 모르고
있었습니다. 여행사에서 호텔을 잡아 주어 묵을 곳 걱정을 하지 않아도
된 것이 큰 다행이었습니다. 비싼 호텔을 잡아 준 것이 탈이었지만 이럴
때가 아니면 혼자서 이런 호화로운 호텔에 들 생각을 하겠습니까. 로비
밖으로 내다보이는 커다란 수영장은 대낮이라 물속에 있는 사람은 별로
보이지 않고, 모두 파라솔 밑에 길게 누워 오수(午睡)를 즐기고
있습니다. "아, 이 사람들은 참 살 줄 아는구나. 일 년 내내 열심히
일하고는 휴가철이 되면 이렇게 여유롭게 쉬고 있으니!" 이런 생각을
하며 방에 올라가 짐을 풀었습니다.

빨리 로리타 여사를 찾아야겠기에 프런트 데스크로 갔습니다.
"세뇨라?" 잘생긴 젊은 직원이 내 앞에 나타나더니 묻습니다.

"혹시, 작곡가 안익태 씨를 아시나요?" 저는 무턱대고 안익태라는 이름을 댔습니다. 벌써 작고한 지 십 년이 훨씬 넘은 분인데 이 젊은 직원이 알 수 있을까 싶었지만, 그래도 처음엔 그렇게 물어볼 수밖에 없었습니다. 그랬더니 말입니다.

"아, 마에스트로 에키타이 안?" 이렇게 금방 아는 것이 아니겠어요? 아니, 안익태라는 이름을 알다니. 너무 반가웠지요. 젊은이가 이번에는 저에게 말해 주더군요. "에키타이 안은 오래 전에 돌아가셨어요." 마요르카의 한 호텔의 젊은 직원이 한국인 작곡가 안익태 선생에 대해서 이렇게 확실히 알고 있다는 것은 정말 예상외의 기쁨이었습니다. 저는 그분의 부인을 만나고 싶다는 말을 했지요.

"부인 이름이 로리타예요. 로리타 안." 젊은이는 검지손가락을 코끝 가까이로 치켜세우며 "우노 모멘토!" 하고는 뒤돌아 사무실 안으로 급히 들어갔습니다. 잠시 후 그는 두꺼운 책 하나를 들고 나왔습니다. 전화번호부였습니다.

직원은 "로 리 타"라고 입속으로 중얼거리면서 전화번호부 책장을 넘깁니다. 그러더니 마침내 찾았다고 번호를 종이에 적어 주었습니다. "지금 전화를 걸어 드릴까요?" 직원은 내가 대답을 하기도 전에 벌써 다이얼을 돌리기 시작하는 거예요. 그러한 그의 동작이 어찌나 자연스럽고 능란한지 이쁘게 보일 정도였습니다. 착한 일을 하면 남자든 여자든 이쁘게 보이는 것 아닙니까. 스페인 사람들의 혈기 넘치고 낙천적인 기질을 호텔 젊은이가 한껏 보여줬습니다.

로리타 여사는 서울에서 KBS 취재팀이 오는 것 때문에 무척 바쁜 모양이었습니다.

"KBS에서 남편에 대한 텔레비전 프로그램을 만들러 온다나 봐요. 실은 그 사람들이 오늘 오기로 되어 있었는데 며칠 늦겠다고 아침에 연락이 왔어요. 정말 다행이네요. 하마터면 그 일 때문에 미세스 리를 만나지 못할 수도 있었을 텐데요."

저는 연락도 없이 찾아간 것이 좀 미안했지만 그녀와 만날 수 있게 된 것이 기뻤습니다. 로리타 여사와의 통화가 끝나자 호텔 직원이 말하더군요.

"에키타이 안이 지휘하는 오케스트라 연주를 빠짐없이 보러 갔습니다. 그의 음악을 무척 좋아하거든요." 마요르카에 오자마자 안익태 선생 연주회에 빠짐없이 갔었다는 청년을 만난 것이 무엇보다도 기뻤습니다. 그리고 이곳 사람들의 음악에 대한 안목에 놀라지 않을 수 없었습니다. Q씨, 휴양지 호텔의 밤은 화려하기 그지없군요. 저녁을 먹고 호텔로 돌아오니까 밴드의 음악이 요란하게 울리고 있었습니다. 수영장 곁에 마련된 무대 위에서 악사들의 연주가 벌어지고 있는 것입니다. 그뿐이 아닙니다. 무대 앞에 깔린 플로어 가득 남녀가 짝을 지어 춤을 추고 있었습니다. 멋있다는 생각이 들더군요. 음악소리도 듣기 좋고, 사랑하는 사람들끼리 서로 춤을 추는 모습을 보는 것도 좋고. 빈 의자에 앉아서 듣기만 하고 보기만 하는 것으로도 충분히 즐거웠습니다. 누군가 나에게로 와서 춤을 추자고 손을 내밀어도 좋을 것 같은 기분이었는데, 그런 행운이 올 듯한 분위기는 아닙니다. 아예 일찌감치 내 방으로 들어가서 잠이나 자는 게 자존심 상하지 않는 방법이지요. 수영장

한쪽에서는 바비큐 잔치도 한참이었습니다. 먹고 마시고 춤추고. 낮 동안
수영복의 남녀노소들을 상대하느라고 몸살을 앓았을 수영장의 물이
오색의 불빛을 안고 조용히 찰랑대고 있는 것이 왠지 쓸쓸해 보였습니다.
Q씨, 이상한 일입니다. 아까는 그렇게도 신이 나고 감미롭게 들리던
음악이 잠을 자려는 내 침대 머리맡에서 울리고 있으니까 너무도 듣기가
싫더군요. 도무지 짜증나고 시끄럽다는 생각 때문에 잠을 잘 수가
있어야지요. 가늘게 떨고 있는 바이올린 소리며, 점잖은 저음의
콘트라베이스의 쿵쿵대는 소리가 새벽까지 내 잠을 방해했으니 얼마나
속이 상했겠습니까. 마요르카의 첫날밤은 그렇게 지냈습니다.
아침 아홉시 반에 로리타 여사가 호텔로 왔습니다. 그날이 마침 안익태
선생의 십칠 주기여서 로리타 여사는 추모미사를 드리기 위해 성당에
가는 길이라고 했습니다. 저는 잘됐다는 생각을 했습니다. 제가
마요르카에 온 것이 마치 추모미사에 참석하기 위해 온 것 같은 생각이
들더군요. 이런 우연과 마주할 때마다 저는 확실히 죽은 분의 영혼이
있다는 생각을 하게 됩니다. 왜냐하면 십이 년 동안 마요르카에 묻혀
있던 안익태 선생의 유해를 한국에 모셔 가게 한 역할을 한 저를, 안익태
선생의 영혼이 그날에 맞추어 마요르카에 오게 한 것 같은 생각이 드는
것입니다.
"차가 너무 작고 헐었어요." 로리타 여사는 자신이 몰고 온 차에 나를
태우면서 말했습니다. 실제로 차가 헐기도 헐었지만 몸집이 큰 로리타
여사가 타고 내리기에 힘들지 않을까 할 정도로 작다는 생각이
들었습니다.

미사에는 막내딸 레오노르도 참석했습니다.

미사를 마친 후 로리타 여사는 작은 차에 나를 태우고 안익태 선생과 관련된 곳을 여기저기 안내해 주었습니다. 지중해가 내려다보이는 언덕. 안익태 선생이 만든 한서협회 사무실. 그곳에서 한서협회 회장인 람베르토 씨를 소개해 주었는데 머리가 허옇게 센 람베르토 씨는 한서협회를 위해서 많은 일을 하고 있는 팔마 시의 유지라는군요.

"이곳에 한국 사람이 많습니까? 한서협회까지 있으니."

"아뇨. 한국 사람은 에키타이 안, 한 분입니다." 나머지는 다 스페인 사람인데 회원이 천 명이나 된다고 합니다. 모두 안익태 선생 때문에 한국을 좋아하게 된 사람들이랍니다. 지난번에 서울에 왔던 하신토 씨도 한서협회 사무국장으로 있었답니다. 그런데 그 하신토 씨가 한국에 다녀온 다음해에 갑자기 사망했다는 말을 로리타 씨에게서 들었을 때, 저는 믿어지지가 않았습니다.

하신토 씨는 안익태 선생의 유해가 한국에 모셔질 때 로리타 여사와 함께 한국을 방문한 분입니다. 마요르카 방송국의 부국장으로 있는 그는 명 인터뷰어로 이름이 있다고 합니다. 그런 그가 서울에 와서 의례적인 대접과 모임에만 참석하는 것으로 서울일정을 다 보내게 되어 실망을 하고 있을 때 저의 집에 오게 되었습니다. 안익태 선생의 미망인 로리타 여사와 세 딸을 초대하면서 하신토 씨도 함께 초대한 것입니다. 그때 저는 안익태 선생의 세 딸들에게 한국 여인의 큰절하는 법과 몇 가지 예절을 가르쳐주었습니다. 그리고 아리랑 노래에 맞춰서 한국 춤의 손놀림과 발놀림을 기분만 내는 정도로 함께 추었습니다. 아버지의 조국을 찾은 세 딸들에게 한국을 마음으로 느끼게 하기 위해서였습니다.
분위기가 한참 고조되었을 때 하신토 씨가 일어나더니 스페인 춤
플라멩코 스텝을 밟는 것이 아닙니까. 저를 앞에 세워놓고 자기의
상대역을 하게 하면서 멋지게 손을 치켜들고 발을 구르는 것입니다. 마침
스페인 여행에서 사 온 캐스터네츠가 집에 있어서 그걸 손에 끼고 나도
그를 따라 플라멩코 포즈를 흉내 내며 춤을 추었지요. 한국과 스페인의
춤잔치가 벌어진 셈입니다. 다음날 그가 기자와 인터뷰를 하게 되었을
때, 우리 기자가 "한국에서 인터뷰를 하고 싶은 사람은?" 하고 질문을
하니까, 옆에 있는 나를 가리키며 "미세스 리 같은 여자…"라고 말하는
것이 아니겠어요. 기자가 의아해서 나를 쳐다보더군요. 전날 우리 집에서
그를 위해 내가 광대노릇을 했다는 사실을 알 리가 없었지요. 하신토
씨는 그런 멋과 위트가 있는 신사였습니다. 젊은 그가 갑자기 사망을
했다는 것이니 믿어지지가 않을 수밖에요. 갑자기 쓸쓸한 기분이
들었습니다.

로리타 여사가 나를 데리고 간 곳은 또 한 군데 있습니다. 그곳은
웅장하게 지어진 커다란 문화관이었습니다. 문화관 관장은 마르코스
페라고트라고 하는 분입니다. 이분은 좋은 심포니 오케스트라가
연주하는 곳이면 그것을 들으러 유럽 어느 도시든 찾아갈 정도로 음악을
좋아하는 분이랍니다. 그러다 아예 자기가 극장을 지어서 오케스트라를
초청하는 것이 좋다고 생각해서, 가지고 있던 신발공장을 팔아서
문화관을 지었다는군요. 이곳은 대극장을 비롯해 야외극장까지 합해
크고 작은 공연장이 네 개나 있는, 유럽에서 제일 큰 문화관이라고

합니다. 이 문화관 개관 기념으로 안익태 선생이 작곡한 「코리아 판타지」를 연주하려고 했는데 아쉽게도 개관을 얼마 앞두고 선생이 돌아가셨다는 것입니다.

팔마에는 '작곡가 안익태의 거리'도 있습니다.

마요르카를 떠나기 전날은 혼자서 거리를 걸었습니다. 점심에 혼자 식당에 들어가서 홍합요리와 스파게티를 푸짐하게 먹었습니다. 외로움을 느낄 때 전 식욕이 좋아진답니다.

**영국 아일랜드 일주—
런던 옥스퍼드 카디프 리버풀
요크 에든버러 더블린**

기차가 에든버러의 웨벌리 역에 도착한 시간은 오후 한시 사십분. 웨벌리 기차역은 대도시의 중앙역답게 크고 웅장했다. 기차역이 큰 만큼이나 사람들도 많아서, 나는 인파에 밀려 저절로 밖으로 나왔다. 밖으로 나온 나는 갑자기 눈에 들어오는 정경에 찬사가 나왔다. 지금까지 본 그런 도회지적인 도시가 아니라 시간을 거슬러 올라간 먼 역사 속의 고장에 온 것 같은 정경이 펼쳐져 있었기 때문이다. 그곳은 영국이 아니고 전혀 다른 세계였다.

가스통 르루의 〈오페라의 유령〉을 보다
런던에서

5월 21일, 런던 히드로 공항에 도착. 오후 네시 사십오분.
이십칠 년 만에 다시 온 런던. 노르웨이에 가느라고 공항 가까이에 있는
호텔에서 하룻밤 잠만 자고 떠난 일은 있지만 이렇게 찾은 것은 강산이
세 번이나 변할 만큼 오래간만이다. 왠지 향수가 느껴지는 것은 젊었던
그때가 회상되어서일까? "멀리서 친구가 왔으니 아니 즐거울쏘냐!"라는
말로 나를 반겨 줬던 C씨는 지금은 미국에서 산다지….
호텔에 짐을 놓고는 곧바로 지하철을 타고 워털루 역으로 갔다.
벨기에에서 언어연구 일을 하고 있는 둘째 딸애가 유로스타 기차로
그곳에 도착하기 때문이다. 서울과 벨기에에서 각각 같은 날에 떠나서
런던의 워털루 역에서 랑데부를 하는 스릴을 느끼며 그 애가 도착하는
시간을 기다렸다.

5월 22일, 토요일.
아침 아홉시. 호텔 가까이에 있는 빅토리아 역에 가서 관광안내소를
찾았다. 내일 떠날 옥스퍼드와 카디프로 가는 차편을 미리 예약하기
위해서였다. 웨일스의 수도 카디프는 동생뻘 되는 애가 그곳에서
공부하고 최근에 돌아와서, "언니, 너무 아름다워요. 사람들도 얼마나
착한지 몰라요" 해서 스케줄에 넣은 곳이다. 기차로 갈 생각을 했었는데
버스로 가는 것이 더 편하다고 일러 주기에 다음날 아침 아홉시 십오분에

떠나는 버스표 두 장을 샀다.

런던 시내 관광을 하기 위해 빨간색 이층 관광버스에 올라탔다. 요금은 십이 파운드. 우리 돈으로 이만 원이 좀 넘는가 보다. 운전사가 준 관광안내서를 받아 들고 버스 아래층 좌석에 앉았다. 버스 이층에서도 마이크를 통해 가이드의 설명이 들렸다.

그런데 말이 빨라서인지 레프트, 라이트라는 소리밖에 알아들을 수가 없었다. 레프트라는 말에 왼쪽 창밖을 내다보다가 라이트란 말이 들리면 금방 또 오른쪽 창밖을 내다보곤 했지만 무엇을 설명하고 있는 것인지 도무지 알 수가 없었다. 가이드의 말은 다시 레프트, 그리고는 또 라이트란 말만이 귀에 들린다. 레프트, 라이트, 레프트, 라이트…. 딸애와 나는 계속해서 고개를 왼쪽, 오른쪽, 오른쪽, 왼쪽 좌우로 고개운동만 할 뿐. 그러자 딸애가 버스 이층으로 재빨리 올라갔다. 이내 딸애는 층계 밑으로 고개를 내밀며 나보고 올라오라는 손짓을 한다.

이층에 올라가서야 우리가 얼마나 바보짓을 했는지 알았다. 데크 식으로 되어 있는 좌석에선 앞이 탁 트인 시야가 눈에 들어오고, 가이드가 일일이 손가락으로 가리키며 설명을 하기 때문에 설사 라이트, 레프트란 단어마저 못 알아들어도 무엇을 설명하고 있는지 알 수 있다. 건물이며 성당, 탑이며 궁전이며 하다못해 좁은 골목 안에 있는 오래된 조그만 술집까지도 눈으로 보며 설명을 들을 수 있다. 런던 시내의 파노라마를 즐기면서 구경할 수 있는 이 이층 관광버스를 전에 왔을 때는 왜 안 탔을까? '아, 그땐 J씨의 차를 타고 안내를 받았지….' 아무튼 관광하는 데는 역시 이층 버스보다 더 좋은 것은 없다는 생각이 들었다.

딸애가 나와 함께 영국여행을 할 수 있는 기간은 닷새뿐이었다. 나는 딸애를 위해 닷새 동안의 일정표를 만들어서 미리 팩스로 보내 주었다. 그랬더니 '공연 관람' 부분이 제일 기대되었던 모양인지 나를 만나자마자, "엄마, 공연은 무얼 볼 거예요?" 하고 물었다. 내가 보내 준 일정표는 이렇게 되어 있었다.

5월 21일(금) 런던, 워털루 역 도착.(저녁 여덟시 사십구분)

5월 22일(토) 낮-런던 시내 관광. 저녁-공연 관람.(연극, 영화, 뮤지컬 또는 발레)

5월 23일(일) 아침 일찍 기차로 옥스퍼드 출발.(사십팔 분 소요) 당일 오후 기차로 웨일스의 수도 카디프로 감. 이박(泊).

5월 25일(화) 오전, 카디프에서 런던으로. 당일 오후 유로스타 편으로 벨기에로 돌아감.

런던에서 무슨 공연을 관람할 것인지를 정하기는 쉽지 않은 일이다. 하루에 오십여 개 이상의 공연물들이 동시에 무대에 오르고 있기 때문이다. 지구상의 어느 것을 주어도 바꾸지 않겠다는 셰익스피어가 있기에 공연문화도 세계 으뜸이 된 것인지…. 하여간 셰익스피어의 작품은 어떤 형태로든 빠지지 않고 무대에 올려지고 있다. 그런가 하면 체호프의 작품도 프로그램에서 빠지지 않고 있다는 것. 사람들의 배꼽을 쥐게 하는 코미디 공연들이 있는가 하면 관객들의 등살을 오싹하게 하는 스릴러 공연이 있다. 영국은 음악과 발레, 그리고 오페라의 본고장이라는 긍지를 가지고 있는 나라라서 더욱 관심을 끄는 공연이다.

딸애와 나는 사십육 년 동안이나 롱런을 하고 있다는 애거서 크리스티의

〈쥐덫〉을 보려다가 뮤지컬〈오페라의 유령〉을 보기로 결정했다. 그런데 십사 년 동안이나 장기공연을 하고 있는〈오페라의 유령〉당일 표는 이미 매진된 상태였다.

우리는 표를 못 사도 미리 가면 반환하러 오는 사람의 표를 살 수 있다는 얘기를 듣고 극장에 갔기 때문에 희망을 버리지 않았다. 극장 모퉁이에는 정말 반환표를 사러 온 줄이 있었다. 토요일이라 공연은 세시에 시작이다. 한시 반쯤 그곳에 갔는데 벌써 너댓 사람이 줄을 서 있었다. 한 시간이 지났다. "표 가진 사람들이 왜 안 오지?" 이런 생각을 여러 번씩 하며 기다렸는데 실은 그런 게 아니었음을 나중에 알았다. 표를 반환하러 오는 사람들은 반환표를 취급하는 리턴티켓 창구가 극장 안에 따로 있어서 그 사람들은 그곳에서 반환해 받고 바로 돌아가는 것이다. 아까부터 극장 직원 같은 사람이 몇 번인가 와서 줄에 선 사람들을 한 번씩 보고는 우스운 소리를 한마디씩 하고 들어가곤 해서 '싱거운 사람 같으니!' 했더니, 그는 반환받은 표의 수와 줄에 선 사람의 수를 맞춰 보며 우스운 소리로 안심시키고 가곤 했던 것이다.

우리는 삼십오 파운드짜리 일층 앞자리 상등석, 특별석 표를 샀다. 비싼 자리였지만 한 시간 반이나 기다렸는데, 좋은 자리에라도 앉아서 관람하고 싶어서였다.

무대는 어둠에서부터 시작됐다. 화려하고 거대한 샹들리에가 어둠 속에서 관객석으로 줄을 타고 내려왔다. 파리의 오페라하우스 속으로 관객을 이동시킨 것.〈오페라의 유령〉은 파리의 오페라하우스가 무대이다. 오페라하우스에 사는 마스크를 쓴 유령이 노래하는 가수

크리스틴을 사랑하여 그녀가 꿈꾸던 오페라가수로 만든다. 그러나 마침내 유령은 크리스틴을 다른 사내에게 빼앗긴다.

프랑스의 작가 가스통 르루의 작품. 뮤지컬로는 화려함을 억제한 너무도 독특하고 단순한 무대장치였다. 시종 어둠으로 조명된 무대가 일 초의 시간 낭비도 없이 찰나에 바뀌는 바람에, 관객도 유령의 세계에서 빠져나올 수 없는 긴장감을 갖게 된다.

〈오페라의 유령〉을 본 덕분에 나는 가스통 르루라는 프랑스 작가의 이름을 알게 되었다. 1868년에 파리에서 태어난 르루는 살찐 체격에 검은 머리를 매끈하게 뒤로 빗어제치고, 콧수염을 기른, 그리고 금테로 된 코안경을 쓰고 다닌 아주 멋쟁이 남자였다고 한다. 연극을 좋아하고 한때 한량으로 지내던 르루는 마침내 작가가 되었으나 슬프게도 〈오페라의 유령〉이 무대에 올려지는 마지막 성공 공연을 보지 못하고 오십구 세의 나이로 죽었다.

〈오페라의 유령〉은 바로 르루 자신의 모습이 아니었을지.

가방을 맡아 준 벨라드 씨와 점심을 먹으며
옥스퍼드에서

스티븐 벨라드 씨가 아니었으면 어떻게 할 뻔했는지 모른다. 그 덕분에 네 시간 동안의 짧은 옥스퍼드 관광을 너무도 편하게 할 수 있었다. 벨라드 씨는 옥스퍼드 시외버스 정류장 가까이 있는 글로스터 그린 광장 주변을 책임지고 있는 보안관이었다.

딸애와 나에게는 여행 가방이 하나씩 딸려 있었다. 옥스퍼드 버스정류장에서 내리자마자 우리는 가방을 맡길 곳을 찾았다. 그러나 그럴 만한 곳이 없었다. 시내를 돌아다녀야 하는데 가방을 끌고 다닐 수도 없는 일, 참으로 난감했다. 무거운 것은 고사하고 여자 둘이서 가방 하나씩 질질 끌고 길거리를 다니는 모습이 얼마나 보기에 좋지 않을까 하는 것이 더 마음에 걸렸다.

그런 우리의 가방을 맡아 준 사람이 바로 스티븐 벨라드 씨였다. 그는 우리에게 옥스퍼드 길 안내까지 해주었다. 그리고 우리의 요청을 들어 점심도 함께 하는 시간을 내주었다.

벨라드 씨를 만나게 된 것은 그의 사무실에서였다. 고민스런 가방을 끌고 골목길을 나오려는데 '시큐리티(Security)'라고 씌어 있는 글씨가 눈에 들어왔다. 나는 그 안으로 무턱대고 들어갔다. '시큐리티'라는 글씨를 보는 순간 그곳이라면 우리의 문제를 해결해 줄 것 같은 생각이 들어서였다. 내가 주저하지 않고 무턱대고 들어갈 수 있었던 것은 마침 사무실 문이 활짝 열려 있었기 때문이기도 했지만, 어쨌든 급하니까 그런 용기가 생겼다.

사무실 안으로 들어가자 젊은 보안관 혼자서 전화를 받고 있었다. 그의 통화는 길었다. 별로 급한 내용 같지는 않았는데 사람이 들어갔는데도 그는 쉽게 끝내려 하지 않아서, 벌을 서듯 마냥 서 있어야 했다. 급한 사람은 내 쪽이니 그대로 나올 수도 없는 일, 나는 숨을 크게 쉬고 여유있는 얼굴을 하고 서 있었다. 그럴 때 긴장된 얼굴을 하면 상대방도

무슨 일이 일어났나 하고 긴장하게 되므로, 자기가 원하는 일을
이루어지게 하려면 온몸의 긴장을 풀어야 된다는 것을 오래 전에 마인드
컨트롤 수련을 받으면서 배운 적이 있기 때문에, 아주 편안한 얼굴을
하고 있었다.

앞서 걷던 딸애가 내가 그토록 오래 사무실 안에 있는데도 들어올 생각을
안 하고 있는 걸 보면, 아마도 엄마가 남에게 부탁을 한다는 것이 신경
쓰여서일 거란 생각도 들었지만, 나도 그 나이 때는 어머니가 남에게
염치없이 부탁하는 것이 싫었기 때문에 굳이 들어오게 하지는 않았다.
사무실은 크지 않았으나 그가 앉아 있는 나무책상 하나와 서류장이 있을
뿐, 공간이 여유로웠다. '가방을 놓을 자리는 많구나' 하고 속으로
생각했다. 아무려면 자리가 없어서 못 맡아 줄까마는, 서 있는 동안 나의
눈에는 가방 놓을 자리만 보이는 것이었다.

꽤 한참 만에 전화를 끝낸 발라드 씨는 내 부탁을 아주 쉽게 들어주었다.
부탁을 하기도 전에 이미 나의 마음을 알고 있었던 것처럼 말이다. '나를
오래 기다리게 한 것이 미안해서였을까. 아니면 길게 이야기를 했던 전화
속의 상대가 여자였던 것일까.' 난감했던 일이 너무 쉽게 해결되니까
나는 금방 또 그런 필요 없는 생각을 하고 있었다.

그는 나의 가방들을 한쪽으로 옮기며, "여기에 두면 안전합니다"라며
함께 밖으로 나왔다. 그러니까 벨라드 씨는 그 전화가 아니었으면
관할구역을 순찰하느라 사무실 문을 닫았을지도 모른다.

벨라드 씨는 허리에 찬 열쇠꾸러미를 들고 사무실 문을 잠그더니, "제가
몇 군데 안내할 테니 따라오세요" 한다. 어쩜, 이런 행운이 있을까?

첫번째로 그가 우리를 데리고 간 곳은 건물과 건물을 공중에서
아치식으로 다리를 놓아 이은 허트포드 브리지였다. 허트포드 브리지는
회랑으로 된 독특하고 아름다운 옛 건축물이었다. 그는 우리에게
카메라를 달라고 하더니 셔터를 눌러 주는 익숙한 안내 솜씨도 보였다.
옥스퍼드의 번화가 카팩스에는 인형들이 나오는 고딕식 건축의 시계탑이
있었다. 도시 전체가 13세기부터 세워진 옛 건축물들로 차 있었다. 그런
옛 건물들의 대부분이 대학건물이라는 것도 놀라웠다.
옥스퍼드에서 빼놓을 수 없는 크라이스트 처치와 톰 타워, 그리고
옥스퍼드 박물관으로 가는 길을 우리에게 가르쳐 주고 일단 벨라드 씨는
자기의 근무구역으로 되돌아갔다. 그가 우리를 안내해 줄 수 있었던 것은
관할구역 내에서의 일이었기 때문인 것 같았다. 말하자면 관광객의
보호는 그의 업무 중 하나일 수도 있었던 것. 그 혜택을 우리가 받은 것이
무척 고마웠다.
우리는 고마운 벨라드 씨에게 점심을 대접하고 싶었다. 이왕이면
옥스퍼드에서 가장 오래되었다는 '더 비트' 라는 펍에서 식사하고
싶었으나 그의 근무구역에서 떨어져 있어서 글로스터 그린 광장 근처에
있는 펍을 택했다.
벨라드 씨와 점심을 먹으면서 우리는 그에 대한 많은 이야기를 들었다.
"나는 싱글 페어런트예요. 딸 하나와 아들 하나가 있습니다." 영국에서는
배우자 없이 혼자서 아이를 키우는 사람을 싱글 페어런트라고 부르는
모양이었다. 그는 부인과 이혼하고 혼자서 살고 있는 이야기를 거침없이
들려줬다. 물론 먼저 그의 가족에 대해서 내가 질문을 했기 때문이지만.

이혼한 이유를 묻자, "그녀는 술을 많이 마셨어요. 심한 알콜중독자였어요." 결혼 전에는 안 그랬는데 자기에게 병적으로 의심을 가지면서 그렇게 되었다고 했다.

"고쳐 보려고 노력을 많이 했습니다. 병원에도 여러 번 입원해서 치료를 받았어요. 그러나 성과가 없었고 아이들에게까지 학대가 심해져서 더 이상 함께할 수가 없었어요." 참 불쌍한 여자라는 생각이 들었다. 부인과 헤어진 지 얼마 안 되는 벨라드 씨는 그 동안 직장도 갖지 못했다가 이제 보안관 일을 하게 된 지 육 개월밖에 안 됐다고 한다. 나는 그의 아이들에 대해 물었다.

"열두 살인 아들은 고등학교에 다니고 있는데, 기숙사에 있어요. 링컨샤이어라고, 북쪽에 있는 자연이 아름다운 곳입니다. 그리고 큰딸은 제 여자친구가 데리고 있습니다. 한 달에 한 번씩 집에 오지요. 딸애는 열여덟 살이에요." 벨라드 씨는 아이들 문제를 잘 해결하고 있는 것 같았다.

그렇게 큰 딸과 아들이 있다는 것에 나는 그의 나이가 궁금해졌다. 이만큼 많은 자기 이야기를 들려준 사람인데 나이를 물어보는 일이 크게 실례는 아닐 것 같았다.

"내가 당신 나이를 묻는다면 실례가 될까요?" 영어는 이런 식으로 물을 수 있기 때문에 편리하다는 생각을 했다.

"마흔다섯 살입니다." 그리고 그는 자기 여자친구의 나이는 마흔 살이라고 했다.

"그녀는 간호사입니다. 프랑스 연안에 있는 사크라는 섬에 살고 있어요.

나의 딸을 아주 귀여워해 주고, 딸도 그녀와 함께 있는 것을
만족스러워하고 있습니다."

그에게 딸을 돌봐 주고 있는 여자친구가 있다는 얘기를 들으니 마음이
놓였다. 잠깐 만나서 알게 된 사람이지만 그가 불행하거나 외로워선 안
될 것 같은 생각이 들어서였다. 한 사람으로부터 얘기를 많이 듣는다는
건 이미 그 사람의 문제를 함께 생각하게 되는 일이기 때문이다.

카디프로 떠나는 버스는 오후 두시 오십분. 벨라드 씨 사무실에서 가방을
찾아 딸애와 나는 서둘러 버스정류장으로 갔다.

"참 착한 사람이죠? 모르는 사람의 가방을 어떤 사람인 줄 알고 맡아
주겠어요. 거기에 무엇이 들어 있는지도 모르고 말예요." 딸애는 벨라드
씨의 친절에 나보다 더 감격해 있었다. 그러고 보니 벨라드 씨가 가방을
맡으면서 "여기에 폭발물은 안 들었겠죠?"라고 말했던 것이 생각났다.
물론 그는 웃으면서 농담으로 말한 것이었고 또 나도 그렇게
알아들었지만 실상 그의 농담은 보안에 대한 의무였을 것이다.
오다가다 사무실에 뛰어든 사람의 가방을 의심도 없이 맡아 준 벨라드
보안관. 그는 나를 믿어 주었던 것이다.

착각 때문에 수난을 당한 피어스 부인
카디프에서

캐슬 스트리트는 쉽게 나타났다. 카디프 버스터미널에서 북쪽으로 얼마

가지 않아 큰길이 나왔는데, 그게 캐슬 스트리트였다. 그곳에서 왼쪽으로 조금 가면 캐서드럴 로드가 나온다고 했지만 아무래도 초행길이라 택시를 잡기로 했다.

"얼마 멀지 않다니까 걸어서 가죠" 했던 딸애가 빈 택시를 보고는 먼저 손을 들었다. 지도를 들고 앞장서긴 했지만 아무래도 자신이 없었던 모양이다.

"피프티 에이트 캐서드럴 로드, 플리이즈!" 택시에 타자마자 딸애가 기사에게 말했다. 별것 아닌 일이지만 딸아이가 길 찾는 일이나 물어보는 일을 다 하고 있어서 마냥 편했다. 그전 같으면 혼자서 다 해야 했던 일인데, 이렇게 별것 아닌 것에도 행복감이 느껴진다.

우리가 찾아가는 크라운데일 호텔은 캐서드럴 로드 오십팔 번지에 있다. 택시기사는 일러 준 주소를 제대로 듣기나 한 것인지, 길을 구부러져 돌더니 얼마 안 가서 우리를 내려 줬다. 그렇게 가까운 곳에 크라운데일 호텔이 있었던 것이다. 우리가 탄 곳에서 몇 걸음만 가면 캐서드럴 로드였고, 거기서부턴 66, 64, 62… 이렇게 번호만 따라가면 오십팔 번지였는데 공연히 택시를 탔다는 생각이 들었다. 정작 택시를 타야 했을 때는 찔끔찔끔 걷다가 고생을 하는 일이 있었는가 하면, 바로 길모퉁이만 돌면 되는 곳을 무턱대고 택시를 타고는 억울해 한 일 등을 그토록 여러 번 겪었으면서도 이번에도 또 그렇게 된 셈이다.

그런데 이상한 것은, 그런 일들이 억울하고 약이 오르곤 했어도 심각하게 지속되는 것이 아니라 오히려 재미있는 일로 생각된다는 것이다. 여행은 그런 작은 일에서도 즐거움을 얻는다.

크라운데일 호텔은 영국식 숙박업소인 '비 앤 비(B & B)'이다.
가정집에서 손님을 받아서 잠자리와 아침식사(Bed and Breakfast)만을
제공하는 곳이라고 해서 '비 앤 비'라고 하는데, 숙박비도 싸고
아침식사가 영국식으로 푸짐하게 나오기 때문에 영국을 여행하는
사람들은 호텔보다 '비 앤 비'를 많이 찾는다. 더군다나 가족들이 쓰는
거실에서 다른 투숙객들과 함께 아침식사를 하거나 저녁에는 텔레비전도
보는 등 서로 대화를 나눌 수 있어서 좋다.
크라운데일 호텔에는 '호텔'이란 말이 붙어 있지만, 그것은
일반명사로서의 '호텔'이 아니라 크라운데일이란 이름에 함께 붙어 있는
고유명사다. 크라운데일 호텔을 숙소로 정하게 된 것은 옥스퍼드에서
만난 한 영국인 아저씨 때문이었다. 그 아저씨는 가족과 함께 옥스퍼드로
여행을 온 사람인데, 그가 부인과 두 아이들을 세워 놓고 사진을
찍으려고 할 때 내가 "제가 찍어 드릴 테니 가족들과 함께 서세요" 해서
알게 되었다. 우리가 카디프로 가는 길이라고 하니까 자기네는 바로
카디프에서 온 사람들이라면서 가르쳐 준 곳이 크라운데일 호텔이었다.
관광지에서 사진을 찍는 사람들을 보면 으레 다른 나라에서 온 것으로
생각했는데, 그들은 카디프에 살고 있는 영국 사람들이었다.
"깨끗하고 친절하고, 그리고 버스터미널에서도 멀지 않은 곳입니다.
카디프에서 내가 제일 좋아하는 '비 앤 비'이지요. 그곳으로 꼭 가세요,
제가 주소를 적어 드릴 테니…" 해서 찾게 됐다.
그는 버스터미널 바로 곁에 있다는 또 다른 '비 앤 비'도 가르쳐 주었지만
우리에게 크라운데일 호텔을 더 권하였다. 그러면서 두 군데의 '비 앤

비' 이름과 주소를 모두 외우고 있었는지, 아무것도 들여다보지 않고 그 자리에서 종이에 적어 주었다. 어떻게 그렇게, 호텔의 이름까지는 몰라도 주소와 전화번호를 두 군데씩이나 척척 알고 적어 주는 것일까. 카디프의 숙박업 조합 섭외담당 이사라도 되는 것일까.

그렇게 숙소가 쉽게 해결되더니, 이번에는 바로 그 크라운데일 호텔에서 그야말로 귀신에 홀리는 일이 벌어졌다.

택시에서 내린 곳에는, '크라운데일 호텔-베드 앤 브렉퍼스트' 라고 쓰인 하얀 나무간판이 동화 속의 그림 같았다. 꽃나무들이 아름답게 가꾸어져 있는 앞마당의 현관문에서 초인종을 눌렀다. 집 안에서 앳된 아가씨의 목소리가 들렸다. "미세스 리입니다"라는 말을 하자 현관에 대학생 나이의 아가씨가 나타났다. 가기 전에 반드시 전화를 걸어서 빈방이 있는지를 확인하고 가라고 해서 버스에서 내리자마자 전화를 걸었기 때문에 '미세스 리'라고 하자 금방 알았던 것이다.

아가씨에게 옥스퍼드에서 만난 사람으로부터 소개받은 이야기를 하며 적어 온 쪽지를 보여주었더니 거기에 적혀 있는 이름을 보고, "어머! 미세스 피어스가 우리 어머니예요"라고 큰 소리로 반가워하는 것이 아닌가.

"그래요? 미세스 피어스가 어머니세요? 그런데 어떤 아저씨네 가족하고 같이 계시던데요. 아이들도 둘 있었는데…." 내가 이렇게 말하니까, "네, 어머니가 남자친구하고 같이 여행을 다녀온다고 하시더니 옥스퍼드에 가셨나 보네요? 아이들은 아마 남자친구 분의 아이들인가 보죠" 하는 것이었다. 아가씨는 우리가 자기 어머니를 만났다는 것만이 반가웠던지,

그런 상황을 아무렇지 않게 우리에게 말하였다.
그녀의 이름은 카렌이라고 했다. 얼굴이 예쁘고 귀여웠다. 밝은 표정으로 어머니 얘기를 하는 것이 순진해 보여서 "아가씨는 참 예쁘고 천사 같군요" 했더니 웃으면서 고맙다고 했다. 카렌은, 아버지가 돌아가신 후 어머니 혼자 이 호텔을 사서 운영하고 있다는 얘기를 우리에게 들려주었다. "카렌 양이 늘 어머니 일을 도와 드리고 있나요?"라고 물었더니, "아뇨, 저는 학교에 다니느라고 돕지 못하고 있어요. 어머니가 이번에 여행을 가셨기 때문에 제가 그 동안만 봐 드리고 있는 거죠."
"그럼, 어머니로부터 일한 대가를 받나요?"
서양 사람들이 아이들에게 용돈을 줄 때 정원의 풀을 깎게 한다거나 자동차를 닦게 한다는 얘기를 들었기 때문에 그렇게 물어보았다.
"아뇨, 저는 돈을 받을 생각은 하지 않고 있어요. 어머니가 보통 때 제가 해 달라는 것을 무척 잘해 주셔서 저도 이럴 때 그냥 도와 드리려고 해요." 카렌이 생글생글 웃으면서 말하는 것이 여간 사랑스럽지 않았다. 딸애와 나는 옥스퍼드에서 만난 가족의 여인이 카렌의 어머니 미세스 피어스라면, 자기 호텔 이야기를 할 때 아무 말도 안 하고 서 있기만 했던 것이 의아할 뿐이었다. "참, 이상한 일이지?" 했지만 딸이 자기 어머니 이름을 보고 어머니라고 하는 데야 더 이상 의아해 할 일이 아니어서 그냥 그렇게 알고 넘어갔다. 다만 이런 우연이 있나 싶을 따름이었다. 영국 아저씨가 적어 준 쪽지에는 호텔 주소와 함께 '미세스 피어스'란 이름이 분명히 적혀 있었다. 그러니까 영국 아저씨와 함께 있던 여인이 그의 여자친구이고, 그 여자친구가 크라운데일 호텔을 경영하고 있어서 우리가 카디프에 간다니까 호텔 이름과 주소를 쉽게 적어 줄 수 있었던 거구나…. 그렇게 생각하니 주소를 금방 적어 줬던 일이 좀 풀리는 것도 같았다.

결국 딸애와 나는 멋대로 추리소설을 엮었다. "영국 아저씨는 자기의 여자친구가 하는 호텔이라서 우리에게 권했고, 함께 있던 여자친구는 그들 사이가 진짜 부부가 아니어서 자기 호텔이라는 말을 못 하고 서 있기만 했던 걸 거야." 그렇게 결론을 내긴 했지만 귀신에게 홀린 것 같은 기분은 여전했다.

이인실인 우리의 방은 이층에 있었다. 카렌은 우리에게 열쇠를 두 개 주며, 하나는 현관 열쇠이고 하나는 방 열쇠라고 했다. 아침식사는 여덟시부터 아홉시 반까지라는 것을 일러 주고, 그녀는 집으로 간다면서 나갔다. 그녀는 엄마하고 단독주택에서 함께 살다가 유지비가 많이 들어서 얼마 전부터 아파트의 방 하나씩을 각각 빌려서 따로 살고 있다는 얘기도 서슴없이 들려주었다. 우리는 크라운데일 호텔에서 이틀을 묵는 동안 카렌을 더 이상 만나지 못했다.

그곳을 떠나는 날 아침에 우리는 그 집에서 못 보던 아주머니를 만났다. 얼굴에 화장도 하지 않고 수수한 차림으로 분주히 일만 하고 있어서 나는 매일 출근해서 일을 돕는 사람으로 알았다. 나는 카렌을 못 보고 떠나는 것이 섭섭해서 아주머니에게 카렌에 대해서 묻고는, 미세스 피어스는 아직 안 돌아왔느냐고 물었다. 그랬더니, "내가 미세스 피어스예요"라는 것이었다.

"어머나, 그래요?" 딸애와 나는 또 한 번 의아했다. 우리가 옥스퍼드에서 만났던, 영국 아저씨와 함께 있었던 여인이 아니었기 때문이다. "도대체 어떻게 된 것일까?" 얼떨떨한 기분으로 서 있는 우리에게 그녀가 말했다. "아, 당신네들이었군요. 우리 딸에게 옥스퍼드에서 나를 봤다고 한 사람들이!" 그녀는, '옳거니, 범인은 너희들이었구나!' 하는 듯이 갑자기 말소리가 빨라지면서, "카렌이 나를 보자마자 옥스퍼드에서 재미가 어땠느냐고 묻질 않겠어요? 나는 옥스퍼드에는 가지도 않았는데 말이에요. 내가 아무리 안 갔다고 해도 엄마를 옥스퍼드에서 만났다는 두 한국 여자가 우리 집에 묵고 있는데 뭘 그러느냐고 막무가내로 나보고 옥스퍼드에 갔다는 거예요. 나는 데번이라는 바닷가에 갔었는데, 아무리 아니래도 믿질 않고 옥스퍼드 얘기만 하라는 거예요. 나중에는 그 애 말이 하도 말 같지가 않아서 상대를 안 하고 말았어요."

미세스 피어스는 자기가 정말 데번에 다녀왔다는 것을 증명이라도 하듯이, "데번은 바닷가 휴양지인 데다 주말 휴가가 시작돼서 그런지 싼 곳은 없고 비싼 호텔에 들었더니 하루에 백 파운드를 받기에, 사흘 묵을 예정으로 갔다가 이틀만 자고 돌아오고 말았어요"라며 단숨에 긴 이야기를 털어놓았다. 별로 만족스런 여행이 아니었다는 얘기다. 크라운데일 호텔의 숙박비는 이인실이 하루에 이십사 파운드인데, 그것의 네 배가 넘는 호텔비를 지급해야 했으니, 남자친구와의 여행을 도중에 마치고 돌아와야 했던 미세스 피어스의 마음이 즐겁지 않았을 것은 당연했다. 그런데 집에 돌아오자마자 딸에게서 뚱딴지 같은 얘기를 들었으니 참으로 그녀야말로 귀신의 장난에 완전히 휘말린 희생자가 된 셈이다. 딸애와 나는 무엇이 어떻게 잘못된 것인지를 또 한 번 풀어야 했다. 그리고 이렇게 된 것임을 알았다.

옥스퍼드에서 만난 영국 아저씨는 호텔 이름과 그 주인 이름을 우리에게 제대로 적어 주었다. 그랬는데 거기에 적혀 있는 어머니 이름을 보고 딸 카렌이 '우리 어머니'라고 큰 소리를 내며 반가워하는 바람에 그만 우리가 착각을 한 것이다. 호텔 주인 이름으로 써 준 '미세스 피어스'를 그가 함께 있던 여자의 이름을 적어 준 것으로 순간 착각했던 것이다. 착각이란 참으로 순간의 일이다. 멀쩡히 제대로 알고 있었던 것도, 어느 한 사람의 생각이 더 강한 힘을 가졌을 때 그 힘이 상대방의 생각을 지배하게 되면 착각을 일으킨다더니, 우리는 카렌이 남자친구와 함께 떠난 어머니를 강하게 생각하고 있는 힘에 휘말려 완전히 맥을 못 추고 만 것이다. 맥을 못 춘 정도가 아니다. 하지만 다행히 미세스 피어스가 하루 일찍 여행에서 돌아왔기 때문에 딸애로부터의 오해도 풀 수 있었고, 우리도 구제받은 기분이었다.

"크라운데일 호텔을 카디프 사람들이 좋아하나 보죠? 우리에게 이곳을 가라는 사람이 있어서 왔어요." 나는 미세스 피어스를 기쁘게 해주고 싶었지만, 실제로도 예쁘게 가꿔진 마당이랑 집안 장식들이 마음에 들어 그렇게 이야기했다.

존 레넌이 치던 하얀 그랜드피아노 앞에서
리버풀에서

웨일스의 카디프에서 기차로 리버풀을 가려면 크루라는 곳에서 갈아타야 했다. 기차표에 열두시 사십오분 카디프-크루, 네시 십분 크루-리버풀이라고 적힌 것만을 보고 나는 기차 안에서 마음 놓고 앉아 있었다. 크루까지 가려면 세 시간 이상을 가야 하니까 특별히 정거장 수를 알 필요도 없이, 그저 네시 십분이 될 때까지 창밖이나 보며 앉아 있으면 되기 때문이다.

내 시계가 세시 오십분쯤 되었을까, 우연히 밖을 내다보니까 '크루'라고 쓴 글씨가 눈에 띄었다. 아직 이십 분이나 남아 있었는데 내려야 할 기차역 이름이 갑자기 눈에 들어와서 허둥대면서 기차에서 내렸다. 타고 온 기차는 크루 역을 떠났다. 알고 보니 네시 십분이라는 시간은 기차가 크루에 도착하는 시간이 아니라 크루에서 출발하는 시간이었다. 얼마나 아슬아슬했는지, 목숨이 십 년은 줄어든 것 같았다.

리버풀로 가는 기차는 바로 앞에서 타게 되어 있었는데, 네시 십분이 되니까 기차가 플랫폼으로 들어왔다. 열차에 올라타면서 그곳에 있던 붉은 재킷을 입은 여자 역무원에게 물었다. "이 열차가 리버풀로 가는 거지요?" 확인차 물은 것인데 이게 무슨 말인가, "이건 리버풀로 가는 것이 아녜요"라고 한다. 내가 이상하다는 표정으로 타려던 기차에서 돌아서는 것을 본 한 영국 아주머니가 "리버풀 기차가 십 분 연착한답니다"라고 알려 줬다. "그걸 어떻게 아셨죠?" 했더니 조금 전에

역내 방송을 하더라는 것. '아이 참, 그걸 누가 알았나?'
십 분이 지나자 같은 승강장으로 기차가 들어왔다. 나는 마음 놓고 기차를 탔다. 그런데 두 정거정쯤 지났을 때 검표하러 온 승무원이 내 표를 보더니, "이 열차는 리버풀로 가는 게 아닙니다. 잘못 타셨어요"라는 것이다.
'무슨 말을 하는 거죠? 분명히 물어보고 탄 기차인데…' 혼자서 속으로 말한 것을 승무원은 알 리 없고, "다음 역에서 내려서 갈아타세요"라는 말만 해주고 가 버리고 말았다. 이번에는 놀랐다기보다 맥이 탁 풀렸다. 옆좌석에 앉은 승객이, "이 기차는 반대 방향으로 가는 기차입니다. 다음 역에서 내리면 리버풀로 가는 기차가 올 테니 그걸 타세요" 해서 조금은 안심이 되었다. 하지만 이젠 아예 시간 감각뿐 아니라 방향 감각까지 없어져서 뭐가 뭔지 모르게 되어 버렸다. '아까 탔던 크루로 다시 가야 리버풀로 가는 기차를 탈 수 있을 텐데 다음 역에 내려서 리버풀로 가는 기차를 타라고 하니, 그리고 네시 십분발 기차는 벌써 떠났을 테고….' 이런 생각을 하니 그야말로 난감하기만 했다.
어쨌든 일러 준 대로 다음 역에서 내렸다. 그랬더니 정말 리버풀행 기차가 얼마 안 있어 도착했다. 더 이상 나는 영문을 알 생각도 하지 않고 두말 없이 기차에 올라탔다. 그러고는 이미 기차가 떠나고 있는데도 옆사람에게, "이게 리버풀로 가는 거지요?" 하고 또 한 번 물었다. 묻지 않고 타서 화를 입은 바람에 이젠 사람만 보면 묻는 병이 든 모양이다. 그런데 뜻밖에 크루 역에서, 십 분 연착된다는 얘기를 해준 영국 아주머니가 그 열차에 타고 있었다. 나는 그 아주머니 덕에 저절로 왜

내가 그 모양이 됐는지 알게 되었다. 그의 말에 의하면, 또 한 번
연착한다는 방송이 나왔는데 어느새 내가 안 보이더라는 것. 그리고 이
기차는 내가 잘못 탔던 기차와 이곳까지는 같은 방향으로 왔다가
여기서부터 갈라진다는 것이다. 이젠 뭐가 뭔지를 알게는 됐지만, 또 한
번 '십 년 감수' 한 기분이었다.

기차를 탈 때마다 자꾸 물어봤어야 했는데, 영국이라는 나라를 믿고 그냥
탄 것이 잘못이라는 생각을 했다. "대영제국의 기차가 자꾸 연착한다는
것은 이해하기 어렵군요." 이런 말이라도 해서 나의 체면을 세울 생각을
했더니, "요새는 영국의 기차도 믿을 수 없어요. 그래서 방송을 잘 들어야
해요." 아주머니는 아무렇지 않게 이렇게 대답했다. 하마터면 나는
꼼짝없이 이름도 모르는 시골 기차역에서 밤을 샐 뻔했다. 내가 이런
실수를 하며 여행을 하고 있다는 것을 서울에선 누가 알랴. 그런 생각을
하면서 놀랐던 가슴을 달랬다.

작년에 영국관광청에서 '올해에 찾아갈 만한 도시' 로 선정한 리버풀.
머지사이드 주의 주도(州都)인 이 도시는 문화, 역사 유적, 음악, 스포츠
등의 다양한 자랑거리를 내세우며 일 년 내내 활기 넘치는 행사를 마련해
놓고 있었다. 한 달에도 몇 개씩 있는 행사와 볼거리 중에서 중요한 것만
골라서 읽는데도 어찌나 세련되고 유혹적인 말로 자랑을 했는지 숨이 찰
정도다.

하기야 '찾아갈 만한 도시' 로 선정이 되지 않았다고 해서 그보다 덜
자랑을 했겠는가마는, '선정' 되었다는 그 말 때문에 공연히 읽는 내
쪽에서 흥분했는지도 모른다. 그래서 사람들은 상을 탄다거나, 뽑힌다는

일에 열을 올리게 되나 보다.

1999년의 행사 중엔 이런 것들이 있었다.

"2월 21일, 중국 정월 명절 축제. 차이나타운을 중심으로 한 지역 안팎에서…." 제일 먼저 적혀 있는 행사다. 항구도시이기 때문에 리버풀에도 차이나타운이 있는 모양이다. 음력 설을 위해서 '차이니즈 뉴 이어 축제' 로 정해서 도시 행사의 하나로 정해 놓은 것이 왠지 우리나라 설 문화도 인정하고 있는 것 같아 친근감을 느꼈다. 리버풀 성당 축제, 재즈 축제, 국제 기타(Guitar) 축제, 불꽃놀이 크루즈, 현대미술 비엔날레, 국제 비틀스 대회, 여성 승마대회, 아프리카 예술(미술, 춤, 음악) 축제, 거리 연극제, 유적 개방 등등. 이런 것들을 손가락으로 하나, 둘, 셋, 소리까지 내어 세어 보니까 전부 서른일곱 개, 거기에다 박물관과 미술관의 중요 전시회가 스물아홉 개, 이렇게 많으니 훑어 읽기만 하는데도 숨이 찰 수밖에. 항구도시란 끊임없이 외지와의 교류가 이루어지는 곳이라 사람들의 마음을 쉴 새 없이 자극하기 때문인가 싶었다.

그러나 리버풀은 뭐니뭐니 해도 비틀스가 탄생한 도시로 가장 많이 알려진 도시이다. 그래서 나도 그곳을 찾아갔다. 리버풀 부둣가에 있는 '앨버트 독' 의 붉은 벽돌 건물 안에는 여러 종류의 전문 가게들, 기념품점, 카페, 식당 등이 고급스러운 분위기로 들어서 있다. 또 머지사이드 해양박물관, 테이트 갤러리, 리버풀 생활박물관이 있고, 무엇보다 '더 비틀스 스토리' 라는 이름의 비틀스 기념관이 관광객에게 제일 매력적인 곳이다.

비틀스 그룹 최고의 전성기가 1963년에서 1970년이라고 하니까 벌써 삼십 년이나 지났다. 그들의 노래를 처음 들었을 때 나는 별로 관심이 없었다. 관심이 없는 정도가 아니라, 북 치고, 기타 치고, 몸을 흔들어 대며 빠르고 강렬한 선율의 노래를 불러 대는 것을 텔레비전을 통해 처음 보았을 때는 '저런 것도 노래라고 부르는가' 하는 정도였다. 패티 페이지나 카펜터스, 빙 크로스비 등의 감미롭거나 애수에 찬 노래에 빠지던 시절, 기껏 빠른 템포라야 차차차, 그리고 엘비스 프레슬리의 로큰롤 음악이 있었는데, 이것도 아직 나에게 익숙해지기도 전에 비틀스의 두들겨 대는 팝 음악이 시각과 청각을 혼란시키니, 꼭 미친 사람들의 짓같이 생각되었다.

비틀스가 미국 공연을 위해 뉴욕 케네디 공항에 내렸을 때 그들을 환영하러 몰려온 미국의 십대들이 졸도까지 하는 광경은 정말 봐 줄 수가 없었다. 소리지르다가 쓰러진 다 큰 계집애들을 경찰들이 안고 뛰어가는 장면이 텔레비전을 통해 비쳐질 때, "미국은 이제 야단났구나. 젊은 애들이 저렇게 타락했으니…" 했던 생각이 지금도 생생하다.

그런데 그때 텔레비전에서 본 장면을 이곳 '비틀스 스토리'에서 다시 보게 되니까, 그렇게 봐 줄 수 없었던 생각은 안 들고, '과연 비틀스는 대단했구나!' 하는 생각이 들면서, 지금은 나이 든 나까지 흥분되었다. 세월이란 그때의 감정을 숙성시켜서 그리움으로 만드는 발효제 같은 것일까. 내가 비틀스의 이야기로 유명한 리버풀까지 찾아와서 삼십 년 전의 이야기에 향수를 느끼고 있으니 말이다. 그들이 신었던 굽 달린

'쿠반 힐' 부츠, 칼라 없이 만든 박스형 코트, 그리고 귀가 나오게 짧게 깎은 비틀스 헤어스타일, 그런 것들도 이젠 모두 그리움의 대상이 되어서 감상하고 있다.

'비틀스 스토리' 건물의 터널을 빠져나올 때쯤, 넓은 유리방 속에 존 레넌이 연주하던 흰색 그랜드피아노가 놓여 있었다. 나는 그 앞에 잠깐 멈춰서 애도를 보냈다.

두 양녀를 키우는 말레이시아인 부부
요크에서

창밖으로 바다가 보인다. 기차는 계속 바다를 끼고 달리고 있다. 에든버러에서 요크로 가는 기차 안. "아! 참 좋구나"란 말이 저절로 입 밖으로 나온다. 그런데 이 좋은 바다를 보면서도 마음이 왠지 덤덤하다. 집으로 돌아가는 날이 가까워지니 그런가 보다.

기차가 한 작은 역에 도착했다. 마중 나온 할아버지가 기차에서 내린 할머니에게 키스로 인사하고, 가방을 받아 들고 역사 밖으로 나간다. 그들에게 있어서는 일상적인 것이었을 텐데 나의 눈에는 왜 그런 것이 새롭게 들어올까. 한국에서라면 남자가 기껏 피식 웃는 것으로 말았을 테지 하는 생각에서였을 거다.

앞자리에 앉은 사내녀석의 발이 좌석테이블 밑에 가려진 나의 정강이를 자꾸 건드리고 있다. 할머니와 앉아서 카드 맞추기 놀이를 하면서도 놀이보다는 맞은편에 앉은 동양 할머니에게 더 관심이 가는 모양이다. 내가 슬그머니 다리를 안쪽으로 비켰는데도 그 애는 짓궂게 따라오면서 내 다리를 친다. 아무리 어린아이라도 그럴 땐 왜 그렇게 밉살스럽게 생각되는지, 너그럽지 못한 나를 책하지만 여전히 그 녀석이 밉다는 생각이 든다. 나는 그 아이의 할머니가 눈치 채지 못하게 무서운 얼굴을 해 보였다. 아이는 그것이 재미있었는지 본격적으로 나의 정강이를 발로 찬다. 통로 건너 자리에 혼자 앉아 있던 사내아이의 엄마가 눈치를 채고는 아들을 나무랐다. 그제야 사내애는 멈추는 듯하더니 금방 또 그럴 기세다. 아이들은 어딜 가나 하는 짓이 같았다.

영국에 와서 꽤나 여러 도시를 들렀다. 런던에서 시작해서 웨일스의 카디프, 리버풀, 에든버러, 그리고 아일랜드의 더블린 등. 이렇게 다니고 이제 마지막으로 요크로 가는 길이다. 그런데 갑자기 '내가 꼭 이곳까지 들러야만 하는가' 라는 생각이 든다. "에든버러에서 런던까지 오는 길에 꼭 요크를 들르세요"라고 권했던 한국 유학생의 말을 듣고 요크를 마지막 여행 스케줄에 넣었다. 그것이 정말 잘한 일인지를 창밖으로 펼쳐진 바다를 보면서 생각하고 있자니, 어느새 오후 한시에 에든버러를 떠난 기차는 오후 세시 이십오분에 요크에 도착했다. 그런데 기차역 밖으로 나오면서부터 이 도시에 잘 왔다는 생각이 든다. 요크의 땅을 밟는 것만으로도 이곳에 온 보람을 느꼈다. 역 앞에서부터 푸른 수목들과 성벽, 잘 가꿔진 영국의 정원, 성벽 아래에 뚫린 돌문이 보인다. 이곳은 이층 관광버스와 트롤리 버스, 그리고 강물 위에선 리버 보트 크루즈가 관광객들을 싣고 다니는 또 하나의 매력적인 고도였다.

형체만 남은 옛 성벽 뒤에는 좁은 골목들이 거미줄처럼 나 있었다. 으레 그런 곳엔 관광객들이 몰리는 법. 나도 그들 속에 섞여서 가게 진열장을 들여다보며 어슬렁거렸다. 내가 진열장 안을 들여다보는 것은 살 것이 있나 하고 보는 것이 아니라, 그저 들여다보기 위해서 구경하는 것. 그러다가 문득 살 것이 생각나서 가게 안으로 들어갔다. 그림엽서를 고르기 위해서였다. 값을 치르고 가게를 나오는 기분은 새로웠다. 그것도 쇼핑이라고, 물건을 샀다는 기분이라서 그런지. 역시 물건을 사는 일에는 작아도 쾌감이 따른다.

다음날, 요크셔 박물관에 들어가 있는 동안 비가 억수같이 쏟아졌다. 천둥 번개까지 쳤다. 식물원이 있는 넓은 정원 안쪽에 박물관이 깊숙이 들어가 있어서, 정문까지 나가려면 한참이라 모두들 나갈 용기를 내지 못하고 퍼붓는 비만 내다보며 서 있었다.

나는 기념품가게에 들어가 『고대 로마인의 생활』이란 책 한 권을 사 들고 나왔다. 비는 여전히 그치지 않고 내리고 있다. 책을 펼쳤다. 이거라도 읽으며 기다릴 수밖에. 고대 로마인에 의해서 영국이 침범당했고, 그 로마군의 일부가 영국의 북부인 요크셔 지방까지 침공했다는 이야기가 씌어 있는 책이었다.

저녁을 먹기 위해 식당을 찾았다. 영국에선 해가 늦게까지 떠 있어서 저녁 먹는 시간을 놓치기가 쉬우므로 그날은 일찍부터 서둘렀다.

관광객들이 많이 다니는 좁은 골목에서 식당 하나를 찾았다. 모자를 쓴 어린 소년의 사진이 붙어 있는 것이 눈을 끌어서 그 집에 들어갔다. 그리

크지 않은 오래된 건물의 이탈리아 음식점이었다. 어둠침침한 식당 안에는 벌써 손님들이 많았다. '이 사람들은 관광하러 온 것이 아니라 먹으러 이곳에 왔나' 하는 생각이 들었다. 일찍 서두른 나보다 더 먼저들 와 있었으니 말이다.

나는 구석진 자리의 이인용 테이블로 안내받았다. 나에겐 한갓지고 안성맞춤인 자리였다. 주인인 듯한 사람이 직접 주문을 받으러 왔다. 샐러드와 양고기를 시키고 포도주도 한 잔 부탁했다. 음식을 기다리는 동안 테이블이 약간 기울어져 있는 것을 알았다. 바로 세우려고 했지만, 다리도 벌쩡하고 식탁이 건들거리지도 않는데, 여전히 식탁은 기울어져 있었다. 그러는데 옆에서 목소리가 들렸다.

"마룻바닥이 내려앉아서 그런 거예요, 식탁이 문제가 아니라."

이렇게 말해 준 사람은 오전에 관광버스에서 만난 말레이시아인 부부였다. 그들은 바로 나의 옆 테이블에 앉아 있었고, 그들의 식탁도 기울어져 있어서 한참을 연구해서 이유를 알아냈다고 했다. 그러니까 이 집은 아주 오래되어서 군데군데 내려앉은 마룻바닥을 그대로 손질해서 식당으로 꾸민 집이었다. 천장과 벽에도 오래된 서까래와 시커먼 나무기둥이 나와 있는가 하면 창문도 햇빛이 겨우 들어올 정도의 조그마한 창문에 스테인드글라스처럼 색유리가 끼워져 있는 옛날 집이었다. 그런 오래된 집이라서 관광객들이 많이 찾아왔던 것. 나처럼 입구에 그려진 소년 얼굴이 예뻐서 들어온 게 아니었다.

말레이시아인 부인이 "괜찮으시면 함께 앉아서 식사를 하시지요" 하고 권해서 나는 주인에게 부탁해 자리를 옮겼다. 오전에 관광버스에서

만났을 때는, 부인은 비디오 카메라로 열심히 사진을 찍느라 남편하고만
얘기를 했었는데, 식당에선 부인이 더 나에게 관심을 보였다.
그들 부부는 에든버러에 있는 딸을 만나고 오는 길이라고 했다.
치과의사였던 딸이 영국 남자와 결혼해서 딸 둘을 낳았고, 지금은
주부로만 지낸다는 것. 그리고 아들은 런던에 있는데 작년에 대학에서
화공학을 전공한 후 직장에 나가고 있다면서 아들도 곧 영국 아가씨와
결혼하게 될 거라고 했다. 나는 그들 부부에게 애들 둘이 다 영국인과
결혼하게 돼서 섭섭하지 않느냐고 물었다. 왠지 그럴 것 같아서였다.
"남편의 직장이 런던에 있었기 때문에 아이들 둘을 다 영국에서 공부를
시켰지요. 그래서 영국 친구들과 친하게 됐어요. 그 애들 자신이 선택한
결혼이라 조금도 서운하지 않아요." 부인은 만족한 얼굴로 그렇게
대답했다. 남편이 은퇴한 후 전에는 매년 영국에 와서 애들을 만났는데
이번엔 삼 년 만에 온 거라고 한다. "두 분도 아예 영국에 오셔서 사시면
좋겠네요. 아이들이 다 영국에 살고 있으니…." 나는 그들이 여행하기가
힘들어져서인 줄 알고 그렇게 말했더니, "아녜요. 집에 딸이 또 둘
있어요"라고 한다. 그들 부부는 양녀를 둘이나 키우고 있다고 했다.
"벌써 육 년이나 되었어요. 그 애들을 키우는 일이 우리를 얼마나
행복하게 하는지 몰라요." 나는 부인의 말에 충격을 받은 기분이었다.
팔자 좋게 외국에 있는 딸과 아들을 보러 다니고, 여행이나 즐기며 사는
부부인 줄만 알았는데, 그 나이에 남의 아이를 둘씩이나 키우고 있다니!
그리고 그 아이들 키우느라고 친자식들을 보러 영국에도 자주 못 오고
있다는 것을 마치 자랑처럼 말하고 있으니 감탄하지 않을 수 없었다.

부인은 이야기를 계속했다. "저는 초등학교 교사였어요. 결혼하고 아이를 낳고도 애들은 남의 손에 맡기고, 계속 학교에서 아이들을 가르치는 일을 했죠. 학교 아이들을 가르치는 것에 충실하느라 내 아이들을 내 손으로 키우지 못한 것이 너무도 미안했어요. 다행히 우리 아이들이 잘 자라 준 것이 너무도 고마워서 그 보답으로 부모 없는 아이들을 키울 생각을 한 것입니다. 참 잘했다는 생각이에요. 매일매일 감사의 기도를 하지요. 지금 우리 부부가 이렇게 건강하게 살 수 있는 것도 그 애들 덕이에요. 아니었으면 우리 부부는 저물도록 시집간 딸네 집만 찾아다니는 불쌍한 '늙은 부모' 밖에 더 되었겠어요?" 부인은 "Poor old parents!"라고 말하면서 소리내어 웃는다.

나는 부인의 얘기를 듣고 있기만 했을 뿐 아무런 대꾸할 말을 찾지 못했다. 나도 아이들을 내 손으로 키우지 못했다는 자책 때문이었을까. 갑자기 집 생각이 났다.

비 오는 날, 홀리루드 궁전은 침울하기만 하고
스코틀랜드의 에든버러에서

돌집들이 서 있는 오르막길을 란도셀을 등에 멘 초등학교 학생들이 달려 올라가고 있다. 그런 사진 밑에 이런 글이 적혀 있었다.

"학교 갈 때 아이들은 걸어갑니다. 집에 갈 때 아이들은 뛰어갑니다. 이것은 세계 어디서나 똑같습니다."

수업이 끝난 아이들이 신나게 언덕길을 뛰어오르면서 집으로 돌아가는 모습이 그렇게 정감이 갈 수가 없다. 게다가 거기에 쓰여 있는 글, "학교 갈 때 아이들은 걸어갑니다. 집에 갈 때 아이들은 뛰어갑니다"라는 내용은 얼마나 실감나는 말인가.

에든버러로 가는 기차 안에서, 스코틀랜드를 선전하는 큼직한 책자에 이런 사진과 글이 있는 것을 보며, 나는 사진 속의 아이들처럼 발로 뛰어가는 대신 기차로 달리고 있었다. 왠지 스코틀랜드 사람들은 정이 많을 것 같았다.

기차가 에든버러의 웨벌리 역에 도착한 시간은 오후 한시 사십분. 웨벌리 기차역은 대도시의 중앙역답게 크고 웅장했다. 기차역이 큰 만큼이나 사람들도 많아서, 나는 인파에 밀려 저절로 밖으로 나왔.

밖으로 나온 나는 갑자기 눈에 들어오는 정경에 찬사가 나왔다. 지금까지 본 그런 도회지적인 도시가 아니라 시간을 거슬러 올라간 먼 역사 속의 고장에 온 것 같은 정경이 펼쳐져 있었기 때문이다. 그곳은 영국이 아니고 전혀 다른 세계였다.

화강암 절벽 위에 아테네에서 보는 것 같은 성채가 우뚝 솟아 있는 것이 눈에 들어오는가 하면 다른 한쪽으로는 높은 언덕 위에 에든버러 성이 근엄한 자태로 자리해 있었다. 그 아래로 보이는 고풍스런 조지언 건축물들이며 푸른 나무숲의 공원…, 이 모든 것이 시내 한가운데서 고개만 돌리면 한꺼번에 눈에 들어오는 이런 도시를 나는 본 경험이 없다. 스코틀랜드와 영국은 처음부터 다른 나라였구나 하는 생각이 절로 들었다.

웨벌리 역 광장을 지나서 오른편으로 가니 노스 브리지가 있었다. 다리 건너에 있는 버스정류장에서 뉴잉튼행 버스를 탔다. 버스요금은 칠십 펜스. 미리 준비한 잔돈을 요금통에 넣고 버스 기사에게 살리스베리 정류장에서 내려 달라고 부탁했다. 영국을 여행한 지 벌써 일주일이 되니까 이런 일들은 잊지 않고 할 수 있게 됐다. 관광안내소에서 호텔을 예약해 줄 때, 버스로 숙소를 찾아가는 방법까지 정확하고도 알기 쉽게 적어 주기 때문에, 짐 없이 다닐 때는 이런 쪽을 더 택한다.

콜랜 게스트하우스의 주인 미세스 밀러는 나이가 들었지만 곱게 화장을 하고 있었다.

"오후 여섯시에 오신다더니 벌써 오셨군요." 호텔을 예약할 때 혹시 늦어지는 경우를 생각해서 내가 일부러 시간을 그렇게 부탁했던 것. 나는 그녀의 말에, 액센트가 강하고 말이 빠르다는 생각이 들었으나 목소리가 상냥해서 친근감을 느꼈다.

콜랜 게스트하우스는 현관부터 오밀조밀 예쁘게 꾸며 놓은 비 앤 비였다. 미세스 밀러에게 안내받은 내 방은 일층에 있었다. 아주 조그마한 방. 그러나 있을 것은 하나도 빠지지 않고 갖춰져 있는 그런 방이었다. 한 대학선배가, "나는 이다음에 노인이 되면 아주 조그만 방 하나에 모든 것을 갖춰 놓고 살 거예요. 잘 걷지 못하게 되어도 벽에다 손잡이 바를 달아 놓으면 그걸 쥐고 다니면서 혼자서 다 해결할 수 있는 그런 기능 있는 방을 만들고 살 거예요"라고 했는데, 미세스 밀러가 손님을 위해 꾸며 놓은 방이 바로 그런 방이었다. 다만 벽에 손잡이 막대만 달아 놓지 않았을 뿐.

어떻게 이런 작은 공간에 옷장이며 세면대, 탁자, 시계, 스탠드 같은
것들을 다 들여놓을 수 있었는지. 아니, 그런 생각을 어떻게
했는지부터가 놀라웠다. 그런데 내가 탄복한 것은 그런 물건들이 갖춰져
있어서뿐만이 아니었다. 방에 있는 물건들마다 하나하나 장식을 위해
신경을 쓴 것이 더 나를 탄복시켰다. 두 손바닥을 펼친 정도의 크기인
조그만 탁자 위에도 레이스 깔개를 놓았고, 뒤뜰이 보이는 조그만
창가에는 일년생 꽃이 심어진, 오리알 크기밖에 되지 않는 화분이 놓여
있었다. 영국 사람들은 홍차를 즐겨 마셔서 어디를 가나 숙소에
전기주전자와 홍차가 준비되어 있는데, 방이 하도 작아서 그런 것은
준비되어 있지 않았겠지 했더니 탁자 밑칸에 찻잔과 여러 가지 차들이
준비되어 있었다. 세면대 거울 앞에는 향수병까지 놓여 있었다. 그야말로
동화 속의 미니어처 방 같아서 갑자기 소꿉놀이를 하러 온 아기공주가 된
기분이 들었다.

미세스 밀러는 이층에 있는 욕실도 안내했다. 둥글게 올라가는 좁은 계단
위에 깔린 남색 카펫 때문에 흰색으로 칠해진 계단과 벽이 더욱 희게
생각되었고, 벽에 걸린 그림들이 좋아서 고급주택의 계단처럼
오르내리는 것이 즐겁게 느껴졌다.

욕실은 침대가 놓인 내 방보다 넓었다. 욕탕 밖에 깔린 빨간색의 두툼한
카펫이며 하얀 레이스 커튼, 그리고 작은 나무탁자 위에 시계와 꽃병을
놓아 두어서 마치 내 집 안방에 들어간 기분이었다. 서울에 돌아가면 이
집 이야기는 안 할 수가 없다는 생각이 들어서, 그곳에 장식해 놓은
물건들을 자세히 들여다보며 한참 동안을 즐겼다. 벽에 걸린 액자에 든

예쁜 카드의 글이 재미있어서 그것도 읽었다.

"제발 잊어버리지 마세요! 욕실 바닥을 절대로 적셔서는 안 된다는 것과 비누를 욕탕 물속에 담가 둬서는 안 된다는 걸요. 이런 일들은 결코 해서는 안 된다는 것을 알고 있겠지요? 또 언제나 일러 준 것처럼, 찬물도 물론이지만 더운물을 마냥 틀어 놓고 있지 마세요. 타올을 욕실 바닥에 내던져 놓는 것도, 그리고 욕실 안에서 한 시간 이상을 보내는 것도 안 되는 일이지요. 밖에서 다른 사람이 기다리고 있을지도 모르니까요."

그것은 어린이를 위해 만들어진 카드였다. 손님들에게 하고 싶은 말을 위해 이런 액자를 걸어 놓은 그녀의 방법이 애교스러웠다. 그녀가 차려 주는 아침식사도 화려했다. 우리나라의 순대와 비슷한 해기스라는 이름의 스코틀랜드 전통음식을 비롯해서 감자 요리, 익힌 토마토, 콩 요리, 계란, 베이컨, 그리고 토스트와 오트밀, 오렌지주스, 우유, 커피 등, 영국 사람들은 아침을 그렇게 잘 먹는 모양이었다. 나는 그녀의 정성을 생각해서 되도록 접시를 비우려고 노력했지만 쉽지 않았다. 미세스 밀러는 또 식탁에 함께 앉아서 말벗을 해주며 내가 혹시 꼭 가 봐야 할 곳을 빠뜨리지 않았는지 확인해 주는 자상하고도 정이 많은 여자였다. 컴퓨터를 전공한 아들은 결혼을 해서 런던에 살고 있고, 경영상담 일을 하고 있는 남편은 출장을 자주 가서 거의 그녀 혼자 게스트하우스를 운영한다는 것. 그리고 자기 집에 묵고 간 사람들이 가끔 편지와 사진들을 보내 주기도 하여 기쁘다며 실제로 그런 사진들을 나에게 보여주기도 하였다. 미세스 밀러는 이 일을 즐기고 있었다.

기차에서 기대했던 스코틀랜드 사람들의 정을 나는 그녀에게서 보았다. 에든버러에 간다는 생각을 했을 때 제일 먼저 머리에 떠오른 것은 스코틀랜드의 메리 여왕 이야기였다. 태어난 지 엿새 만에 아버지인 제임스 왕이 죽어 구 개월 만에 스코틀랜드의 왕관을 이어받고, 세 번의 결혼과 더불어 비극적인 젊음을 보내고, 그러다가 자기의 비서 리치오가 남편의 질투로 살해당하는 무참한 장면까지 봐야 했던 여왕. 마침내 영국으로 도망간 메리 여왕은 사촌인 영국의 엘리자베스 여왕 일세가, "나에게 대영제국의 엘리자베스 여왕 폐하라고 부르라!"는 것을 끝내 따르지 않았다는 이유로 교수대에 보내졌다. 그 끔찍한 메리 여왕의 이야기가 생각난 것이다. 나는 그 비운의 메리 여왕이 살았던 홀리루드 궁전을 찾았다. 그곳은 또 여왕의 비서 리치오가 그녀가 보는 앞에서 남편에게 살해당한 곳이기도 했다. 그날은 아침부터 비가 몹시 내렸다. 그런 비운의 여왕 이야기를 간직하고 있는 홀리루드 궁전은 비 오는 날씨 탓인지 유난히 음침하게 느껴져서 짧게 보고 나왔다. 사실 나는 여행을 할 때 궁전이나 성의 내부를 샅샅이 보고 다니는 일에는 그다지 흥미가 없다. 어차피 어느 곳에든 그 나라 왕이나 성주들이 사용했던 그 시대 최고의 물건들이 있게 마련이지만, 그런 것들은 보고 나서 쉽게 잊어버리게 되기 때문이다. 나는 그보다는 거기에 살았던 주인공들의 이야기에 더 흥미를 느낀다. 홀리루드 궁전은 그런 면에서 무척이나 사람들의 관심을 모으는 곳이다. 비가 여전히 심하게 내리고 있었지만 나는 우산을 받쳐 들고 궁전 앞에서 사진을 한 장 찍었다. 비 오는 날의 궁전 모습이 무척 마음에 들어서였다.

제임스 조이스를 받아들인 더블린 사람들
아일랜드의 더블린에서 1

그런 실수를 하다니! 글쎄, 오후 네시 삼십오분에 출발하는 더블린행 비행기를 타야 할 사람이 오후 네시가 지나서 공항에 도착했으니 어떻게 되었겠는가. 영국을 여행하면서 내내 기차만 타고 다니다 보니 비행기를 기차 타러 가듯 하며 공항에 나간 것이다. 리무진 버스가 공항건물에 닿았을 때, 그제서야 '아, 내가 늦게 나왔구나!' 하는 생각이 들었다. 그런데 그 다음이 또 문제였다. 급히 공항건물 안으로 들어가자, '출발'이라는 표지판이 눈에 들어와서 그것을 보는 순간 모든 것을 홀랑 잊어버리고 그리로 곧바로 전진해 들어갔다. 그러자 공항 직원이 "보딩카드가 있나요?" 하고 묻는다. 이번에는 더 기가 막혔다. 글쎄, 탑승수속도 안 하고 그대로 비행기에 올라탈 생각을 했으니, 몰라도 이만저만이 아니다. 그 동안 영국을 기차로 일주하면서, 기차표만 손에 쥐고 그냥 플랫폼으로 들어가 열차를 기다렸다가 타곤 했기 때문에, 비행기 타는 것도 그렇게 하려 했던 것이니 얼마나 넋 빠진 행동인가. 그런데 또, 더블린행 체크인 카운터가 있는 곳을 물었더니 "어느 비행기를 타느냐?"는 것이다. "맙소사!" 나는 그것도 모르고 있었다. 아니, 처음부터 알 생각을 하지 않고 있었다. 몇 시에 떠나는 어디 행 기차, 라고만 알고 있으면 기차 타는 데 아무 문제가 없었기 때문이다. 비행기표를 뒤적여 항공사 이름을 알아내고 간신히 카운터를 찾아갔으나 이미 그때는 체크인 팻말은 내려지고 직원이 자리를 뜬 뒤였다. 나는 옆

카운터의 직원에게 도움을 청했다. 그가 고개를 길게 빼고 항공사 직원들이 다니는 통로 쪽을 보더니, "아, 저기 가고 있군요" 하며 저만치 막 뒷모습이 사라지려는 직원을 불렀다. 카운터로 돌아온 항공사 직원은 서둘러 무전기를 꺼내 들고는 한참 동안 이야기를 주고받았다. 기내를 연결해서 "지금 승객을 보내도 탈 수 있겠는가"라고 사정을 알아보고 있는 것 같았다. 그 대답이 오는 시간이 얼마나 길게 느껴지는지. 다급한 일이 생겼을 때는 어떤 형태로든 기도부터 하게 된다. 그럴 때 나는 돌아가신 어머니에게 기도를 한다.

어머니가 살아 계실 때 "얘, 기도해라. 기도하면 하나님께서 들어주신다"고 하시던 말씀에 별로 귀를 기울이지 않았던 내가, 다급해지니까 '어머니의 기도'가 떠오른 것이다.

전화를 끝낸 직원은 나에게 빨리 따라오라고 하면서 앞장서서 뛰기 시작했다. "기다려 주겠으니 빨리 데리고 와라"고 한 모양이다. 그를 따라 뛰었다. 비행기 탑승구까지가 왜 그렇게 먼지. 보안구역의 닫힌 문을 몇 개씩이나 릴레이식으로 열어 젖히면서 항공사 직원은 나를 에스코트하며 뛰었다. '제임스 본드의 007 영화가 따로 없구나!' 하는 생각이 들어서 웃음이 나오는 것을 참으면서 뛰느라고 더 힘들었다. 마침내 문을 열어 놓고 나를 기다리고 있는 비행기 앞에 다다랐다. 나는 비행기 안으로 발을 들여놓고서야 뛰고 있던 다리를 멈췄다. 야구선수가 홈으로 달려가서 '세이프!'를 외쳤을 때 같은 느낌으로. 숨이 차서 목소리가 잘 나오지 않았지만, 나를 기다리고 서 있던 승무원 아가씨에게 "미안합니다. 고맙습니다"라고 할 수 있는 인사를 다 하였다. 그런데

"늦으셨군요?"라는 말이라도 할 줄 알았던 승무원은 "괜찮습니다! 어서 오세요"라며 아무렇지 않은 표정으로 나를 반긴다. 손님에 대한 그 완벽한 서비스가 오히려 나를 맥 풀리게 했다. 차라리 "왜 그렇게 늦으셨어요?"라고 했더라면 항공사 직원과 죽도록 뛰어왔던 스릴이라도 남았을 텐데, 하는 별난 해석을 하면서 비행기 좌석에 앉았다.

더블린 공항에서 간신히 예약한 브라이튼 게이블 비 앤 비 앞마당엔 갖가지 꽃들이 피어 있었다. 바이올렛 빛깔의 아자리아, 노란색 글라디올러스, 작은 나무에 핀 빨간 꽃들이 한국의 계절에 피는 꽃들과는 다른 꽃들이다. 그 곁에 활짝 모란이 피어 있는 것을 보고 문득 서울 생각이 났다. 집을 떠난 지 벌써 이십 일이 지났다는 것을 알았다. 아, 그 동안 서울을 잊고 있었구나. 기차 탈 일을 생각하랴, 비행기 예약 확인하랴, 어지간히 긴장하며 다니고 있었다는 것을 알았다.
더블린 시내로 가기 위해 버스를 타러 가는 길, 한 젊은 아빠가 차를 세우고 네댓 살쯤 되어 보이는 딸을 데리고 내리더니 '베이비 케어'라고 쓴 간판이 있는 집으로 들어간다. 유아원에 딸을 맡기러 가는 모양이었다. 그 길을 한 초등학교 학생이 배낭을 메고 자전거를 타고 간다. 그 옆에서 엄마도 자전거를 타고 아들을 보호하며 따라가고 있다. 더블린 시외 주택가의 아침 풍경이다. 아빠와 엄마와 아이들의 생활이 이렇게 시작되고 있었다.
시내로 가는 십오번 버스를 기다리는 정류소에서 중학교 남학생 셋이서 서로 치고받으며 장난을 한다. 버스가 오는데도 그 애들은 계속 밀치기를 하다가 버스가 정차해서야 장난을 멈추고 후다닥 올라탄다. 서울의 지하철 구내에서도 종종 눈에 띄던 사내녀석들의 그런 광경은 더블린이라고 다를 것이 없었다.

성 패트릭 성당 안에는 아일랜드의 역사적 인물과 성직자의 비명들이 벽과 통로 둘레에 가득 모셔져 있었다. 아름다운 모양의 글씨와 문양, 그리고 얼굴을 부조로 만들어 넣은 비명도 있어서 그 자체가 특색있는 장식물로 보였다. 그 비명들 중에는『걸리버 여행기』의 작가 조나단 스위프트의 것도 있었다. 그가 삼십이 년간 이 성당의 사제로 봉사했다는 기록이 적혀 있었다. 중세풍으로 무게있게 꾸며진 제단과 스테인드글라스 창을 통해 들어오는 아름다운 색채의 광선, 높은 천장과 거기에 그려진 성화, 이런 분위기의 성당에 내가 처음 들어온 것도 아닌데, 이 성 패트릭 성당 안에서 눈물이 나올 정도로 가슴이 벅찼던 것은 비행기를 못 탈 뻔했던 어제의 일에 대한 감사 때문이었다.

더블린 시내 한가운데를 흐르고 있는 리피 강의 다리를 건너면 멀지 않는 곳에 아일랜드 연극의 고전무대로 알려진 애비 극장이 있다. 내가 극장을 찾아간 날은 휴관일이어서, 유리장 속에서 세월을 잃고 소중히 붙여져 있는 지난날의 연극무대 사진들만을 감상하였다. 그 중에는 애비 극장의 첫 극장장이었던 희곡작가 싱의 〈서방의 플레이보이〉 무대사진도 있었다.

오코넬 거리 주변에서 눈에 띈 것은『율리시스』의 작가 제임스 조이스의 동상이었다. 여성스러우리만치 자그마한 체구의 제임스 조이스. 그의 콧등에는 둥근테 안경이, 그리고 머리에는 삐딱하게 중절모가 씌워져 있다. 그의 오른손에는 그가 늘 사용했다던 물푸레나무 지팡이가 쥐여 있고, 왼손은 코트 자락을 젖히고 호주머니 속에 집어넣은 채 다리를 꼬고 비스듬히 서 있다. 그 모습이 무척이나 익살스러워서, 살아 있는 조이스가 금방이라도 나에게 모자를 벗고 인사를 할 것 같아 한참을 지켜보고 서 있었다.

더블린 사람들을 침체되고 부정적인 모습으로 묘사했다는 이유로 십일 년이란 긴 세월 동안 빛을 보지 못했던 그의 첫 단편집 『더블린 사람들』, 그리고 그의 대작 『율리시스』 등에서 더블린에서 일어나는 모든 품위 없고 불쾌한 일들을 노출시켰다는 것 때문에 오랫동안 힘겹고 쓸쓸한 생활을 견뎌야 했던 조이스가 이제는 더블린 사람들의 다정한 눈길과 사랑을 받으며 턱을 치켜들고 폼을 잡고 서 있는 모습이 여간 해학적이지 않다. "어느 날 더블린이 갑자기 사라지더라도 나의 율리시스가 그것을 재건할 것이다"라고 조이스는 부르짖고 있는 것 같았다.

조이스 동상 앞에서 나는 마라호이드 성을 관광할 때 일행이었던 영국인 부부를 만났다. 여행자끼리는 잠깐을 함께 있었다는 것으로도 친구가 되는 법. 더군다나 그들 부부와는 마라호이드 성에서 차를 함께 마셨던 사이였기 때문에 더 반가웠다. 몸집이 통통한 데다 대머리인 남편은 혼자서 여행을 하는 동양 여자가 걱정이 되어서인지 관광하는 도중 작은 일에도 나를 챙겨 준 푸근한 남자였다. 그들 부부는 마침 차를 마시러 가는 중이라며 나에게 함께 가자고 했다. 우리는 조이스 동상 바로 앞에 있는 카일모어라는 아이리시 풍의 카페로 들어갔다. 웨일스의 카디프에서 치과 기공사 직업을 가지고 있다는 남편 슬래터 씨는 벨파스트에 사는 친구의 초대로 그곳에서 이틀을 지내고 더블린에 왔다고, 종업원이 차 주문을 받으러 오기도 전에 이야기를 시작한다. "이 년 전에 스페인 여행에서 만난 부부인데, 작년에 우리가 사는 카디프로 초대를 했더니 금년엔 그들이 벨파스트로 우리를 초대한 거죠." 아일랜드를 여행하는 사람은 대개 북아일랜드의 수도인 벨파스트까지 다녀오기 때문에 나는 좀 부러워하며 그의 이야기를 들었다. "그 친구는 벨파스트에서 복싱 클럽을 가지고 있어요. 수없이 많은 권투선수를 배출했고 지금도 선수가 되려는 훈련생이 수십 명이나 된다고 해요."

나는 '복싱'이라는 말에 재미가 나기 시작했다. 한화그룹에서 일하고 있는 나의 남편이 이십 년 이상 아마추어복싱연맹 일을 책임지고 있었기 때문에 복싱에 대해서 좀 알고 있어서였다. 아마추어복싱연맹은 한화가 후원하고 있는 스포츠 단체였다. 몇 년 전인가 남편이 더블린에서 열리는 세계복싱연맹총회에 참석하러 갈 때 내가 "아일랜드 같은 조그만 나라에서도 세계 총회를 해요?" 했더니, "여보, 그런 소리 말아요. 아일랜드가 얼마나 권투에 관심이 많은 나라인데…. 북아일랜드까지 합해서 선수들이 많으니까 거기에선 항상 열두 체급이 다 출전한다오"라고 했다. "올림픽에서 금메달은 못 땄지만 열두 체급에 다 출전할 수 있는 선수들을 가졌다는 것만 해도 굉장한 일이야." 그러면서, "일본 선수단 단장은 국제시합 때면 항상 나를 부러워하지 뭐야. 미스터 오(吳)는 열두 체급 전부를 거느리고 시합에 나올 수 있으니 얼마나 좋으냐는 거지. 일본은 아무리 키우려 해도 선수들이 슬금슬금 다 빠져나가서 마치 손바닥에 좁쌀을 놓고 주먹을 쥐면 손가락 사이로 다 빠져나가서 몇 알 안 남듯이, 자기네는 겨우 두세 명 정도밖에 데리고 올 수 없으니 메달을 어떻게 딸 수 있겠느냐는 거야. 그런데 말야, 한국도 이젠 잘살게 돼서 선수들이 말을 안 듣게 됐어"라던 말을 들은 일이 있다. 그런데 슬래터 씨의 친구가 바로 그 아일랜드의 권투선수들을 키우고 있다는 이야기를 하니 흥미있게 들을 수밖에.

"남편을 안 지는 칠 년이나 되었지만 결혼은 안 하고 그냥 친구로만 지내려 했는데, 이이가 자꾸 원해서 하게 되었지요."

미세스 슬래터는 다니던 부동산 회사를 그만두지 않고 자기 일도 갖고 있는 개성있는 여성이었다.

흰 빨래가 널린 아이버 씨 댁 뒤뜰에서
아일랜드의 더블린에서 2

더블린 공항에 내리자마자 여행안내소에서 줄을 서서 한 시간 이상을 기다렸다. 호텔 예약을 하기 위해서였다.

애당초 더블린은 런던에서 비행기로 다녀올 계획이었는데 에든버러에서 가는 것이 항공료가 덜 든다고 해서 갑자기 여정을 바꿨더니 그만 호텔 문제가 생긴 것이다. '뱅크 홀리데이' 라 그렇다나?

"뱅크 홀리데이?" 은행이 쉬는 날이란 말 같은데, 그게 뭐 그리 대단해서 영국도 아닌 아일랜드까지 야단이란 말인가.

"오는 월요일이 뱅크 홀리데이가 돼서…"라는 한결같은 대답만 들을 뿐, 여행사와 항공사를 있는 대로 다 찾아다녔지만 모두 허탕이었다. 또 대답하는 아가씨의 말들은 왜 그렇게 빠른지. 영국의 지방도시에서도 그렇더니 스코틀랜드에 오니까 사투리에다 말까지 빨랐다. 실상, 호텔 예약이 안 된다는 이유가 '뱅크 홀리데이 때문' 이라는 것이 전부여서 알아듣고 말고 할 것도 없었지만 방이 없다는 바람에 답답해서 자꾸 물었다.

호텔 예약을 못 한 채 에든버러를 떠나면서, 비 앤 비 주인 미세스 밀러에게 "혹시 당신 집으로 다시 되돌아오게 될지 몰라요. 더블린에 호텔 방을 구하지 못하고 떠난답니다" 했더니, "절대로 그냥 돌아오게 되지는 않을 거예요. 여행안내소에 등록되지 않은 비 앤 비도 많으니까, 시내에서 좀 떨어진 동네에 가면 방을 구할 수 있어요. 나를 믿으세요"라고 해서 조금은 안심이 되었다.

마음 좋아 보이는 아이버 씨는 이층에 있는 방을 안내하면서, "정말 운이 좋으시군요. 이 방에 묵었던 미국 여인이 갑자기 조카딸이 위독하다는 연락을 받아서 여행을 취소하고 돌아가는 바람에 당신이 올 수 있었어요. 뱅크 홀리데이 때문에 지금 더블린에서 방을 구하는 건 불가능한 일일 겁니다"라고 한다. 뱅크 홀리데이라는 말이 그의 입에서 또 나왔다. 아이버 씨는 방 열쇠라고 하면서 손잡이가 긴 시커먼 무쇠 열쇠를 주었다.

"이건 밖에서만 잠글 수 있고 안에서는 잠글 수 없습니다." 아니, 밖에서만 잠글 수 있고 안에서는 잠그지 못하다니, 그런 열쇠도 있는

건지? 그가 준 열쇠는 해적선에서 바이킹들이 돈 궤짝을 열고 닫을 때
쓰던 것 같은, 그런 오래된 무지스러운 열쇠다. 손에 쥐니까 무겁기까지
했다.
"방 안에서는 체인에 달린 열쇠로 잠그면 됩니다." 아이버 씨는 방문
안쪽에 있는 열쇠 달린 체인을 손가락으로 가리켰다. '그러면 그렇지!'
나는 방문을 잠그지 못하고 자야 하는 줄 알고 걱정을 했던 것이다.
방은 적당히 크고 벽난로와 오래된 옷장이 놓여 있었다. 흰 레이스
커튼이 쳐진 창밖으론 푸른 뒤뜰이 보였고 그곳엔 흰 광목 빨래가 널려
있었다. 오래간만에 빨래 널린 것을 보니 여간 정감이 가지 않았다.
그것이 아일랜드의 인상처럼 느껴지기도 했고.
그날 저녁은 아이버 씨가 일러 준 대로 동네에 있는 펍에서 저녁식사를
했다. 브라이튼 로드 큰길에는 여러 개의 펍이 있어서 처음엔 그중에서
제일 작은 집으로 들어갔다. 펍 안은 손님들로 꽉 차 있었고 몹시
시끄러웠다. 종업원이 테이블로 안내해 주겠다는 것을
"시끄러워서…"라며 그대로 되돌아서니까, "시끄러워서요?"라고 한다.
그 말이 괜히 마음에 걸려 잽싸게 문밖으로 나왔다. 길 건너에 있는 좀 큰
펍으로 갔지만 역시 그곳도 마찬가지. 펍이란 원래 그런 곳이라는 것을
알고는 갔지만 저녁을 먹기에는 좀 너무했다. 그러나 이번에는 다시 나갈
생각은 할 수 없었다. 종업원이 갖다 준 메뉴에서 닭찜 요리와 아이리시
스튜가 제일 쉽게 눈에 띄어 그것을 주문했다. 펍에서 술을 안 시킬 수
있겠는가. 주저없이 생맥주도 한 잔 주문했다.
펍 안은 음악소리까지 요란해서 서울에서였다면 "소리 좀 작게 해줄 수

없어요?" 하고 나이 든 핑계로 요구도 했을 것 같다. 그러나 나는 이것도
즐거운 경험이라고 슬쩍 마음을 바꿨다. 닭고기 요리는 맛있었다.
푸짐하게 곁들여 나온 감자튀김을 손으로 집어 먹으며 맥주를 즐겼다.
아일랜드가 본고장인 기네스 맥주는 사실 내가 즐기기에는 좀 독했지만.
앞 테이블에서는 젊은 남자 두 명과 여자 한 명이 샴페인을 터뜨리며
흥을 내고 있었다. 결혼식을 마치고 들어온 신랑 신부와 신랑의 친구인
듯했다. 친구는 이미 취해 있어서 큰소리로 어찌나 말을 많이 하는지
몰랐지만, 그래도 신랑 신부는 그걸 다 듣고 있다. 다른 테이블에서도 큰
소리로 이야기하는 것은 마찬가지. 모두들 기운이 넘치고 있었다.
호텔에 돌아와서 텔레비전을 보기 위해 거실로 들어갔더니 책꽂이에
많은 책들이 꽂혀 있었다. 벽에는 시계가 둘이나 걸려 있었지만 둘 다
제대로 가지 않는 골동품시계였다. 나는 혼자서 웃었다. 우리 집에 온
손님이 거실에 있는 골동품시계들을 보고 "이 집엔 시계들은 많은데 가는
것이 없군요"라고 했던 생각이 나서였다. 욕실에도 칠이 다 벗겨진
오래된 나무의자가 놓여 있더니, 이 집에는 방 열쇠에서부터, 오래된
것들이 많다.
텔레비전을 켜는 대신에 나는 책상 위에 놓인 책들을 뒤적였다.
그랬더니, 아까 아이버 씨가 준 방 열쇠와 똑같은 검은 무쇠 열쇠 사진이
표지에 실린 책이 눈에 띄었다. 그런 옛 열쇠가 아일랜드를 상징하는
것이기라도 하는지, 바로 그 열쇠를 내가 쓰고 있는 것이었다.
책에는 아일랜드 사람들이 펍을 많이 찾는다는 이야기도 씌어 있었다.
그들이 펍을 찾는 이유는 술을 마시기보다 이야기들을 하기 위해서란다.

특히 더블린에는 펍이 많은데, 그 이유는 더블린 시민이 낭비성이
많아서가 아니라 방문객들을 편하게 해주기 위해서라는 것. 그래서
아마도 더블린은 세계에서 가장 쾌활한 사람들이 사는 도시일 거라고
한다. 이런 풍조는 중세에 생긴 것인데, 그때는 세 집 걸러 한 집에서
술을 담가 마실 정도로 집에서 술을 많이 마셨으나, 현재는 크리스마스
이외에는 가정에서는 거의 술을 마시지 않고 동네 펍으로 간다고 한다.
그들에게 있어서 펍은, 내 집이 아니지만 내 집보다 더 편한 곳이다.
친구를 만나 얘기를 나누고, 소문을 듣고, 걱정거리를 털어놓고, 익살을
떠는 등, 이렇게 편하기 때문에 펍은 항상 동네 사람들로 들끓게 되어
있다는 것이다.
그런 줄도 모르고 나는 펍에 들어가서 "시끄러워서 그냥 가겠다"고
했으니 마치 목욕탕에 가서 탕 안이 후끈해서 도로 가겠다고 한 것이나
마찬가지가 아닌가. 종업원이 따라 나오면서, "시끄러워서요?"라고
되물은 것은 "참, 이상한 여자 다 봤네!"라는 뜻이었을 게다.
내친 김에 나는 거실 책꽂이에서 『영국의 언어와 문화』라는 사전을
뽑았다. '뱅크 홀리데이'를 찾기 위해서였다. 사전에는 다음과 같이 씌어
있었다.
"토요일이나 일요일이 아닌 법정 공휴일. 특히 오월의 스프링 뱅크
홀리데이와 팔월의 어거스트 뱅크 홀리데이는 반드시 월요일로 되어
있다. 그때의 주말을 뱅크 홀리데이 위크엔드라고 한다. 뱅크 홀리데이
위크엔드에는 사람들이 주로 해변이나 다른 도시로 휴가를 가기 때문에
교통혼잡을 막을 수 없다." 사전에는 휴가를 떠나는 자동차들의 긴 행렬

사진까지 나와 있었다.

아일랜드에서의 아침식사도 스코틀랜드에서와 같이 푸짐했다. 어젯밤 차를 가지고 왔던 아이버 씨의 딸 우스 양이 "엄마는 부엌 일이 많아서요"라고 말하더니, 아침식사도 남편인 아이버 씨가 갖다 주었다. 식탁에는 미국에서 온 두 젊은이가 함께 앉았다. 여행자들끼리 아침식탁에 앉으면 자연히 그 전날 지낸 이야기가 흥미있는 법. 그래서 물었더니, "어젯밤엔 더블린 시립교향악단의 교향곡 연주를 듣고 호텔까지 걸어서 왔어요"라고 한다.

"아니, 그렇게 먼 곳을 어떻게 걸어서 왔어요?"

"우린 걷는 것을 좋아해서요."

그런 공연이 있다는 것도 몰랐던 나에게, 버스로 사십 분이나 걸리는 호텔까지 밤중에 걸어서 왔다는 두 싱싱한 젊은이와 내가 무슨 화제로 얘기를 할 수 있담. 나는 그들에게 더 이상 흥미있는 대화 상대가 못 된다는 것을 알고, 사진을 한 장 같이 찍고는 먼저 호텔을 나왔다.

북중미 산책—
미국 캐나다 멕시코

멕시코에는 선인장을 사용한 요리도 많았다.
샐러드는 물론이고, 아침식사 때는 즉석에서
주스로 갈아 주기도 했다. 특히 선인장 꿀은
이 나라의 특산품이기도 하여 선인장 주스에
넣어서 많이 맛보았다. 나는 여행을 하면서
그 나라 음식을 무엇이든 쉽게 즐길 수 있는
내 식성에 대해서 얼마나 다행스럽게 생각하는지
모른다. 나의 역마살과 관계가 있는가
싶기도 했다.

프렌치 씨에게서 받은 옛 타이프라이터
몬태나 주의 에이본, 보즈맨에서

Q씨, 아주 오래 전 일입니다만 우정의 사절단이란 이름으로 미국 몬태나 주에 다녀온 얘기를 들려 드리겠습니다. 연초에 셀리아라는 여성에게서 새해 카드를 받으니 문득 그때 생각이 나서입니다. 셀리아는 그곳의 보즈맨이라는 도시에 갔을 때 내가 사흘밤을 묵었던 집의 부인입니다. 몬태나 주는 미국에서 제일 마지막으로 개척된 땅이라는군요. 실은 그런 곳이라서 이백 명이 훨씬 넘게 구성된 많은 사람들 틈에 끼어서 다녀오게 된 것입니다. 그런 기회가 아니면 몬태나 주가 미국의 어디쯤 있는지 알 생각이나 했겠습니까. 그때, 몬태나에 다녀와서 쓴 메모장에 이렇게 적혀 있더군요.
"프렌치 씨에게 그가 듣고 싶어하던 한국에 대한 이야기를 더 많이 들려주지 못하고 돌아온 것이 아쉽다. 그것은 동양과 서양이라는 문화의 차이를 설명하는 것이 쉬운 일이 아니어서가 아니라, 그보다는 엄청난 크기의 땅에서 사는 그 나라 사람과 공통의 관심거리를 찾기에는 우리의 일정이 너무 짧아서였다. 그러나 진정으로 한국이라는 나라를 알고자 하는 프렌치 씨의 관심에는 적지 않게 감명을 받았다. 이번 몬태나 주 여행에서, 첫번째 민박가정인 에이본 시에서의 헨슨 씨네와 두번째인 보즈맨 시의 프렌치 씨네 가정에서 지내면서 똑같이 느끼고 돌아온 것은, 그 사람들은 매일매일을 신에게 감사하는 마음으로 살고 있다는 것이었다."

전에 미국을 여행했을 때는 그저 미국이라는 거대한 나라가 갖는 부의 힘에 놀라움만을 느꼈을 뿐, 그 나라 사람들에 대해서는 잘 알지 못했습니다. 그런데 그들과 함께 집에서 지내면서 느낀 것은, 무척이나 부지런하고 검소하며, 가족과 이웃과 나라를 사랑하는 일을 다하며 살고 있다는 것을 알게 된 것입니다. 그러면서도 매일매일을 신에게 감사하는 마음으로 살고 있는 그들에게 말할 수 없는 존경의 마음을 갖게 되었습니다.

Q씨, 에이본에서 민박을 한 헨슨 씨 집은 모빌하우스였습니다. 그러니까 땅을 파서 기초를 닦고 지은 집이 아니라, 바퀴 달린 자동차를 한 곳에 정착시키고 그 자동차 안에서 사는 집인 것입니다. 우정의 사절단 중에서 내가 혼자 있기를 원해서였는지, 나는 그 모빌하우스에 배정이 되었습니다. 함께 간 일행 중에는 네 명이 한 조가 되어 같은 동네의 아주 잘사는 집에 있게 된 사람들도 있었습니다.

헨슨 씨는 에이본에서 자동차로 한 시간 거리의 광산에서 일하는 광부였습니다. 그리고 나이가 삼십대인 부인 패트리셔는 아들이 다니는 초등학교에서 서무 일을 하면서 저녁에는 근처에 있는 패스트푸드 가게에서 그날의 매상을 챙겨 주는 시간제 일로 돈을 벌고 있었습니다. 놀랍지 않습니까? 그런 맞벌이 부부가, 그것도 완전한 집도 아닌 방 두 개짜리 모빌하우스에 살면서도 외국에서 온 손님을 자기 집에서 재우고, 먹이고, 데리고 다니면서 구경도 시켜 줘야 하는 일을 맡는다는 것이 말입니다.

저녁을 먹은 후에 패트리셔는 나에게 아들이 쓰는 작은 방을 내주며 거기서 자게 했습니다. 거기에는 샤워를 할 수 있는 조그마한 공간이 있었습니다. 나는 그 좁은 공간에서 긴 고무호스에 달린 샤워 꼭지의 물을 틀면서 왠지 불편하다는 생각이 들었습니다. 그제야 그 샤워 호스에서 나오는 물은 천장에 매달아 놓은 물통에 받아 놓은 양만큼만 나오게 된 것임을 알았습니다. 온수를 나오게 하려고 스위치를 켜니까 집 전체를 진동시키며 요란하게 보일러 돌아가는 소리가 나질 않겠어요? 침대며 모든 것이, 말하자면 그런 시설의 집이었습니다.

그러나 그런 가건물 같은 작은 집이지만 있을 것은 다 갖추어져 있어서 처음에 그 집에 들어갈 때만 해도, 그리고 식탁에 앉아 저녁을 먹었을 때도 그저 괜찮게 사는 미국 집에 왔다는 생각밖에 들지 않았습니다. 식탁에 준비된 음식은 물론이고 실제로 모든 것이 미국 물건이었으니까요. 그래서 그 집이 모빌하우스라는 것도 알지 못했던 것입니다. 부인이 얘기를 해줘서 알게 된 것이죠.

저녁 식탁에 앉았을 때 남편 헨슨 씨가 "우리 가정에 한국에서 온 손님을 맞게 해주셔서 너무도 감사합니다" 하고 기도를 올릴 때는 영화 속 어느 귀족 집안의 식탁과 다를 바 없는 풍족함을 느끼기도 했습니다.

나에게 잠자리를 들게 한 후에 패트리셔는 다시 식탁에 앉아서 일을 했습니다. 무심코 내가 방에서 나오니까, 패트리셔는 패스트푸드 집에서 거둬 온 돈을 계산하며 장부에 적고 있었습니다. 나를 조금도 의식하지 않고 일을 하고 있는 그녀의 모습은 그저 건강한 모습 그대로였습니다.

패트리셔는 나를 친구네 목장에도 데려갔습니다. 목장이 얼마나 큰지 사방을 둘러보아도 울타리가 보이지 않았습니다. 그곳에서 나는 카우보이 복장을 하고 말도 탔지요.

Q씨, 에이본에서 사흘을 지내고 우리는 보즈맨이란 도시로 갔습니다. 보즈맨에선 프렌치 씨 집에서 묵게 되었습니다. 그러니까 연초에 카드를 보낸 셀리아의 남편이지요. 프렌치 씨는 건축가였습니다.
부인 셀리아는 남편이 아주 무뚝뚝하고 말이 없는 사람이라는 이야기를 집으로 가는 차 안에서 들려주었습니다. 손님인 내가 혹시 남편에 대해 재미없어할까 봐 미리 얘기를 하는 것 같았습니다. 그러면서, 주부들이 남편의 설계를 좋아해서 이 동네 집들은 거의 남편이 설계한 집이라는 자랑도 잊지 않았습니다.
셀리아는 나와 동갑의 나이였는데도 아주 앳되고 상냥한 사람이었습니다. 또 언제나 웃는 표정으로 나에게 많은 말을 해주곤 했기 때문에, 오래 전부터 친했던 가까운 친구같이 느껴지는 사랑스런 여성이었습니다.
그녀는 식사를 준비할 때도 이야기를 하거나, 아니면 노래라도 불렀습니다. 그녀의 부엌에는 피아노가 놓여 있었는데, 요리를 하다가도 오븐에서 음식이 익는 동안 피아노를 치기도 한답니다. 나는 그녀의 흥을 맞추기 위해서 못하는 노래 대신에 발레 동작을 흉내내며 춤을 추어 보였습니다. 그러면 그녀는 기분이 좋아서 피아노 대신 오디오 음악의 스위치를 누르고는 나와 함께 더 큰 동작을 해 보이며 춤을 추는 것입니다.
상상을 해 보세요. 두 여인이 식사 준비를 하다 말고 팔과 다리를 옆으로 위로 저으면서 춤을 추는 모습이 얼마나 가관이었겠어요. 그러면 저만치 식탁 옆에 앉아서 책을 보던 프렌치 씨는 마침내 웃고 마는 것이었습니다. 결코 보기 싫어 하는 것이 아니라 아주 즐기고 있는 것 같았습니다. 아무리 무뚝뚝한 남자라도 그런 모습의 여성들 앞에서는 어쩌지 못하는 것이지요.

그날 저녁 식탁에서 프렌치 씨는 한국에 대해서 나에게 많은 것을 물어보더군요. 프렌치 씨는 결코 무뚝뚝하고 말이 없는 사람이 아니었습니다. 적어도 그날의 그는 그렇지 않았지요.

"나는 남편이 이렇게 말을 많이 하는 것을 결혼하고 처음 봤어요." 부인 셀리아의 말이었습니다. 그들 부부에겐 고등학교에 다니는 아들 둘이 있었으니, 결혼한 지 아마 십오 년은 되었겠지요. 그녀의 그 말이 설사 조금은 과장된 것이었다 해도, 그날 그녀가 그토록 행복해 했던 것만은 나에게도 잊히지 않는 일이었습니다.

Q씨, 프렌치 씨 부부와 함께 옐로스톤 국립공원에 간 날은 눈이 펑펑 쏟아져서 앞이 안 보일 정도였습니다. 하늘을 찌르듯 뿜어 올라가는 간헐천의 물줄기, 그리고 아직도 살아서 부글거리고 있는 지각(地殼)들. 그런 곳에서 가끔 큰 뿔을 가진 엘크가 먹이를 찾아 눈길로 나와 있어서 프렌치 씨는 몇 번이나 차를 멈추기도 했습니다.

프렌치 씨 댁을 떠나는 날 아침 일찍, 셀리아는 나를 보자마자 이야기했습니다.

"당신이 자러 간 뒤에, 남편이 밤 늦도록 나무상자를 짰답니다. 당신이 좋다고 말한 옛 타이프라이터를 담기 위한 상자를 짠 겁니다. 우리 집에 온 기념으로 당신에게 그 타이프라이터를 주겠다는 거예요."
나는 너무도 의외의 말에 한동안 아무 말도 하지 못했습니다. 프렌치 씨의 할아버지가 쓰시고 그의 아버지, 그리고 프렌치 씨가 어려서 그것으로 타자 치는 것을 배웠다는 언더우드라는 이름의 옛 타이프라이터를 기념으로 준다는 것이 아니겠어요. 전날 그것을 보고 내가 좋아했더니 말입니다.
프렌치 씨는 웃으면서 타이프라이터가 든 나무상자를 두 손으로 들고 왔습니다. 그러고는 타자로 몇 줄의 글이 적힌 흰 종이 한 장을 보여주었습니다.
"이 타이프라이터는 미세스 이경희에게 주는 선물입니다. 이것의 값은 오 달러입니다. 잭 프렌치." 한국에 입국할 때에 세관원에게 보여야 될 일이 있을지도 몰라서 썼다는 것이라는군요.
그후, 프렌치 씨의 부인 셀리아에게서 매년 연말이면 카드가 왔습니다. 그러다가 어느 해인지 카드가 아닌 편지가 한 장 도착했습니다. "남편 잭이 저세상으로 갔습니다. 당신이 우리 집에 와서 지냈을 때가 우리 가족에게는 가장 행복했던 순간이었던 것 같습니다…."
얼마나 슬픈 소식입니까? 그토록 건장한 체격에 잘생겼던 잭 프렌치 씨가 세상을 떠났다니! 그 소식은 나에게도 오랫동안 가슴 아픈 일로 남아 있었습니다.
다시 몇 년 후에 그녀에게서 편지가 왔습니다. 거기에는 재혼을 했다는 이야기가 씌어 있었습니다. 그후부터 그녀는 셀리아 프렌치가 아닌, 셀리아 우드라는 이름으로 카드를 보냅니다.

연초에 온 카드에도 셀리아와 빌 우드, 이렇게 되어 있었지요.

인상적인 소칼로의 풍경
과달라하라, 멕시코시티, 메리다에서

멕시코의 음식은 다양했다. 나는 멕시코 음식으로는 '타코' 라는
이름밖에 기억하지 못했다.
미국 샌디에이고에 사는 친구가 자동차로 멕시코의 국경지대에 있는
티와나에 데리고 가서 타코를 사 줘서 먹은 일이 있었는데, 그때 먹었던
타코가 얼마나 맛있었는지, 그 이름을 기억하고 있었던 것이다. 그런데
타코는 샌드위치 같은 패스트푸드에 속한다는 것. 옥수수가루로 만든
빈대떡 크기의 전병에 소고기나 닭고기 등을 넣고 자기 입에 맞는 소스를
쳐서 둘둘 말아서 손으로 먹는 것이니 그것을 요리라고 할 수는 없겠지.
그것도 모르고 멕시코에 도착하는 날부터 식당에 들어가면 메뉴에서
타코를 찾았다. 소위 '레스토란테' 라고 씌어진, 그러니까 식탁보가
깔리고 냅킨이 놓인 제대로 된 식당에서 타코를 찾는다는 것은 촌스럽기
짝이 없는 일인 것이다.
점잖은 우리의 현지 가이드는 내가 타코를 찾는데도 가만히 듣고만
있다가, 몇 번인가 더 얘기했더니 그제야 조그만 소리로, "네에,
타코요?" 라고만 말할 뿐 역시 아무 반응도 보이지 않고 식당 종업원에게
긴 설명을 해 가며 우리가 모르는 이름의 음식만을 주문하고 있었다.

무얼 저렇게 많이 시키나 할 정도로 여러 가지를 주문하더니, "수프가 괜찮을 겁니다. 원래는 새콤한 맛인데요, 거기에 고추 양념을 넣어서 얼큰하게 만들어 달랬어요. 밥도 시켰지요. 그리고 생선을 시켰으니까 마늘소스를 얹어서 잡숴 보세요. 아주 맛이 있어요. 고기와 야채도 골고루 나오니까 입에 맞는 소스를 쳐서 드세요. 멕시코는 양념 종류가 무척 다양하고, 여기 고추는 한국 것보다 더 매운 것도 있답니다. 이 나라 사람들도 고추를 좋아해서 한국 사람들 식성에 맞는 것이 많습니다"라고 설명한다.

이렇게 여행 중인 우리 입에 맞게 주문을 하려니 말이 길었던 것이다. 그러나 내가 찾는 타코에 대해서는 끝내 아무 말이 없었다. 이름 하나 아는 것 가지고 무슨 굉장한 요리인 줄 알고 말하는 나에게 길가에서도 사 먹을 수 있다는 얘기를 굳이 여러 사람 앞에서 말하지 않으려 했던 것 같다.

그가 주문한 수프는 새콤하면서도 얼큰한 소고기국이었는데, 거기에 '토르티야'라는 옥수수가루 부침개를 넓적넓적 뜯은 것이 들어가 있어서 그것이 씹히는 것이 꼭 누룽지 튀긴 것을 씹는 것 같았다. 한국 사람들은 으적으적 소리를 내면서 씹어 먹어야 성에 차기 때문에, 그렇지 않고 입 속에서 우물거리다가 그냥 삼키는 서양음식일 땐 두 끼만 먹어도 스트레스가 쌓인다는 사람을 여행 중엔 적지 않게 만난다.

이런 것을 잘 아는 현지 가이드는 식사 때마다 신경을 썼다. 이번 우리 일행에도 그런 분이 있어서 가이드는 미리 알고 자기 집에서 고추장까지 싸 가지고 와서 식탁에 내놓곤 했다. 실제로 아무리 아름다운 산천을 구경하면 무슨 소용이 있겠는가. 먹는 것이 마음에 안 들 때는 내 집 생각밖에 더 나랴.

함께 간 아동문학가 신지식 선생과 나는 그 다양한 종류의 양념이 곁들여진 멕시코 요리를 얼마나 즐겼는지 모른다. 특히 이 나라의 주식인 토르티야에 아보카도를 으깨서 만든 소스를 발라 먹는 것은 마냥 먹어도 좋았다. 마치 팝콘 집어 먹듯이 손이 갔다. 그리고 내가 좋아하는 레몬도 얼마나 수북이 식탁 위에 놓여 있는지, 그것도 마음껏 음식과 함께 즐겼다.

멕시코에는 선인장을 사용한 요리도 많았다. 샐러드는 물론이고, 아침식사 때는 즉석에서 주스로 갈아 주기도 했다. 특히 선인장 꿀은 이 나라의 특산품이기도 하여 선인장 주스에 넣어서 많이 맛보았다. 나는 여행을 하면서 그 나라 음식을 무엇이든 쉽게 즐길 수 있는 내 식성에 대해서 얼마나 다행스럽게 생각하는지 모른다. 나의 역마살과 관계가 있는가 싶기도 했다.

신지식 선생과 나는 또 이 나라에 지천으로 눈에 띄는 갖가지 열대과일들을 그 자리에서 갈아 주는 주스를 공원에 있는 노천가게에서 사 마시기도 했다. 하도 여러 가지 과일이 포장마차 위에 쌓여 있고, 어떤 과일이 어떤 맛이 나는지 알 수가 없어서 결정하는 데 한참 걸렸. 마침내 손가락으로 과일을 가리키고는 검지손가락을 위로 똑바로 치켜세워 "우노 그라스!"라고 했다. 스페인어로 하나라는 말이 '우노'라는 것을 알고 있었기 때문에 그렇게 말했더니, 가게 청년은 큰소리로 "시!" 하고 대답하자마자, 우리가 가리킨 과일을 날쌔게 믹서기에 집어넣고 갈기 시작하는데, 한도 없이 계속 집어넣는 것이었다. 우리는 너무 많이 주는가 해서, "우노, 우노!"하고 손가락 하나를 청년 얼굴 가까이까지 들이댔지만 그는 여전히 기운 넘치는 소리로 "시! 시!"만 되풀이할 뿐 계속 갈아 대는 것이었다. 얼마 후 믹서에서 갈린 주스를 큰 종이컵에 따라 줬는데 그것이 한 잔 분이었던 것이다. 과일 하나에서 마지막 한 방울까지 즙을 짜내는 것이 아니라 슬쩍슬쩍 갈고는 버리니까 그렇게 많은 과일을 집어넣고, 그것도 종이컵에 따르고도 믹서기에 아직도 반 잔은 더 따를 수 있을 만큼 남아 있게 하니 우리는 그것도 모르고 자꾸 그만 갈라고 했을 수밖에…. 멕시코 사람들은 참 후하구나 생각하며 얼마냐고 물어보는 대신에, 어차피 못 알아들을 테니까 십 페소 지폐를 건네주면서 혹시 더 달라고 할까 싶었더니 웬걸, 동전 여러 개를 거슬러 주는 것이 아닌가. 나는 그 청년 앞에서 거스름돈을 세어 보는 것도 미안해서 받은 돈을 얼른 호주머니 속에 넣어 버리고 말았다.
"그러니까, 주스 한 잔에 얼마지?" 하고 신 선생이 물어봤지만 나는 대답을 못 했다. 그저, 굉장히 싸다는 생각만 했을 뿐. 주스 맛이 얼마나 시원하고 좋은지, 그냥 왔으면 정말 억울할 뻔했다. 눈이 부시도록 밝게 내리쬐는 햇빛 아래서, '형님 한 모금, 아우 한 모금' 하며 나눠 마셔서 더 그랬는지도 모르겠다. 이런 조그만 만족에 행복해 하는 것도 여행이 아니면 얻을 수 없는 경험일 것이다.
멕시코의 도시는 어디를 가든 한가운데에 광장이 있고 그 광장을 향해서 성당과 시청사나 주청사, 그리고 상가, 극장, 화랑 들이 늘어서 있다. 또 그곳에는 반드시 공원이 있어서 사람들이 많이 모인다. 이런 중앙광장을

'소칼로' 라고 한단다. '소칼로' 는 멕시코 말로 '배꼽' 이란 뜻.
재미있다고 생각했다.

국제 펜클럽 총회가 열린 과달라하라에서 멕시코시티를 거쳐, 우리
일행은 유카탄 반도에 있는 메리다라는 도시로 갔다. 멕시코 남쪽,
카리브 해로 튀어나온 유카탄 반도에 대해, 캐나다에서 오래 살고 있던
친구로부터 "참 볼 것도 많고 너무너무 아름다운 곳이란다" 라는
이야기를 들을 때마다 나는 마치 시골아이가 서울에 가 본 아이로부터
서울 얘기를 듣는 것같이 유카탄 반도에 대해 동경해 왔다.

'유카탄' 이란 발음부터가 멋있게 들려서 그런지 그곳에 도착하니까 마치
오래 전부터 알고 있었던 곳에 온 것 같은 느낌이 들었다. 친구가 유카탄
반도 이야기를 할 때는 "또 그 이야기구나" 했는데 어느샌가 머릿속에
그곳에 대한 지식이 남아 있었던 거였다.

유카탄 반도는 카리브 해를 낀 칸쿤 같은 휴양도시가 있을 뿐 아니라,
광활한 정글 속에 남아 있는 마야 족의 수많은 유적지가 있어서 더
유혹적이다. 그런 유적지가 있는 치첸이트사, 우스말, 툴름 같은 곳들을
가기 위해서도 유카탄 반도 제일의 도시인 메리다를 들르지 않을 수
없다는 것. 그 옛날 한국 사람의 한이 서려 있는 바로 그 에네켄의
섬유산업으로 인해 융성한 경제를 누리게 된 도시라는 얘기를 들으니까
메리다란 도시에 묘한 정감이 느껴지기도 했다.

메리다의 도시 중앙에도 소칼로가 있었다. 일요일이라서인지 아이들을
데리고 나온 가족들이 많이 눈에 띄었다. 아이들과 어른들이 레이스가
달린 하얀 민속의상을 입고 나온 걸 보니 축제라도 열린 듯한

분위기였다.

그곳에는 또 갖가지 꼭두인형들을 걸어 놓고 파는 가게가 있었다. 익살스런 얼굴의 꼭두들이 주렁주렁 걸려 있는 것을 보니까 문득 로베르토 라고 씨 생각이 났다. 멕시코의 꼭두극장 단장인 라고 씨를 만난 것은 십여 년 전, 도쿄에서 열렸던 국제 꼭두극 페스티벌에서였다. 그때 그가 통역 없이는 꼭두극 공연장을 찾아 다니지 못해서 내가 길 안내를 해주었더니 라고 씨는 자기가 만들었다는 마리오네트 꼭두 한 개를 나에게 선물로 주었다. 라고 씨는 일흔이 넘은 분으로, 키가 아주 작다고 느꼈는데 그것은 그분의 등이 반곱추이기 때문이란 것을 나중에 알았다.

그는 멕시코에 돌아간 후, 『르 티트레』라는 책자를 보내 줬다. '티트레'는 스페인어로 꼭두극단이란 말이다. 발행인 란에 그의 이름인 '로베르토 라고'가 인쇄되어 있는 것을 보니 그가 발행하는 꼭두극 잡지인 것 같았다. 그러나 스페인어로 되어 있는 그 잡지를 나는 뒤페이지의 그의 이름만 읽고는 밀어 놓을 수밖에 없었다. 일 년에 네 번씩 정성껏 보내 주는 그의 책을 단 한 글자도 읽지 못하고 그대로 쌓아 두는 것을 늘 마음속으로 미안하게 생각했는데, 몇 년 전부터 『르 티트레』가 더 이상 오지 않았다. 국제 꼭두극연맹 사무국장으로부터 "멕시코의 꼭두극 예술의 대가, 로베르트 라고 씨 서거"라는 부고를 받고서야 그에게서 책이 오지 않는 까닭을 알았다. "시뇨레타 리, 멕시코에 꼭 한번 오세요. 내가 만든 꼭두들을 보여주고 싶습니다."

멕시코에 와서 지금 나는 그가 만든 꼭두인형 대신에 노점에 매달려 있는 관광객용 꼭두들을 보며, 라고 씨 생각을 하고 있다.

거지 소년 톰의 궁전 구경
오타와에서

Q씨, 오타와에 가게 된 것은 캐나다 총독 부부의 초대를 받아 그곳 관저에서 이틀 동안 손님으로 지내고 온 이야기입니다.
나의 대학 동창 중에 K라는 여자친구가 있습니다. 일찌감치 미국에 유학을 갔다가 그곳에서 의사와 결혼하고는 캐나다에 가서 살았는데, 그때 옆집에 사는 캐나다인 거다 나티신 씨 부부와 아주 친하게 지낸 모양입니다. 그런데 K가 한국에 돌아온 후에 그 옆집에 살던 거다 나티신 씨가 캐나다 총독이 된 것입니다. K는 한국에 돌아와서도 총독부인인 미세스 거다 나티신과 계속 편지 왕래로 친분을 유지하고 있었답니다. 그런데 캐나다 총독 내외가 한국을 방문하게 되었을 때 미세스 거다 나티신의 한국에서의 일정을 K가 다 맡아서 짜고는 직접 안내를 했던 것입니다. 그때 나도 K가 하는 일을 거들었더니, K 부부를 초대할 때 나도 함께 초청을 받게 된 것입니다.
그때 캐나다 총독의 방한을 계기로 한국과 캐나다 간의 무비자 협정이 체결되었습니다. 그래서 여행 때마다 구차스럽게 뛰어다녀야 했던 비자 없이 캐나다에 입국하게 되었다고 국민들이 기뻐했습니다.
Q씨, 나는 남들이 별것 아니게 생각하는 조그만 일에도 아주 많이

좋아하고 기뻐하는, 어찌 보면 좀 유아적인 데가 있는가 하면 반대로 총독 관저에 초대를 받아 간다는 그런 일에는 별로 흥분하지 않는 무신경한 데도 있어서, 내가 그다지 좋아하지 않는 모습을 보고 친구 K가 서운해 하기도 하였습니다.

사실 나는 별로 유명한 곳이 아니더라도 혼자서 새로운 것을 보며 조용히 느끼며 다니는 여행을 좋아하기 때문에, 한 나라의 총독 관저에 초대되어 간다는 것이 나에게는 크게 특별한 일로 생각되지 않았기 때문입니다. 초대의 주빈이 친구 부부이고 나는 그 친구의 벗 삼아 따라가게 된 자리인데, 그 자리가 우연히 총독 관저인 것이니 내게는 그 이상의 뜻이 될 수 없는 여행이니 그렇지 않겠습니까.

오타와 공항은 그리 크지 않았습니다. 마중 나온 자그마한 키의 콧수염 달린 남자가 우리를 쉽게 알아보고 K 부부와 내 짐을 차에 실었습니다. 차는 크지 않은 왜건 형이었습니다.

오타와 공항은 그리 붐비지 않았지만, 어쨌든 쉽게 공항을 빠져나와 차에 올라타니, 늘 공항에서 많은 시간을 보내며 입국했을 때와 달라서 나쁘지는 않았지만 싱겁다는 생각도 들더군요.

공항에서 사열이라도 받을 것을 기대했던 것도 아니고, 그렇다고 번쩍거리는 캐딜락 차를 탈 거라고 생각했던 것도 아닙니다. 정말이지 조금도 그런 생각을 했던 것은 아니었는데도, 마중 나온 사람이 문을 열어 주는 조그만 왜건 차에 올라타면서 이번에는 공항을 통과했을 때와 또 다른 싱거운 느낌이 들었습니다. 인간이란 참 요사스러운 존재라고 생각하면서….

콧수염의 남자는, 리도 홀이라고 불리는 총독 관저는 서섹스 가 일번지에 있고, 그곳이 수도인 오타와의 중심부라고 운전석 옆에서 설명해 주었습니다. 오타와 시 전체가 하나의 공원 같은 도시라는 얘기를 많이 들어서 아름다울 것이라는 것은 짐작하고 있었고, 또 워낙 캐나다의 모든 도시가 아름답기 때문에 그 이상의 기대는 하지 않았는데 실제로 그곳은 정말 하나의 아름다운 공원 도시였습니다. 팔월의 녹음과 함께 그렇게 갖가지 꽃들이 피어 있을 수 없을 정도였습니다. 특히 시내 한복판을 한 바퀴 돌며 흐르고 있는 리도 운하는 그것을 바라보며 다니는 도시인들의 마음을 얼마나 여유롭게 해줄까 하는 생각이 들었습니다. 겨울이면 운하의 물이 얼어서 사람들이 스케이트를 타고 출근을 한다는 이야기도 들려주었습니다.

리도 홀에 도착하니 정문 앞에 사람들이 많이 모여 있었습니다. 그들은 검은 털모자를 얼굴까지 덮어 쓴, 붉은 유니폼을 입은 의장병들의 행렬을 보고 있는 관광객들이었습니다. 마침 의장병들이 교대식을 하고 있는 시간 같았습니다.

우리 차는 모여 있는 사람들 앞을 경비병의 경례를 받으며 검문 없이 그대로 정문 안으로 들어갔습니다. 런던에서라면 버킹엄 궁전 안을 들어가는 것과 같겠다는 생각이 들었습니다. 차는 정문을 들어서서도 한참을 달렸습니다. 그러자 그림엽서에서 본, 영국 황실의 사자 문양이 조각된 건물이 나타났습니다. 서울에서 내가 리도 홀에서 묵게 된다는 말을 들었을 때, 총독 관저와 리도 홀이 같은 곳이란 것을 잘 연관시키지 못했습니다. 홀이라면 방이거나 건물의 개념으로만 이해했기 때문에 왜 그런 큰 관저를 홀이라고 부르는 것인지 몰라서였습니다. 정문 초소에서 한참을 차로 들어가서야 그 '리도 홀' 이란 이름이 생각났던 것입니다. 그날 바로 리도 홀이라고 부르게 된 까닭을 알게 되었습니다. 방에 들어서자 그 유래가 설명된 책자가 탁자 위에 놓여 있는 것이 눈에 띄었기 때문입니다.

오타와 운하에 이어지는 리도 폭포는 마치 커튼을 늘어뜨린 것처럼 보여서 프랑스어로 '커튼' 이라는 뜻의 '리도' 라는 이름이 붙여졌다는 것입니다. 그런데 토마스 덕케이라는 스코틀랜드 사람이 1800년초에 캐나다에 와서 큰돈을 벌고는 리도 폭포 가까이에 집을 짓고 그 이름을 폭포라는 '펄(fall)' 과 발음이 비슷한 리도 홀(hall)이라고 불렀는데, 그 집이 나중에 영국연방국인 캐나다의 총독 관저가 되었고, 그 바람에 호주나 인도 등 영국연방의 총독 관저들을 다 '리도 홀' 이라고 부른다는 것이었습니다. 이런 것을 알게 된 것은 소득인 셈이었지요.

총독 부인인 거다 나티신 여사는 현관 밖에 나와서 우리를 반겨 주었습니다. 몸집이 좀 크고 당당한 인상이었지만 서울에서 만났을 때 그녀가 얼마나 소탈한 여성인지 알았기 때문에 어렵게 느껴지지는 않았습니다. 다만 그녀 옆에 서 있는 시종들을 의식해서인지 총독 부인은 좀 위엄이 느껴지는 몸가짐을 하고 있어서, 우리도 거기에 어울리게 나티신 여사에게 정중하게 인사를 했습니다. 그곳에선 그녀를 '미세스' 대신에 '마담' 나티신이라고 호칭하고 있었습니다. 그렇게 부르는 것이 총독 부인을 더 존중하여 부르는 호칭인 것 같았습니다. 그제야 나는 내가 색다른 곳에 초대되어 왔다는 것이 실감되었습니다.

현관 안으로 들어서니까 선명하도록 빨간 빛의 카펫이 깔린 대리석 계단과 높다란 천장에서 내려뜨려진 찬란한 샹들리에가 한눈에 들어왔습니다. 마담 거다 나티신은 우리가 피곤할 것을 배려해서인지 와 줘서 반갑다는 간단한 재회의 인사말과 함께, "남편은 저녁식사 때 당신들을 만날 것입니다. 저녁식사는 여섯시 삼십분에 테라스에서 할 것입니다. 정원의 꽃을 보여 드리고 싶어서 그곳으로 정했습니다. 그리고 여섯시 이십분에 시종들이 각각 당신들 방으로 모시러 갈 것입니다"라는 말만을 하고 안으로 들어갔습니다.

마담 나티신은 안채로 들어가고, K 부부와 나는 시종을 따라 새빨간 카펫 위를 조심스럽게 밟으면서 계단을 올라갔습니다. 나는 목과 허리를 뒤로 젖히듯 꼿꼿이 세우고 천천히 발을 옮겼습니다. 앞에서 안내하는 시종에게도 신경을 써야 했지만 뒤에서 따라오는 사람들을 의식하지 않을 수 없어서였습니다. 영화에서 그렇게나 많이 본, 귀족들의 뒤로 젖힌 자세를 나라고 흉내내지 못할 것은 없지 않겠어요?

Q씨, 내가 안내된 방은 '베스보로'라는 이름의 방이었습니다. 1931년부터 1935년까지 캐나다의 총독을 지냈던 영국의 백작 이름이라는군요. 그런데 그 방문에 '미세스 이경희'라고 쓰인 예쁜 팻말이 붙여져 있었습니다. 이름이 방문에 붙어 있는 것을 보니까 내 집에 온 것같이 순간 피곤이 풀리는 기분이었습니다. 나는 시종이 문을 열어 준 방 안으로 들어갔습니다. 그리고 그가 방에 대한 설명을 하는 동안 예의를 갖추어 그의 얘기를 잘 들어주었습니다. 그는 방을 나가기 전에, "제 이름은 제크입니다. 용건이 있으실 때면 아무 때나 불러

주세요" 하였습니다.

그가 나가니까 저절로 숨이 크게 쉬어지더군요. 나를 도와주려는 사람이라도 옆에서 너무 예의를 갖추고 있는 것이 편하지만은 않다는 것은 짐작이 가시겠지요. 그런데 숨을 크게 쉬기가 무섭게 방문을 노크하는 소리가 들렸습니다. 다림질할 것이 없느냐고 물어보러 온 여자 시종이더군요. 그녀는 피부가 거무스름하고 약간 나이가 든 여자였습니다. 반드시 다림질을 해야 할 옷이 있지는 않았지만 저녁식사에 입으려고 생각했던 옷을 그녀에게 내주었습니다. 피곤한 내게는 좀 성가신 일이긴 했지만 그녀의 충실한 역할에 대한 존중의 표시로라도 다림질할 것을 내주는 것이 옳다는 생각에서였습니다. 그녀는 다린 옷을 여섯시에 가지고 오겠다는 말을 남기고는, "제 이름은 마리안느입니다. 일이 있으시면 또 불러 주세요" 하고는 나갔습니다. 언제 누가 또 올 건지 신경 쓰지 않게 하기 위해서 그런 말을 남기는 것은 역시 잘 훈련된 것이라는 생각이 들었습니다.

내 방은 흰 바탕에 장미무늬가 있는 천으로 꾸며져 있었습니다. 커튼은 밝은 보라색이고 침대보도 그것에 맞추어 같은 보라색이었습니다. 침대 옆 테이블에는 노란 장미가 꽂혀 있었구요. 은그릇에 담긴 과일들은 방 안의 색깔들을 더욱 밝게 느끼게 했습니다. 물론 벽에 걸린 그림과 벽난로 위에 놓인 시계, 촛대 그리고 마호가니 탁자와 의자는 조지언 시대의 고풍스러움을 감상시켜 주고도 넘칠 정도였습니다. 아무도 없는 방 안에서 놓여 있는 물건들과 장식들을 하나하나 만져 보다가 문득 동화 속의 「왕자와 거지」이야기가 생각났습니다. 마치 내가 그런 입장에 놓인 것 같은 생각이 들어서였습니다. 거지소년 톰이 어쩌다가 왕궁에 들어가서 에드워드 왕자와 장난으로 서로 옷을 바꿔 입고는 둘 다 혼이 나는 이야기 말입니다. 이야기치고는 너무도 재미나는 이야기 아닙니까? 거지소년이 왕자의 옷을 입으니 영락없는 왕자로 보이기는 했지만 왕실 사정을 아무것도 알지 못하는 거지소년 톰이 억지로 왕자 노릇을 하느라고 얼마나 혼이 났습니까. 아무리 자기는 왕자가 아니라고 해도 궁 안의 모든 사람은 물론, 국왕까지도 그 소년이 거지라는 것을 모르고는 자기 아들인 에드워드 왕자가 병이 나서 헛소리를 하는 줄 알고 거지인 톰을 더욱 난처하게 만드는 웃지 못할 이야기가 생각난 것입니다. 벽에 걸린 왕자의 갑옷에서 떨어진 옥새가 무엇인지 몰라서 그것으로 호두를 깨먹는 장면이 제일 먼저 생각났습니다. 왜냐하면 나도 방 안에 있는 것들을 이것저것 만지며 밑에 무어라고 씌어 있는지 뒤집어 보기도 하고, 또 어떤 소리가 나나 하고 두들겨 보기도 하였기 때문에, 혹시나 거지왕자 톰 같은 실수를 저지르지 않을까 하는 생각이 들었습니다. 그렇게 되지 않는다는 보장이 있는 것도 아니지 않습니까?
얼마를 그러다가 이젠 그만 쉬어 볼까 하는데 방문 밖에서 또 노크 소리가 들렸습니다. 이번에는 옆방의 친구 K였습니다.
"경희야, 기념으로 네 방의 사진을 찍으러 왔어. 침대 커버를 흐트러뜨리기 전에 찍어야 할 것 같아서 말이야"라는 것입니다. K는 사진 한 장만을 찍고는 나갔습니다.
서울에 와서 K가 준 사진을 보니까 흐트러지기 전에 찍겠다던 침대 위에 뭔가 길게 늘어져 있는 것이 있었습니다. 쉬기 위해서 스타킹을 막

벗는데 K가 들어오는 바람에 무심코 침대 위에 던져졌던 스타킹이 그대로 사진에 찍힌 겁니다. 하필이면 새색시 방 같은 장미무늬의 침대 커버 위에 보기 흉하게도 스타킹이 던져져 있을 게 뭐람. 이렇게 혼잣말이 나왔습니다.

나의 리도 홀 방문은 마침내 거지왕자 톰 같은 일이 사진 속에서 일어난 것입니다. K가 배려를 해서 내 방까지 들어와서 찍어 준 딱 한 장의 사진이 그런 사진이 된 것을 보면 역시 나에게는 흥분되는 여행은 아니었나 봅니다.

뮤지컬 〈미녀와 야수〉와 찰스 램의 수필 「옛 도자기」
뉴욕에서

L여사는 맨해튼에서 페리를 타고 뉴저지에 갈 수 있다는 것을 알려 주면서, "허드슨 강 저쪽에서 맨해튼을 보는 것도 무척 아름답다고 하더군요. 우리 한번 가 보지 않겠어요?" 해서 그곳에 갔다. 그렇다고 그냥 무턱대고 간 것이 아니라 "그곳 강가에 식당이 있는데 그곳에서 식사를 하면 우리가 타고 간 페리의 왕복요금을 반환해 준대요. 그리고 뮤지컬을 구경하러 가는 손님들을 위해서는 브로드웨이의 극장까지 무료 셔틀버스로 태워다 준다고 해요" 하는 것이어서, '이왕이면 뮤지컬도 보면…' 하는 생각으로 간 것이다.

페리를 탄 지 십 분도 못 되어서 우리는 뉴저지에 내렸다. 아무튼 그렇게 가까운 거리였지만 강을 건너니 전혀 다른 세계의 땅이었다.
뉴저지는 원래 나무가 많은 곳이라 땅에 발을 디디는 순간 숨부터 크게
들이쉬게 된다. 공기가 맑다는 것을 우리의 몸은 어찌 그렇게 쉽게
감지하는 것인지, 생명의 힘에는 놀라움을 금치 못한다. 나는 몇 번이나
반복해서 그곳에 가득한 맑은 공기를 들이마셨다.
'아서스 랜딩' 이라는 식당 이름이, 한가로울 정도로 조용하고 잘 가꿔진
넓은 정원을 둔 건물에, 그럴듯한 뜻을 풍기면서 눈에 들어왔다. '아서
왕이 배에서 내린 곳' 이라는 뜻으로 붙인 것인지. 아마도 다른 이름이
붙어 있었어도, 그같은 전망의 강가에 세워진 분위기있는 건물이라면
어떤 이름인들 그럴듯하다는 생각이 들었을 것이다.
뉴욕에서 공부하고 있는 유학생 아가씨 두 명까지, 우리 일행은 모두
넷이었다. 종업원에게 안내받아 앉은 자리는 강물이 바로 앞에서 흐르고,
뉴욕의 건물들이 한눈에 바라보이는 테이블이었다. 이런 자리에 우리만
앉은 것 같아 기분이 좋았다. 그러나 넓은 식당은 어디에 앉아도 밖을
즐길 수 있게 사방이 유리로 되어 있었다. 하긴 이곳을 찾는 사람은 모두
우리처럼 이곳이 강 건너 맨해튼을 바라보면서 식사를 할 수 있는
곳이어서 찾아오는 사람들일 테니, 강이 보이지 않는 자리가 있을 리
없다.
테이블에 앉아 메뉴를 들여다보던 우리는 거기에 적힌 것을 보다가 네
사람이 동시에 입을 열었다. "이걸 먹어야만 페리 요금을 돌려받을 수
있는 모양이에요!" 하고 말이다. 손님이 어떤 음식을 주문하느냐에
따라서 페리 요금도 돌려받고, 브로드웨이 극장까지의 셔틀버스도

무료로 탈 수 있다는 것을 안 것이다. 그러니까 아무거나 간단한 식사를 주문해서는 페리도 셔틀버스도, 혜택을 받을 수 없다는 얘기이다. 우리 넷은 서로 얼굴을 쳐다보며 소리도 못 내고 웃어야 했다.

메뉴에 설명이 적혀 있는 음식은 말하자면 다른 음식보다 좀 호화로운 것이다. 호화롭다는 것은 음식값이 비싸다는 뜻. 교통비 들인 것을 돌려받고, 경치 좋은 곳에서 밥을 먹는다는 생각만으로 찾아간 우리였기 때문에, 그런 사전지식을 몰랐다는 것뿐이지 크게 잘못된 것은 아니니까 씁쓸해 할 필요는 없다고 서로를 위안했다. 그리고 웨이터에게 처음부터 알고 있었던 것처럼 그 호화로운 음식을 시키고, 내친 김에 붉은 포도주도 한 잔씩 부탁했다. 넷이서 포도주 잔을 들고 건배를 할 때는 모두가 행복한 얼굴로 돌아왔다.

우리는 뉴욕의 맨해튼을 허드슨 강 건너에서 보는 것이 더 멋있다고 이야기하면서 저녁식사를 마쳤다. 식사를 마치기가 무섭게 페리 승선요금 이야기가 또 나왔다. 종업원에게 누가 얘기를 할 거냐는 문제. 일인당 이 달러씩이었던가, 그곳에 갈 때 왕복표를 사면서 네 명이 십육 달러를 냈다. 나중에 종업원이 테이블 위에 십육 달러를 갖다 놓고 갔을 때, 그 십육 달러를 돌려받았다는 것이 그렇게 신날 수가 없었다. 그 돈은 식대에 포함되어 있었으니 공짜가 아니었는데도 말이다.

십육 달러를 받아 들고 우리 넷 모두는 만족스런 얼굴로 '아서스 랜딩' 식당을 나오면서 강 건너로 바라다보이는 맨해튼의 빌딩 스카이라인이 아름답다는 생각을 또 한번 했다. "석양이 비칠 때면 더 아름답겠죠?" 나보다 나이가 훨씬 적긴 하지만 L여사의 낭만에는 따라갈 수가 없다.

그런 L여사 덕에 뉴욕에서 스무 살은 더 젊은 기분으로 지냈다.
페리 선착장에는 브로드웨이 극장 이름들을 써 붙인 여러 대의 버스가
대기하고 있었다. 그 중에서 우리는 '로열'이라는 이름이 씌어 있는
버스에 올라탔다. 우리가 보려는 〈미녀와 야수〉가 로열 극장에서 하고
있어서였다. 식당에서 보았던 다른 사람들도 우리 버스에 여럿 타고
있다. 같은 뮤지컬을 보러 가는 사람들 같아서 서로 눈웃음으로 인사를
나눴다. 소풍 가는 아이들처럼 한 무리가 되어 있다는 것이 즐겁게
느껴진다.
버스는 브로드웨이 거리에 있는 수없이 많은 극장들을 뚫고 다니면서
손님들을 제각기 극장 앞에다 내려놓았다. 갖가지 뮤지컬 간판이
한꺼번에 얼마나 많이 눈에 들어오는지, 로열 극장 바로 앞에 우리를
내려 주었는데도 〈미녀와 야수〉의 간판이 눈에 띄지 않아 한참 동안
찾았다.
우리가 산 표는 싼 C석 좌석이다. 두 유학생 아가씨와 L여사, 그리고
나는 C석인 우리 좌석까지 가기 위해 숨이 턱에 닿을 정도로 층계를
올라가야 했다. 한도 없이 죽어라 올라가니까 그곳에 우리 번호의 좌석이
있었다. 몇 층인지는 몰라도 앉은 사람들이 까맣게 아래로 내려다보여서
아찔한 느낌이 든다. 더군다나 우리의 좌석은 가운데도 아닌 왼쪽
끝이었다. 이런 데서도 제대로 관람할 수 있는지 걱정이 되었다.
찰스 램의 「옛 도자기」라는 수필에 나오는 장면이 생각났다. 가난했던
찰스 램은 젊었을 때 늘 극장에 갈 때면 일 실링짜리 제일 싼 표를 사
가지고 갔다. 그 표의 자리는 극장의 제일 꼭대기 지붕 밑이어서 심하게

경사진 좁은 계단을 올라가야 했다. 그럴 때면, 그런 자리를 찾는 똑같이 돈 없는 사람들 틈에 끼어, 그 중에서도 불량스런 똘마니들의 팔꿈치에 찔리고 밀리면서 간신히 꼭대기 자리까지 가서 앉은 다음, 발아래로 내려다보이는 극장 안의 불빛들이 휘황찬란하게 켜진 것이 눈에 들어왔을 때, 그제야 "아, 살았다!"는 말이 저절로 입 밖으로 나왔다는 애기의 수필이다. 이렇게 영국의 수필가 찰스 램이 몹시도 가난했던 시절을 회상하며 쓴 수필의 한 부분이 생각나는 C석 자리에서, 내 입에서도 "아, 살았다!"는 말이 나왔다.

나는 무대 위에서 연기하는 출연자들의 움직임이 잘 보이지 않을까 봐 걱정했다. 그러나 그런 걱정은 막이 오르면서 사라졌다. 그렇게 높은 데서도 모든 것이 너무도 잘 보이는 것이 신기할 정도였다. 배우들도 하나같이 높은 자리에 앉아 있는 우리들을 쳐다보며 노래부르고 연기를 하기 때문에, 관객 중에서 우리만 소외당하는 느낌이 조금도 들지 않는다. 배우들이 언제나 고개가 뒤로 젖혀질 정도로 위를 보고 연기를 하는 이유를 알았다.

뮤지컬 〈미녀와 야수〉의 노래와 춤은 무대 위에서만 벌어지고 있는 것이 아니라 극장 안의 모든 관객석에서도 함께 벌어지는 느낌이 들 정도로 잘 보였다. 한마디로 황홀한 열기로 관객들의 눈을 잠시도 놓아 주지 않는 것이 뮤지컬임을, 뮤지컬의 본고장인 뉴욕 브로드웨이에서 새삼 느꼈다. 찰스 램의 「옛 도자기」에서도, "그때 그런 불편한 계단을 기어올라 가야 하는 꼭대기 자리에서 구경을 했어도, 대사를 놓칠까 봐 더 열심히 들으려 했고 연기하는 것을 더 정신 차려서 보았기 때문에, 고생하지 않고 저벅저벅 걸어 들어가서 보는 사람보다 조금도 덜 재미있게 구경한다는 생각을 한 적이 없었다"는 구절이 나온다.

뮤지컬 〈미녀와 야수〉를 보기 위해 C석 표를 산 것과 찰스 램이 일 실링짜리 꼭대기 자리의 표를 사야 했던 것은 물론 같은 상황은 아니지만, 싼 표의 좌석에 앉아서 찰스 램과 같은 심정을 느낀 경험은 뉴욕 여행이 준 또 하나의 소득이다.

'비키니' 때문에 '와이키키'의 철자를 잊어버리고
호놀룰루에서의 소묘

와이키키 비치 옆에 있는 카라카우아 길 이름을 몇 번이나 그이가 가르쳐 주었는데도 잊어버리고는 또 물어보고, 또 물어보고 했다. "그 길 있잖아요, 그 길 이름 말예요." 그이는 일본말의 '놀리다(가라카우)'를 연상하라고 방법을 바꾸어 가르쳐 준다. 그 다음부터는 길 이름을 잊지 않았다.

일본에 살고 있는 막내딸이 아이들을 여름학교에 보내는 것 때문에 올해도 방을 얻어 놓고 우리를 하와이로 불렀다. 작년 여름에 함께 보냈던 그곳에서의 일들이 일 년 내내 노년의 그이와 나에게 비타민 작용을 했던 것이 좋아서, 빈말로도 사양을 않고 짐을 꾸렸다.

딸아이가 빌린 콘도가 있는 와이키키 밴연 호텔에서 한 블럭만 가면 와이키키 비치가 나타난다. 비치로 가는 길 이름이 '오후아(Ohua)'인데

'오하우(Ohau)'라고 자꾸 잘못 말하게 되는 바람에 이 길 이름 때문에도 여러 번 핀잔을 들었다. "오하우는 지금 우리가 있는 하와이 섬의 이름이고, 길 이름은 '오후아'란 말이야. 무식하게 이름을 자꾸 틀리면 어떡하우?" 나는 '오후아'면 어떻고 '오하우'면 어때. 알아만 들으면 됐지. 이렇게 생각했지만 곧바로 고쳐 불렀다.

카라카우아 큰길과 바닷가 사이에는 큰 나무가 있다. 어른 셋이서 두 팔을 벌리고 잡아야 나무를 껴안을 수 있을 만큼 큰 거목은 마치 수문장이 서 있는 것 같다.

"저 나무 이름이 무얼까?" 나무 위에 알루미늄 푯말이 붙어 있지만 너무 높이 붙어 있고, 무어라고 잔뜩 글씨가 씌어 있기는 하지만 읽을 수가 없다. 이름을 모르는 대로 아침 산책 때마다 나무를 쳐다보면서 한마디씩 나무를 보고 감탄하는 말을 한다. 참 좋지? 참 멋있지?

호텔 리셉션 앞을 지나가면서 무심코 아가씨에게 말을 건넸다. "이 호텔 이름의 '밴연'이 무슨 뜻이죠?" 꼭 대답을 듣겠다고 생각하지는 않았는데 아가씨가 바로 대답한다. "나무 이름이에요. 줄기가 아래로 길게 쳐 있는 나무 있지요?"

"아, 카라카우아 길에 있는 큰 나무?" 바로 그 나무 이름이 밴연(Banyan)이었다는 것을 알았다. 관심을 가졌더니 엉뚱한 곳에서 해답을 얻은 것이다.

한낮, 와이키키 비치의 모래는 은가루같이 희다. 바닷물이 너무도 푸르러서 그렇게 보이는 걸까. 비키니 수영복을 입은 늘씬한 아가씨가 아까부터 눈앞에서 알찐거려 자꾸 눈길이 갔다. 서핑보드를 들고 바다로 걸어가는 아가씨의 다리는 어쩌면 저렇게도 긴지. 하얀 거품을 일으키며 모래 위로 밀려오는 파도 속으로 어느새 그녀들의 몸이 감춰지는가 하면, 또 다른 비키니 아가씨의 육체가 정면으로 물속에서 걸어 나오고…. 온종일 바라보아도 지루하지 않은 바닷가의 뜨거운 풍경. 휴식에 필요한 조건이 모두 갖춰진 곳이란 생각이 들었다.

야자수 그늘을 따라 우리 곁으로 옮겨 앉은 한 노인이 옆에 있는 그이에게 묻는다.

"와이키키라는 철자가 어떻게 되죠?" 아까부터 우리처럼 모래사장을 바라보고 있던 미국인 노인이 갑자기 왜 '와이키키'의 철자를 묻는 건지. 그 말에 남편이 대답한다.

"미안합니다. 나는 지금 저 아가씨가 입은 비키니(Bikini)의 철자를 생각하느라 와이키키(Waikiki)의 철자는 잊어버리고 말았네요."

노인은 재미있어서 웃음을 멈추지 못한다. 남자끼리의 의중이 통했다는 것이 유쾌했던 모양이다. 그러더니 다시 말한다. "당신 옆에 앉은 사람이 부인이 아니고 딸인가 보죠? 나는 와이프 앞에서 그런 말은 절대 못 합니다." 확실히 노인의 유머는 한 수 위였다.

딸아이를 따라 타피오라니 공원에 매주 수요일 아침에 서는 노천시장에 갔다. 농장에서 직접 기른 토마토, 옥수수, 감자, 망고, 파파야 등 갖가지 야채와 과일을 차에 싣고 와서 파는 서민시장이다. 새벽 일곱시부터 시작해서 아홉시 반에 철수한다. 딸아이가 폐장시간 전에 가야 한다고 서두른 이유는 단골 과일가게의 청년을 만나기 위해서라는 것.
"엄마, 지난번에도 팔다 남은 바나나를 그냥 가지고 가라고 잔뜩 주었어요. 다른 가게에선 그러지 않는데, 그 청년은 여간 마음이 좋지 않아요. 이 청년한테서 늘 망고를 샀는데 지난번에는 끝물이라고 얼마 안 가지고 나왔어요. 이제는 더 나오지 않는대요." 하와이에서는 사철 모든 과일이 나오는 줄 알았는데 여기에도 망고 철이 따로 있었구나….
"그 청년이 이번 수요일만 나오고 그 다음날에 라스베이거스로 휴가를 가기 때문에 나오지 않는대요." 노천시장 청년이 라스베이거스로 휴가를 간다는 것은 우리에겐 아직 귀에 설게 들리는 일이다. 라스베이거스 사람은 하와이로 휴가를 오고, 하와이 원주민은 라스베이거스로 휴가를 가고. 참 좋은 생활이다.
그런데 딸아이가 청년이 있는 가게에 갔더니 벌써 휴가를 떠나서 나오지 않았단다. 이번 주까지는 나온다고 했는데… 하며 여간 섭섭해 하지 않았다. 저녁에 집에 놀러 온 한국인 Y씨에게 과일가게 청년 이야기를 했더니, 원래 하와이 사람은 자기가 한 말을 꼭 지켜야 한다는 생각은 안 한다고 한다. 기후가 좋아서 먹고사는 데 악착스러울 필요를 느끼지 않으므로 놀 수 있는 일만 있으면 일을 안 한다고 했다.
해질 무렵에 또 바닷가에 나갔다. 아무렇게나 편한 차림으로 밖에 나올 수 있다는 것 때문에 바닷가를 자주 찾는다.
"한국 분이시죠?" 한국인 할아버지가 다가와서 묻는다. 그렇다고 대답했는데, "어디서 오셨죠?" 하고 또 묻는다. 한국인이면 한국에서 온 거지, 어디서 왔느냐고 묻다니? "나는 뉴욕에서 왔어요." 할아버지의 말에 그제야 알아듣고 서울에서 왔다고 대답했다.
앞에 있는 벤치에 앉았더니 할아버지도 따라 앉으면서, "여기에 온 지 벌써 육 개월이 되었어요. 호놀룰루에 사는 아들이, 아버지 어머니 와서 쉬라며 아파트를 얻어 주었지요." 아들이 아파트까지 얻어 주고 부모님을 쉬게 했다는 할아버지의 이야기가 듣기 좋았다. "참 효자 아들이네요."
"아들이 넷인데, 넷째가 제일 성공했어요. 건축을 전공해서 이곳에 있는 큰 건축회사에서 일을 하는데 일 년에 연봉이 이십만 달러래요." 나는 이십만 달러의 돈이 미국에서 얼마만큼 많은 봉급인지 짐작할 수는 없었지만 많은 액수라는 느낌은 들었다.
나는 할아버지에게, "할머니하고는 함께 안 오셨어요?" 하고 물었다.
"왜요. 할머니는 지금 집에 있죠. 말이 통하지 않으니까 잘 나올 생각을 하지 않아요. 나만 이렇게 심심하니까 바닷가에 나와 다니죠."
우리나라에서 이민이 한창일 때 나도 잠시 이민에 대해 생각해 본 적이 있었다. 남편이 직장을 그만두자 이민을 가기로 하고 떠날 준비를 하는 친구를 보고 나도 생각을 해 보게 된 것이다. 이민을 가는 쪽과 한국에서 사는 쪽, 이 두 가지 중에 어느 쪽이 더 잘하는 일일까 그때 하나하나 꼼꼼히 따져 보았다. 그러고는 안 가는 것이 좋겠다고 결론을 내리고는, 그 이유를 「이민」이라는 제목으로 쓴 글에 이렇게 밝힌 일이 있다.

"내가 한국에서처럼 노력하면 더 잘살 수는 있겠지. 그러나 정열을 바쳐서 할 그곳에서의 일이 생각나지 않는다. 더구나 할머니가 되어 그곳

할머니들과 같이 살아야 하는 나 자신을 생각할 때, 돌아갈 고향도 없이 늙어 버린 비참한 이국인 노파를 생각할 때, 나는 더 참을 수 없이 슬펐던 것이다."

나에게 이민 성공담과 자식 자랑을 들려주고 있는, 지금 내 옆에 있는 할아버지의 모습에서 바로 내가 썼던 글이 현실로 보이는 것 같아서 쓸쓸한 마음이 들었다.
아파트에 혼자 있다는 할머니는 그나마 이야기를 나눌 사람을 찾을 생각도 안 하고 방에서 무엇을 하고 계실까. 그런 생각을 하며 벤치에서 일어섰다.
그러나 즉시 내 머리에는 다른 생각이 스쳐 갔다. 그때 나는 이민을 안 가는 쪽으로 그 이유를 찾았던 것. 자식들을 성공시킨 저 할아버지와 할머니가 과연 슬픈 생각을 하고 있을까? 그렇지는 않을 거라는 생각이 들었다. 오늘의 성공이 있기까지의 삶에 그분들은 얼마나 고마워하고 있을까? 참으로 잘 선택한 결정이라고 생각할 테지. 그들에게 나도 같은 마음을 보내지 않을 수 없었다.
와이키키 밴연 호텔로 가는 오후아 사거리에는 여전히 센 바람이 불고 있었다.

유럽 순례—
벨기에 독일 체코 헝가리 핀란드
노르웨이 크로아티아

이프르에서 코트릭으로 돌아갈 때, 아까는 눈에
띄지 않던 공동묘지의 묘비들이 군데군데 있는
것이 눈에 들어왔다. 전사한 영국군의 공동묘지가
이프르 지역에 백칠십 개나 있다는 것을 플랑드르
전투박물관에 들러서야 알았다. 플랑드르
들판에는 젖소들이 묘비들 옆에서 여전히 풀을
뜯고 있었다. 이제 몇 달 후엔, 저 젖소들이
들에서 사라지고 묘비들만 보이겠지. 그러면
딸애는 또 쓸쓸해지겠지…. 그런 생각을 하며
플랑드르 들판을 바라보았다.

왕과 나
브뤼셀에서

제목을 「왕과 나」라고 붙이니까 마치 율 브리너 주연 영화의 제목과 같습니다만 일부러 이처럼 붙여 보았습니다.

따분한 브뤼셀에서 열린 국제도서박람회장에서 며칠 계속하여 가난한 우리나라 도서를 챙겨 놓고 있던 어느 날, 국왕이 온다고들 장내가 법석댔습니다. 그리고 보니 그 전전날 왕비가 다녀간 일이 있었습니다. 한참 있으니까 아마 궁정 의전 담당자인 듯싶은 중년 신사가 나한테로 와서 내가 말할 수 있는 외국어를 묻는 것이었습니다. 나한테만이 아니라 그는 각 나라 전시장마다 돌아다니며 그곳에 나와 있는 각국 사람들에게 그와 똑같이 묻고 돌아다니는 것이었습니다.

어려서 동화책에서나 왕의 이야기를 읽었고, 서양 영화에서 왕과 인사하는 장면을 보긴 했어도, 막상 내가 한 나라의 국왕과 인사를 하게 된다는 생각을 하니까 실로 떨리는 일이어서, 그 동안 몇 번을 화장실로 가서 얼굴을 매만지고 손을 씻었는지 모릅니다. 그리고 왕과 악수를 할 때 무어라고 인사를 할 것인지를 긴장되어 있는 머릿속으로 생각하기에 바빴습니다.

한 손으로 왕의 손을 잡고 나머지 손으로 치맛자락을 추켜 쥐며 살짝 무릎을 구부리는…, 그러면서 '유어 마제스티(폐하)!' 하고 인사하는 영화 속의 장면도 머릿속에 떠올랐습니다.

나는 얼른 박람회장 리셉셔니스트 아가씨에게로 가서 왕에게 인사할 때

무어라고 해야 하느냐고 물었습니다. 돌연한 내 질문에 그 아가씨는
자기도 왕과 한번도 인사해 본 일이 없어서 모른다는 것이었습니다.
어쨌든 '유어 마제스티'라는 존칭을 붙여야 할 게 아니냐는, 내가 이미
생각하고 있었던 정도의 대답만을 얻고 자리에 돌아왔습니다. 나는
말끝에 붙여야 할 '유어 마제스티'란 존칭을 자연스럽게 해야겠다는
생각에 '유어 마제스티, 유어 마제스티…' 하고 상냥한 표정을 지어 보며
입속으로 연습을 하였습니다.
한참 있다가 많은 시종관을 거느린 젊은 국왕 보두앵이 우리 전시장 앞에
와 섰습니다. 그리고 아까 다녀갔던 그분이 보두앵 왕에게 영어로
'코리아'에서 온 나를 소개하였습니다. 보두앵 왕이 손을 내밀었을 때,
나는 왕이 무어라고 말을 했는지 안 했는지는 생각이 안 나고, 그저 미리
생각해 뒀던 "만나뵙게 된 것을 최상의 영광으로 생각합니다. 폐하!"
이렇게 말하였습니다.
그러나 실상은 '폐하'란 말이 그렇게 자연스럽게 이어진 것은
아니었습니다. 말을 다 해 놓곤 깜빡 잊었다가 마치 루주를 입술에 맞춰
칠하지 않고 약간 빗나가서 또 하나의 입술을 그려 놓은 것처럼 뒤늦게
"유어 마제스티" 하였습니다. 얼마나 긴장을 했던지 말입니다!
국왕은 유창한 영어로 나에게 묻는 것이었습니다. "코리아에선 이번에
처음 참가한 것이지요?" "당신이 쓴 책도 가지고 왔습니까?" "어떤
내용입니까?" "한국어를 읽을 줄 안다면 한 권 사고 싶군요…."
시종 똑같은 미소와 친절한 물음과 대답. 한참 말하는 동안 어느새
국왕이라기보다 기품있는 서민을 대하는 듯한 느낌이었습니다. 그의

나이는 약 마흔 정도로 보였고 단정한 미모였습니다만, 얼굴엔 어딘가 무사다운 위풍도 엿보였습니다.

나는 여행 중에 필요할지 몰라서 몇 개의 선물을 준비하고 있었습니다. 그것은 조그마한 놋으로 된 페이퍼나이프였습니다. 물론 거기엔 'KOREA' 라는 글자가 새겨져 있습니다. 나는 늘 이것을 손가방 속에 준비하고 있었던 터이므로, 사전에 그의 시종관에게 내가 왕에게 선물을 줘도 괜찮겠는지 물었는데, "아마 괜찮을 테지만 당신이 왕께 한번 물어보는 것이 좋겠다" 는 것이었습니다.

나는 그의 말대로 국왕에게, "선물을 드리면 받아 주실 것인가"고 물었더니, 국왕은 아주 기쁜 표정으로 고맙게 받겠다는 것이었습니다. 나는 갑작스런 선물이라는 변명을 하면서 색동 포장의 페이퍼나이프를 줬습니다.

국왕은 포장을 풀어 보면서, 그 놋으로 된 종이칼에 관심 있다는 표정을 아끼지 않았습니다. 나는 국왕의 그런 표정이 의례적인 것인 줄 알면서도, 그렇게 부드럽고 멋진 미소로 연방 나의 말에 응답해 주는 것이 매우 기뻤습니다. 그리고 문득 그 긴장된 시간 속에서도 정말 유럽의 신사란 이런 모습의 분이겠거니 하고 생각하였습니다. 그런 것 이외엔 평범한 양복의 이 중년 신사에게서 사전 지식도 없고, 왕에 대한 교양도 지니지 못한 한국의 서민인 내가 어떻게 더 이상의 것을 찾아낼 수가 있겠습니까.

어떻든 그는 긴 시간을 우리 전시장에서 보냈으며, 그 사실은 국왕이 떠난 후 그곳에 온 많은 손님들이 우리 전시장에 몰려와 "왕이 당신에게 무슨 얘기를 그렇게 오래 했느냐"고 묻는 것으로 짐작할 수 있었습니다.
이틀 후, 우리 한국 대표 두 명은 그 국왕과 왕비가 초청하는 왕궁 파티에
갔습니다. 사실 이 파티의 초청장이 직접 우리의 손에 쥐어진 것은
아니었으나, 도서박람회에 참가한 각국 대표들이면 참석할 수 있다는
말만으로 우리는 왕정으로 갔던 것입니다. 그러나 영화에서 보듯
요란하게 차린 근위병에서부터 긴 왕정 대리석 복도에서 정중하게
손님을 맞는 고령의 시종들까지, 초청장이 없는 우리를 쉽게 통과시킬
리가 없었습니다. 하지만 나는 화려한 우리의 고유의상을 입고 당당한
태도로 행동했고, 또 그들은 하나같이 불어를 할 뿐 영어를 몰랐기
때문에 차라리 구구한 변명 없이 그대로 궁전 안으로 걸어 들어갈 수
있었습니다.

그러나 결국 마지막 관문에서 걸렸습니다. 내가 시간 때문에 아마 우리
공관에 와 있을 초청장을 지참치 못했다는 말을 했더니, 그들은 물론 내
말을 알아듣진 못하고 우리를 그대로 세워 놓고 연회장 안으로 들어가
잠시 후 돌아와서야 우리를 입장시켰습니다. 어린애 같은 생각인지
몰라도 밖에서 기다리는 동안, 아마 국왕에게 '코리아'의 대표가 왔다면
즉시 들여보내라고 할 것이라고 생각하며 꽤나 자신을 가졌었는데, 그런
신념이 어째서 생겼는지는 나도 모를 일입니다.

과연 국왕의 연회장은 아름다웠습니다. 즐비한 조각과 샹들리에, 붉은
카펫이며 상상했던 이상의 엄숙한 분위기가 한국 여성인 나를 긴장케
하였습니다. 그 속에서도 나의 한국 의상은 눈에 띄었습니다. 아마
그래서였겠지요. 그곳에서도 의전 담당관인 듯한 나이가 좀 든 사람이

나를 국왕에게 소개할 때, 국왕은 우리는 이미 오래전부터 알고 있는 사이라는 표정을 지으며 '그 동안 잘 있었느냐'는 물음과 함께 '당신이 준 선물 무척 고맙다'는 인사를 다시 한번 하는 것이었습니다. 인형같이 귀엽고 아름답게 생긴 파비올라 왕비도 같이 있었습니다만, 여기선 보두앵 왕의 얘기만 하겠습니다.

국왕은 정말 여러 나라 말을 구사하는 것 같았습니다. 그것이 물론 무척 멋지게 느껴졌고, 더욱 인상적인 것은 국왕이 다른 사람과 이야기하면서, 간혹 멀리 있는 우리와 눈이 마주치면 자기가 이곳을 보고 있다는 사인을 연신 보내 주었는데, 그 방법이며 동작이 이쪽만 알 수 있게 하는, 그런 익숙하고도 멋져 보이는 연기에는 그만 놀라고 말았습니다.

국왕이 퇴장하는 것을 기다려 우리도 밖으로 나왔습니다. 밖은 조금 어둑어둑한 편이었는데 국왕의 자동차가 마침 내 앞을 지나갔습니다. 그 순간 어찌나 그렇게도 반가웠는지 손을 높이 들고 흔들었습니다. 국왕도 우리를 보고 거의 동시에 손을 흔들며 반가워하였으며 자동차가 멀리 보이지 않을 때까지 뒤를 돌아보며 손을 흔드는 그런 신사였습니다.

나는 그 후 계속 그 국왕의 태도며 말에 대해 생각해 보았습니다. 역시 어느 누구도 따를 수 없는 왕이었다는 것을 자꾸만 깨닫게 되는 것 같았습니다. 그것은 지금까지, 틀에 박힌 형식이란 지루하고 인간미가 없다고 생각했던 그릇된 생각을 깨끗이 고쳐 준 것 같았습니다.

인간이 만든 형식, 그것도 왕들의 몸에 밴 그 형식이란 그리도 아름답고 지루함을 주지 않는 것이란 것을 알게 된 거지요. 보두앵 왕에게서 그렇게 풍부한 내용을 느끼게 된 것은 한마디로 세련된 그의 완벽한 형식에서 비롯된 것이었습니다.
나는 지금까지 형식적이지 않은 소탈함에 다정함을 느꼈습니다만,
이제는 오랜 형식의 새로움과 형식만이 갖는 권위에 반할 줄도 알게
되었습니다.

마저 박사를 마지막으로 만난 도시
브라운슈바이크에서

Q씨, 기차여행은 좋으면서도 힘들 때가 있습니다. 트렁크와 손가방
하나가 비행기여행에서는 아무렇지도 않지만, 기차로 바꿔 타게 되면
그때부터는 짐으로서의 역할을 톡톡히 하게 됩니다.
 그것은 작은 도시일수록 더하지요. 기차역 플랫폼에서 짐을 들고
빠져나가려면 육교를 건너야 할 때가 있거든요. 지하로 된 통로가 있는
곳은 그래도 낫지만 계단 수가 많은 육교일 때는 사정이 다릅니다. 이럴
때 마음의 각오를 단단히 한 후에 계단을 오른답니다. 간혹 마음 착한
신사가 다가와서 번쩍 짐을 들어 옮겨 줄 때면, 세상천지가 온통
무지갯빛으로 보이지요. 그래서 짐이 있으면 있는 대로 여행은 즐거운
것이기도 합니다. 그런데 브라운슈바이크에서는 그게 아니었습니다.
Q씨, 북부 독일에 있는 작은 도시 브라운슈바이크에 간 것은 동유럽이
개방되기 바로 전 해였습니다. 그러니까 독일이 아직 서독과 동독으로
분단되어 있을 때인데, 브라운슈바이크는 서독에 있는 도시였습니다.

그곳에서 유니마(UNIMA, 국제꼭두극연맹) 이사회가 열렸었지요.
기차를 타고 브라운슈바이크를 찾아가면서 '유럽에선 이런 시골
도시에서도 국제회의를 하는구나' 하는 생각을 했습니다. 하노버에서
기차를 타고 한 시간 반쯤 갔던 것 같습니다.

트렁크와 손가방, 두 개의 짐을 들고 기차에서 내리니까 가장 먼저
육교가 눈에 들어오더군요. "아휴, 저걸 건너가야 하는구나."
역을 빠져나가려면 그렇게 해야 했습니다. 계단을 쳐다보며 마음의
각오를 하기 위해 숨부터 크게 쉬었습니다. 트렁크 하나를 먼저 들고
계단을 올랐습니다. 그러고는 다시 손가방을 계단 위에 옮겨 놓았습니다.
육교를 내려갈 때도 같은 방법으로 했습니다.

그런데 웬일입니까. 역 건물로 간다는 것이 반대쪽 계단으로 내려간
것입니다. 겨우 힘들여 건넜던 계단을 또다시 올라가야 하니 얼마나 기가
막혔겠습니까. 한숨이 저절로 나오더군요. 그나마 다행스러웠던 것은
짐을 하나만 옮겨 놓았을 때 잘못 온 것을 알게 되었던 것이어서, 조금은
덜 속이 상했습니다.

Q씨, 플랫폼에는 한낮의 햇빛만 비치고 있을 뿐 사람은 그림자도 보이지
않았습니다. 마음의 각오를 하는 동안 몇 안 되는 승객이 모두 밖으로
빠져나가 버렸기 때문입니다. 사람들이 있을 것을 기대했던 것은
아니지만 그들이 나만 두고 가 버린 것 같아 섭섭한 생각이 들더군요. 이
도시의 기억은 항상 거기서부터 시작됩니다.

회의는 브라운슈바이크의 상공회의소 건물에서 열렸습니다. 상공회의소
건물은 문화관의 기능도 갖추고 있는, 작지만 아주 쾌적한 공간의

건물이었습니다. 한쪽 방에서는 독일 현대화가의 전시회가 열리고 있었습니다.

회의에는 불가리아, 루마니아, 프랑스, 미국 등 열다섯 나라의 이사들이 모두 참석했습니다. 반세기가 넘은 유니마 국제기구의 쟁쟁한 터줏대감들 틈에 이제 막 가입한 초년생 한국이 이사국에 합류되어 여기까지 온 것이 내심 자랑스럽기도 했습니다.

 우스운 이야기를 해 드릴까요. 지난 드레스덴 총회 때 한국의 내가 새로 이사로 선출되는 바람에 서독 이사가 빠지게 되었습니다. 그런데 바로 그 서독 이사인 풀슈케 박사가 나를 유니마 회원으로 추천하며 애써 준 분이니 얼마나 아이러니컬한 일입니까. 게다가 그 풀슈케 박사에 의해 개최하게 된 브라운슈바이크 이사회에 내가 오게 되고 그는 참석을 못했으니 더 안타깝고 미안한 생각이 들었습니다. 세상의 모든 일은 인간이 뜻을 가지고 시작할 수는 있어도 그것을 이루어지게 하는 것은 인간의 영역이 아니라는 생각을 하며 참석하지 못한 풀슈케 박사 생각을 많이 했습니다.

이사회에 참석해서 제일 반가웠던 것은 유니마 동독 회장인 랄프 마저 박사를 만날 수 있었던 일입니다. 그는 동독 드레스덴에서 열렸던 세계총회에 한국의 참가를 적극 도와준 사람입니다. 그때는 독일이 통일되기 전이어서 한국이 참가하는 데 까다로운 점이 많았습니다. 그런데도 한국에서 공연단까지 데리고 가겠다는 욕심으로 열한 명이나 되는 인원을 데리고 가느라고 마저 박사를 힘들게 만들었습니다. 그리고 마침내 그의 도움으로 한국에서 국립국악단 사물놀이패거리와

꼭두놀음패 어릿광대가 제작한 '양주별산대'의 꼭두들을 가지고 모두
열한 명이 참가를 했었지요.

Q씨, 마저 박사를 알게 된 것은 1980년 워싱턴에서 열린 유니마
총회장에서였습니다. 그는 그때 바로 내 옆자리에 앉아 있었습니다.
한국이 유니마 회원국이 되고 나서 열린 첫 총회여서 물어보고 싶은 것이
많았는데, 옆에 앉은 마저 박사는 영어를 전혀 못 하는 사람이었고 나는
독일어를 알지 못했기 때문에 둘은 대화를 나누기가 어려웠습니다.
하지만 참 이상한 일이지요. 서로 친근감을 느끼게 되는 데에는 반드시
말이 필요한 것이 아니더군요. 말은 못 해도 의사가 전달되기 위해서는
서로의 관심이 더 중요하다는 것을 알았습니다. 나는 그가 동구권
국가에서 온 대표라는 것에 관심을 많이 가졌지요.
왜 그런 것 있지 않습니까. 만나선 안 될 사람이라고 할 때 더 관심이 가는
것 말입니다. 대한민국 사람이 사회주의 국가 사람들을 만날 수 있는
기회란 아주 드문 일이었지요. 한 지구상에 살면서 만나면 안 되는 나라
사람이 있다는 것은 얼마나 쓸쓸한 일입니까. 국제적 모임이란 그런
교류의 자유로움이 있어서 참 좋다는 생각이 듭니다.

어쨌든 그도 처음 만나는 한국 여성에 대해서 관심을 가졌던 것
같습니다. 이럴 땐 남자보다 여자가 더 적극적이 되는 모양입니다. 내가
먼저 이야기를 하려고 했고, 이것저것 물어보기도 했습니다. 언어가
한마디도 통하지 않았어도, 그리고 그렇게만 만나고 헤어졌는데도, 뭔가
그에 대한 기대가 생기더군요.

그리고 그는 나의 기대대로 드레스덴 총회에 초청장을 보내 주었습니다.

그것도 내가 요청한 열한 명이나 되는 한국 참가자를 위해서 네 번으로 나누어 초청장을 보내 주었습니다. 정식 무대는 아니었지만 우리는 함께 개최되는 꼭두극 페스티벌에서 사물놀이 음악과 앙증맞은 '양주별산대' 꼭두들의 춤으로 동독의 젊은이들을 환호와 박수로 열광케 하였습니다.
Q씨, 총회 사무국 아가씨가 나에게 귓속말로 이렇게 얘기해 주더군요.
"마저 박사가 당신을 위해 얼마나 애썼는지 아세요? 그렇게 많은 한국 참가자들을 나라에서 다 초청하기는 힘들거든요."
브라운슈바이크에서 만난 마저 박사는 이제 영어로 말을 할 수 있게 되었더군요. 마저 박사와 나는 긴 시간 차를 마시며 이야기를 나눌 수 있었습니다.
"드레스덴에 초대해 주시느라 무척 애를 쓰셨다고 들었습니다. 너무도 감사드립니다."
"한국은 우리 독일과 같은 분단국입니다. 돕고 싶었어요. 유니마를 통해 한국 사람을 알게 된 것이 기쁩니다." 그는 만족스러운 얼굴을 하고 있었습니다.
"한국에 초대하고 싶습니다."
"국가에서 허락만 해준다면 기꺼이 가죠."
그와의 대화는 편안했습니다.
"꼭두극에 대해 어떻게 해서 관심을 갖게 되었어요?"
"고등학교 때, 내가 다니던 학교에 꼭두극단이 있었는데 담임선생님이 그 극단의 꼭두극 각본을 쓰는 작가여서 관심을 갖게 됐어요. 여선생님이었는데 그분은 내가 꼭두극을 하기를 원하셨죠. 처음엔

민속극을 전공했지요. 「꼭두극이 문화에 미친 영향」이라는 제목으로
논문을 썼는데 칭찬을 받았어요. 첫번째 작품은 〈닥터 파우스트〉였어요.
그 뒤에 꼭두 컬렉션도 하기 시작했고요." 내가 유럽의 꼭두극 예술에
대해서 부러워했더니, "동독에는 사년제 꼭두극 고등학교가 있습니다.
꼭두 디자인을 비롯해서 무대장치, 연출, 각본 등 모든 것을 전문적으로
가르칩니다. 유고슬라비아, 체코, 폴란드, 소련 등 유럽에는 나라마다
꼭두극을 전문적으로 가르치는 고등학교와 전문학교가 있어서 재능있는
많은 젊은이들이 그곳에 다니고 있습니다."
나는 그의 부인과 아이들에 대해서도 물었습니다.
"아내는 쉰세 살. 아주 상냥한 여자입니다. 유치원 원장으로 이십오 년
동안 어린이들을 가르치고 있습니다. 내 꼭두 컬렉션에 많은 도움을 주고
있습니다. 돈이 꽤 드니까 아내의 이해가 절대로 필요하지요. 자식은 딸
둘, 아들 하나가 있어요. 아들은 예술을 싫어하고 기술자입니다. 모터
스포츠를 좋아해서 선수로도 활약하고 있지요." 마저 박사는 수첩에서
사진 한 장을 꺼내 보여주었습니다. 부인과 아이들이 함께 찍은
사진이었습니다.
독일이 통일이 된 후에 마저 박사는 더 이상 유니마 회의에 모습을
나타내지 않았습니다. 나는 그가 몹시 궁금합니다. 그를 한국에 초청하고
싶었는데 이제 이루어지기 어려울 것 같군요.
랄프 마저 박사를 마지막으로 만난 곳이 브라운슈바이크입니다.

할머니는 동양 여자가 걱정이 돼서
마그데부르크에서

Q씨, 독일의 마그데부르크라는 도시에서 유니마 총회가 열리기로 결정되면서부터 나는 이 도시에 대해 무척 궁금증이 일었습니다. 처음 들어 보는 이름의 도시인 데다 독일 통일 이전 동독에 속해 있던 도시라는, 가려졌던 사회에 대한 궁금증입니다. 게다가 지난 1996년 부다페스트 총회에서 다음 총회 유치를 위해 나누어 준 마그데부르크의 도시 홍보책자를 읽고 나서 더 관심을 갖게 되었습니다.
이곳에서 금년 6월 23일부터 7월 2일까지 유니마 총회가 열렸습니다. 꼭두극의 국제기구인 국제꼭두극연맹(Union Internationale de la Marionnette)은 1929년 체코의 프라하에서 처음으로 발족된 세계에서 제일 역사가 오래된 공연예술의 국제단체로서, 사 년마다 총회가 열리고 그때마다 세계 꼭두극 페스티벌이 열립니다. 마그데부르크에서 그런 꼭두극 공연예술의 대잔치가 열린 것입니다.
우리나라는 현대 꼭두극의 발아가 늦어지는 바람에 1980년에야 유니마 회원국이 되어 금년이 유니마 한국본부가 설립된 지 이십 주년이 되는 해입니다. 우리나라는 '꼭두각시 놀음'이라는 전통꼭두극의 오랜 역사를 가졌으면서도, 일제의 민속놀이 금지정책 때문에 이름마저 잊힌 채 일본말인 '인형극'으로 아직도 쓰이고 있는 것이 안타깝습니다.
그렇지 않습니까. 서구의 마리오네트라든가 퍼펫 플레이(puppet play)는 분명히 생명이 없는 인형(doll)의 놀이와는 전혀 개념이 다른 것이잖아요. 어떤 형태의 물건이든 간에 그것이 오브제가 되어 조종하는 사람에 의해서 생명이 불어넣어지는 것이 소위 공연예술의 하나인 꼭두각시놀음인데 말입니다. 그래서 Q씨가 일러 주셨잖아요. 늦게나마 우리나라가 유니마에 가입한 것이 다행한 일이니, 이 김에 이름도 민속학자 이두현 교수의 지시대로 꼭두각시놀음, 또는 꼭두극으로 불러야 하지 않냐고요. 실제로, '가면' 이나 '무용' 은 우리말로 '탈' 과 '춤' 으로 쓰이고 있는데 아직도 꼭두각시놀음은 인형극으로만 쓰이고 있다는 것은 많은 반성이 필요한 일이지요. 어떻든 유니마의 회원국으로 가입시킨, 제가 해야 할 일로 책임감을 느끼고 있습니다만 실물공연을 제작하는 사람들의 의식이 바뀌어야 한다는 생각이 간절합니다. Q씨, 저는 이 이야기가 나올 때면 지금처럼 열을 올리게 되는군요.

용서하십시오. 말이 너무 길어진 것을.

한국본부의 송정숙 이사와 나는, 이십 년 전에 한국 가입을 환영해 준 유니마 회원들과 자리를 같이하게 되는 이번 마그데부르크 총회 참가에 특별한 감회를 느끼지 않을 수 없었습니다.

Q씨, 마그데부르크까지 프랑크푸르트에서 기차로 네 시간이 걸렸습니다. 중앙역에 내린 우리는 택시를 타고 곧바로 주최측에서 예약해 준 트레프 호텔로 갔습니다. 택시가 달리고 있는 시내 도로는 의외로 넓더군요.

길 한가운데 전차가 지나가고 있었고, 도로 양쪽의 건물들은 깨끗해 보였습니다. 아마 통일 이후에 새로 지어진 건물들 같이 보였습니다. 그런데 지나 다니는 사람들이 별로 보이지 않아 도시가 무척 한적해 보였습니다. 상점의 문들도 닫혀 있는 것같이 보였구요. 아마 상점들이 그다지 많지 않아서 그렇게 느꼈는지도 모릅니다. 어쨌든 사람들이 보이지 않아서 도시가 더 한적했습니다.

'왜 도시에 사람들이 눈에 띄지 않지? 오늘이 일요일도 아닌데' 하는 생각을 하고 있는데, 옆에 있던 송정숙 이사의 관찰력은 빨라서 "여기선 풀을 깎지 않고 그대로 놔두나 보죠? 저 길가에 있는 풀 좀 보세요. 그냥들 자라고 있으니" 합니다. 정말 풀들을 깎지 않아서 그냥 길게 자라고 있었습니다. 공원이나 녹지대에 있는 풀들도 잔디밭으로 가꿔져 있지 않고 그대로 풀들이 자라고 있었더군요. 사람들이 거기까지 손질을 할 여유가 없었던 것이 동독사회에서의 일상이었는지도 모른다는 생각이 들었습니다. 길에 사람들이 다니고 있지 않았던 것도, 일하느라고 낮시간에 공연히 돌아다니지 않기 때문이란 생각도 들었습니다. 이렇게 깎지 않은 풀들이 시내 한가운데서 자라고 있고 상점의 문들이 닫힌 것같이 보이는 그런 썰렁한 인상의 도시가, 지금까지 어느 도시에서도 느껴 보지 못했던 묘한 훈훈한 정감으로 나에게 와 닿았습니다. 마치 햇빛이 내리쬐고, 풀들이 밭고랑에서 자라고 있는 농촌의 모습이 연상되어서였죠. 높은 건물들이 줄지어 서 있고 사람들의 물결이 거리를 메우고 있는 복잡한 현대도시만 보다가 이런 소박한 시골 풍경의 도시에 오니까 왠지 따뜻한 흙 냄새가 느껴지는 듯한, 그런 생각이 들었습니다.

우리가 묵고 있는 트레프 호텔은 한사라는 지역에 있었습니다. 한사 지역은 공원과 식물원이 있는 마그데부르크 중심지에서 좀 떨어진

곳이었습니다. 한사 지역 초입에 통일 후에 지어진 것 같은 고급주택과
나지막한 빌라형 아파트들이 있는 것으로 봐서, 그곳도 새롭게 개발된
휴양지 같은 지역이었습니다.
그곳에서 송정숙 씨와 나는 매일 아침 전차를 타고 회의장인
아모(AMO)와 꼭두극 공연을 하는 극장까지 도중에 갈아타기도 하면서
다녔습니다. 전차 안은 사람도 적었고, 또 회의 참가자의 명찰로는 아무
데고 무료로 탈 수 있어서 항상 편안한 기분으로 전차를 타고 시내를
누볐습니다.
'아모'는 마그데부르크 시의 문화관입니다. 인구 이백만밖에 되지 않는
한적한 도시에, 모든 문화행사는 물론 국제행사까지 치를 수 있는 기능을
갖춘 문화관이 있는 것으로, 이 도시의 문화에 대한 인식이 얼마나
높은가 하는 것을 알 수 있었죠. 이 도시가 꼭두극 국제총회와 페스티벌
개최지로 선정된 것은 결코 우연한 일이 아니라는 것이 주최측의
이야기였습니다. 독일이 동서로 갈라져 있을 때 서독의 보쿰과 뮌헨,
그리고 동독의 드레스덴, 이렇게 이미 세 도시에서 꼭두극 총회가
개최됐는데, 동서독이 통일되고 2000년의 첫번째 총회지로 이
마그데부르크가 결정된 것은 오랜 꼭두극 역사를 가진 이 도시가 유럽
전체 도시를 대표하는 뜻이라더군요.
마그데부르크 시가 가지고 있는 역사 기록에 의하면, 1775년
수덴부르크라는 이 도시 교외에 '꼭두각시놀음의 패거리'들이 있었는데,
1920년 그 중 한 가족이 마그데부르크에 와서 성당 미사 때 처음으로
공연을 했다고 합니다. 이를 계기로 1958년에 마그데부르크 시가 제대로

된 꼭두극장을 지어서 그들 꼭두극 가족이 공연을 할 수 있도록 했는데, 올해가 바로 그 마그데부르크 시립꼭두극장의 건립 사십 주년이 되는 해라고 하네요.

Q씨, 마그데부르크에는 특별한 자랑거리가 있었습니다. 17세기 때, 유명한 물리학자이며 이 도시의 시장이었던 오토 폰 구에리케가 마그데부르크에는 특별한 자력(磁力)이 있다고 했답니다. 이에 대해 시민들 사이에서 많은 논쟁이 있었는데, 구에리케는 그것을 증명해 보이기 위해 두 개를 마주 붙여서 진공으로 만든 둥근 구(球)를 가운데 두고 그것을 양쪽에서 말들이 잡아당기는 방법으로 진공 실험을 했죠. 구에리케가 생각했던 대로, 두 쪽을 합쳐 만든 진공구는 끝까지 떨어지지 않았습니다. 마그데부르크에는 틀림없이 어떤 특별한 자기(磁氣)의 힘이 있다는 것을 증명한 것이죠. 그 실험 이야기는 모든 초등학교 교과서에 실려 있다고 합니다. 마그데부르크 사람들이 아주 순박하고 착한 성격들을 가진 것도 이 특별한 자력을 가지고 있는 땅 때문이라는 이야기도 있습니다.

마그데부르크는 이 도시의 심벌도 다른 도시와 다릅니다. 보통은 도시를 수호하는 뜻으로 독수리나 사자 같은 위엄있는 동상을 세우지만, 마그데부르크에서는 그런 무서운 동물이 아니라, 아름다운 여인 마그다가 푸른 화환을 한 손에 높이 들고 시민들과 이 도시를 찾아오는 사람들에게 환영의 손짓을 하는 동상을 심벌로 하고 있었습니다.

마그데부르크 주변의 땅은 독일 전체에서 가장 비옥한 땅이라는군요. 그래서 이 지역 사람들은 옛날부터 농사를 짓고 살았기 때문에, 통일

후에도 현대식 건물이 들어서며 빠르게 개발되는 것을 원치 않고
있습니다. 역사가 천이백 년이나 되는 이 옛 도시에 지어졌던 중세 때의
건축물들은 세계 제이차대전에 의해 거의 파괴되었지만, 로마네스크식
수도원과 고딕식 성당이 이 도시의 역사를 지켜 주고 있었습니다.
마그데부르크 도시 한가운데를 흐르고 있는 엘베 강변에는 거대한
공사현장이 도로를 가로막고 있었습니다. 그것은 엘베 강에 운하를
건설하려는 항만공사였죠. 도시를 옛 모습으로 간직하려는 사람들과
도시의 경제발전을 위해 이런 굉장한 인프라 투자에 열기를 올리고 있는
사람들이 함께 살고 있는 곳이 바로 한적한 시골도시로만 느껴졌던
마그데부르크였습니다.

마그데부르크에서 만난 한 할머니의 모습이 나는 아직도 머리에서
떠나지 않고 있습니다. 말이 통하지 않았던 그 할머니는 낯선 동양
여자가 걱정이 되어서 우리를 끝까지 놔주지 않고 길을 가르쳐 주려고
하는 바람에, 오히려 우리는 가지 못하고 할머니와 동문서답만 하고
있어야 했죠.

그러다가 마침내 묘안이 떠올라서 나는 내가 알고 있던 독일어 단어를
댔습니다. "합트 반 호프!" 할머니는 우리가 가려고 하는 곳이
'중앙역' 인 줄 알고 "아, 합트 반 호프?" 하더니 바로 뒤쪽으로 보이는
중앙역을 손가락으로 가리켜 주었습니다. 실은 우리가 가려고 하던 곳은
중앙역이 아니었는데 말입니다.

할머니는 우리가 중앙역 쪽으로 틀림없이 가고 있는가를 보고
있었습니다. 우리는 할머니가 보지 않을 때까지 그쪽으로 걸어가야 했죠.

우리가 가야 할 곳은 반대방향이었는데도 말입니다.
마그데부르크에는 이렇게 정이 많은 할머니가 살고 있었습니다.

나이 지긋한 물리학 교수의 안내를 받으며
프라하에서

프라하에서 사 온 모자를 아직 한번도 쓰지 못한 채 올 여름도 보냈다. 나를 안내해 준 김지인 여사의 모자 쓴 모습이 너무 좋아 보여서 "참 아름다워요!" 했더니, 그녀는 당장에 모자집으로 나를 데려갔다. 그녀가 모자 하나를 씌워 주며, "아주 잘 어울려요! 정말 예뻐요!" 하기에 거울을 들여다보니까 내가 보기에도 어울리는 것 같아서 사 가지고 온 여름모자였다.
한때, 나도 모자를 즐겨 쓰고 다녔던 일이 있어서 모자를 쓰는 일이 새삼스러운 일도 아니었는데, 어쩌다 두 여름을 그냥 보낸 것이다. 모자는 둘레에 챙이 달리고 브라운색 벨벳 리본이 돌려져 있어서 여간 멋지지 않다. 환경이 달라지면 패션에 대한 감각도 변하는 것일까. 프라하에선 그런 패션의 모자를 써도 아무렇지 않게 생각되었는데 서울에 오니까 역시 용기가 나지 않았다. 옷장 선반에 놓여 있는 모자를 볼 때마다 섬세하고 자상했던 김지인 여사 생각이 난다.
나는 헬싱키에서 돌아오는 길에 용단을 내려서 프라하에 들렀다. 서울을 떠날 때 미리 들를 것을 예정했던 것이 아니기 때문에, 용단을 내려야

했던 것이다. 프라하는 헬싱키와 서울을 오가는 길에 들를 수 있는 곳도
아니고, 또 우리나라 사람이 체코(당시에는 체코슬로바키아)에 가려면
입국비자가 필요하기 때문에 구차하게 어디에선가에서 비자를 받아야
하는 번거로움도 있어서 더욱 그랬다.

그러나 사실 프라하가 아니었어도, 다음 행선지로 떠나기 전날의
나그네에겐 언제나 두려움의 파장이 인다. 혼자서 미지의 땅을 밟는
설렘이 바로 그 두려움의 파장과 같은 것.

프라하공항에서 리무진 버스로 시내터미널까지 갔다. 리무진 버스 안에
분명히 몇 사람인가 같이 탔던 것 같았는데, 터미널에서 내리고 보니 나
혼자뿐이었다. 나만 탔던 것은 아닌데, 우물쭈물하다 보니 함께 탔던 몇
명 안 되는 사람들이 다 가 버린 것임을 알았다. 그들은 모두 나같이 처음
온 사람이 아니거나 프라하에 사는 사람들이어서 금방 자기들 갈 곳을
알고 차에서 내린 것이다. 터미널은 여행객들로 북적거릴 것 같았는데
내가 타고 온 큼직한 리무진 버스가 가 버리고 나니 그 자리엔 내 트렁크
둘과 나만이 남아 있었다.

터미널은 그토록 한적하였다. 어린 소녀가 트렁크 위에 걸터앉아 자기를
데리러 오는 사람을 기다리는 영화 장면은 무척이나 인상적이더니,
실제로 그런 상황이 되니까 겁부터 났다. 바로 길 건너 넓은 곳에
택시들이 서 있는 것을 보지 못하고, 물어볼 사람을 찾느라 헤매다가
한참 만에야 알고 그쪽으로 갔다. 여행하는 사람이 별로 보이지 않는
쓸쓸한 터미널에선 나그네는 잠시 바보가 된다.

체코슬로바키아에서는 여행에 관한 모든 업무를 나라에서 운영하는

체도크라는 여행사에서 하고 있었다. 나는 세 시간 코스의 다음날 시내관광을 예약했다.

오전 열시, 버스가 떠나는 체도크 앞에는 여러 대의 크고 작은 관광버스가 세워져 있었다. 그 많은 버스 중에서 내가 타야 하는 차가 어느 것인지 찾기 위해 정신을 차리고 앞에서부터 뒤까지 써 붙인 글씨를 읽었다. '프라하 역사의 명소' '프라하의 전경' 등 유혹적인 말들이 쓰여 있는 데다 영어와 독일어 안내, 불어와 스페인어 안내문 등, 같은 코스에도 안내하는 언어에 따라 버스가 다르기 때문이었다.

내가 탈 버스는 운전석까지 합해서 여덟 사람이 탈 수 있는 소형 승합차. 그런데 시간이 됐는데도 차 안에는 타고 있는 사람이 하나도 없었다. 버스 앞에서 서성이는 한 남자에게, "이것이 열시에 떠나는 '프라하 유적지' 관광차냐?"고 두 번씩이나 또박또박 되묻기까지 했다. 혹시 잘못 알아듣지 않았나 해서였지만 그때마다 대답은 "예스!"였다.

틀림없이 그 차는 내가 타야 하는 것이 맞는데, 출발시간이 십 분이나 지났는데도 차 안에는 운전사도 보이지 않았다. 차 앞에서 서성대고 있던 키가 작은 남자는, "왜 떠나지 않느냐"는 내 말에는 대답도 않고, 그냥 차에 타라고만 해서 나는 차 안에서 이유도 모르고 앉아 있을 수밖에 없었다. 이럴 땐, 내가 상대의 말을 잘못 알아듣고 있지나 않나 해서 긴장을 한다.

십 분인가 더 지났을 때 나는 그 차가 왜 떠나지 않고 있는지 알았다. 손님이 나밖에 없어서였다. 키 작은 남자가 아까부터 차 앞에서 왔다갔다 하며 지나가는 사람에게 다가가서 말을 붙이다가 돌아오곤 하더니 바로 자기 차로 관광을 하지 않겠느냐는 호객을 하고 있었던 것. 나이 지긋한 한 신사가 언제부터인가 작은 키의 남자와 함께 서 있었는데 그가 차에 타더니 "너무 오래 기다리게 해서 미안합니다. 손님이 당신밖에 없어서 그런 거랍니다"라고 하기에 안 것이다. 그리고 내가 탄 차가 바로 작은 키의 남자 차라는 것도. 정부가 운영한다는 체도크에 개인 소유의 차를 가지고 들어와서 돈을 벌게 하는 모양이었다.

"내가 오늘 당신을 안내하게 된 사람입니다. 출발이 늦어진 것을 미안하게 생각합니다." 나이 지긋한 신사는 바로 영어를 사용하는 관광가이드였다. 손님을 나 한 사람만 태우고 안내인까지 쓰며 프라하 시내를 돌게 한다고 생각하니, 이제는 내 쪽에서 "좀더 기다려 보죠" 하는 말이 저절로 나와서 그 작은 키의 남자에게 말했다. 그러나 운전석에 앉은 그는 이미 체념한 듯 아무렇지도 않은 표정으로 차의 속력을 내고 있었다. 그런 체험은 이번만이 아니기 때문인지?

나는 가이드가 하라는 대로 앞좌석에 앉은 그의 옆으로 자리를 옮겨 앉았다. 그렇게 하는 것이 자기의 설명을 듣기가 더 좋을 거라고 했기 때문이다. 그러고 보니 완전히 차를 대절해서 신사 가이드까지 데리고 혼자서 고도 프라하를 관광하게 된 셈이었다.

"여기가 프라하의 본역입니다. 여기는 브르홀르츠키 공원이고요." 자기 이름을 에드가 로타라고 소개한, 옆에 앉은 가이드 신사는 밖에 보이는 건물과 거리들을 조용한 음성으로, 그리고 천천히 알아듣기 쉽게 설명했다. 나만을 위해서 설명해 주는 것이기 때문에 큰 목소리가 필요 없어서였겠지만 그의 음성은 다정하게 느껴졌다. 그렇게 느끼는 것이 그에 대한 예의 같기도 했다. 나는 로타 씨에 대해서 궁금한 생각이 들었다. 마침내 나는 그에게 묻기 시작했다.

"당신은 어떻게 그토록 영어를 잘하세요? 체코 사람들이 다 영어를 잘하나요?" "가족이 몇이세요? 부인도 일을 하시나요?" 등등.

로타 씨는 약간 머뭇거리더니 여전히 조용한 목소리로, "저는 원래 대학에서 물리학을 가르쳤습니다. 체코가 민주화가 된 후, 나 개인의 생활도 좀더 자유로워지고 싶었거든요. 대학에 돈이 없어서 물리학 교수로서 연구나 실험을 못 하니까 제자 볼 낯이 없더군요. 고민 끝에 작년에 학교를 그만두고 말았습니다. 영어는 어떻게 배웠냐고요? 오래전 스웨덴에 있는 한 물리연구소에 초청되어 간 일이 있었지요. 이 년 기간이었는데, 더 연장할 수 있었으나 체코 정부가 허락하지 않아서 돌아오게 되고 말았습니다."

처음부터 그에게서 풍기는 지적인 느낌이나 인상이 그냥 관광가이드 같지가 않다는 생각이 들었는데 그것이 맞았던 것이다. 계속 나는 로타 씨에게 이야기를 시켰고, 그도 마치 이야기하고 싶었던 것을 들려주기나 하듯 조용조용 이야기를 하였다.

"우연히 어떤 물리학 전문지에서 스웨덴의 한 연구소 초청 정보를 보고는 거기에 가고 싶어서 혼자서 열심히 영어를 공부했지요. 그때 영어공부를 한 것이 지금 내가 이렇게 자유로운 생활을 하도록 해주고 있는 것입니다. 마음속으로 얼마나 고맙게 생각하는지 모릅니다. 저는 딸만 둘이 있지요. 부인도 학교 선생이랍니다."

로타 씨는 물론 창밖에 보이는 명소들의 설명을 잊지 않았다.

"이 강이 블타바 강입니다. 프라하 시가를 가로지르고 있지요. 우리가 지금 건너고 있는 것이 제일 아름다운 카를 다리이구요. 저기 보이는 것이 프라하 성, 저것이 궁전, 그리고 블타바 강 이쪽에는 구 시청건물이 있는 옛 시가지가 있지요." 강 건너로 보이는 언덕은 정말로 아름다웠다. "이따가 구시가지에도 갈 겁니다. 화약탑이 유명하지요. 그리고 매시 정각마다 예수의 열두 제자 인형들이 종소리와 함께 나왔다 들어가는 시계탑이 아름답습니다."
그러는 동안에 우리가 탄 차는 프라하 성 근처의 소지구 광장에 닿았다. 여기에서 차에서 내려 성 니콜라스 성당과, 대통령 관저, 스테인드글라스가 아름다운 옛 교회 등을 로타 씨를 따라 돌았다. 관광객들로 붐비는 그곳 광장을 걸으면서 그는 내 옆으로 좀더 가까이 서더니, "가방을 잘 붙들고 다니세요. 이곳 집시들의 소매치기가 심하답니다. 이들은 가방을 열고 돈을 꺼내고는 다시 지퍼를 닫아 놓고 가기 때문에 소매치기를 당한 줄도 모르고 다닐 정도랍니다" 하며 아무런 주의없이 어깨에 덜렁 걸치고 있던 내 가방을 직접 나의 앞쪽으로 돌려 주었다. 그러면서 나를 쳐다보며 웃는 것이 소매치기가 있는 자기나라에 대한 부끄러움의 표정 같아, 나는 얼른 "어떤 나라에나 소매치기는 있지요. 우리나라도 그래요"라고 말하고는 그가 일러 준 대로 두 손으로 가방을 꼭 잡아 보였다.
광장을 지나 황금 소로라는 언덕길에는 사람이 둘만 들어가면 꽉 찰 것 같은 조그만 집들이 한쪽으로 쪼르르 늘어서 있었는데, 그는 한 집 한 집 성의있게 나를 데리고 그 집들로 들어갔다. 옛날에는 성을 지키는 성지기와 황금으로 세공예품을 만드는 사람들이 살았던 집들이라는데 지금은 관광객을 위한 가게가 되어 우표라든가 그림책, 액세서리 등을 팔고 있었다.

그 중의 한 집이 체코의 작가 카프카가 낮이면 와서 글을 쓰고 밤 늦게 자기 하숙으로 돌아오곤 했다는, 카프카를 제일 좋아한 막내 여동생의 집이었다는 이야기도 들려주었다. 카프카가 글을 썼다는 이층 방으로 허리도 못 편 채 계단을 올라가니까 블타바 강과 더불어 구시가의 정경이 손바닥만한 창문으로 한눈에 들어왔다.

다시 차를 타고 블타바 강을 건너올 때에 나는 로타 씨에게 묻고 싶은 것을 마저 물었다.

"대학 교수직을 그만두고 관광안내 일을 하는 것에 만족하시나요?"

"수입이 훨씬 좋으니까요"라고 그가 대답했다.

"내가 영어를 하는 것을 동료교수들이 부러워하고도 있답니다"라며 그가 덧붙인 말은 현재의 상황에 만족하고 있음을 강조하는 것 같아 묻는 나의 마음도 기뻤다.

하지만 고맙게도 나의 물음에 아무런 거리낌없이 이야기를 들려준 그의 목소리가 유난히 가라앉아 있었다. 자유와 바꾼 한 물리학 교수의 사라진 자존심 때문이라고 생각하는 것은 나의 과민한 상상일는지.

관광을 끝낼 무렵 나는 그에게 고마움의 인사로 서울에서 가지고 간 올림픽 기념 손목시계를 주고 싶다고 말했다. 그러고는 나의 호텔 전화번호를 알려 주었는데, 내가 프라하를 떠나기로 한 날까지 로타 교수에게선 연락이 오질 않았다. 쓸쓸한 일이었다.

처음 본 발레 〈마농〉의 군무를 즐기다
부다페스트에서

"헝가리는 다른 동유럽 국가보다 풍요로워서 없는 것이 없어요. 특히 부다페스트에서 쇼윈도에 진열된 물건들을 보면 사회주의 국가였다는 생각이 조금도 들지 않을 정도예요. 그래서 시민들의 얼굴도 밝지요."
헝가리 주재 박용우 대사의 부인인 장명숙 여사는 외교관 부인다운 교양으로 호텔까지 가는 차 안에서 부다페스트에 대한 설명을 하면서 내가 혼자서 가 볼만한 곳을 조리있게 일러 주었다.
"도나우 강을 사이에 두고 부다와 페스트라는 두 도시가 합해서 부다페스트가 되었는데 강 서쪽은 왕궁이 있던 곳으로, 옛 궁전들이 아름답습니다. '왕궁의 언덕'에서 내려다보면 도나우 강과 함께 부다페스트 시가 한눈에 보이지요. 동쪽의 페스트 지구는 오피스 빌딩 거리와 상점들로 된 번화가가 있습니다. 이경희 여사가 묵을 캠핀스키 호텔도 번화가에서 가까워서 혼자 구경 다니기에 편합니다. 바로 가까이에 이부즈 여행사도 있어서 이곳에 가면 여행안내도 다 받을 수 있습니다."
장 여사는 이야기하는 도중에도 차가 중요한 건물이나 거리를 지나갈 때면, "저것이 국회의사당이에요. 건축이 아름답죠? 내부의 벽화들이 굉장해요. 이 거리는 부다페스트의 중심 거리인 인민공화국 거리랍니다. 이 거리에서 얼마 안 가면 국립 오페라극장이 있습니다. 참, 내일부터 헝가리 국립발레단의 발레 〈마농〉이 공연되는데 가 보지 않겠어요?"

발레 공연의 정보는 내 귀에 제일 반갑게 들어왔다. 더군다나 〈마농〉은 내가 본 일이 없는 작품이었다.

그날 저녁 나는 장 여사님 댁에서 식사 대접을 받았다. 나를 데리고 관저로 가기 위해 도나우 강을 건너면서 그녀는 "지금 우리가 건너고 있는 다리는 에르제베트 다리라고 해요. 저쪽 것은 현수교로, 도나우 강에 있는 다리 중에서 가장 아름답습니다. 이따가 돌아올 때는 그 현수교를 지나려고 해요. 밤이면 불빛들이 강물에 비쳐서 찬란하답니다"라며 설명해 준다.

'정말 아름답구나!' 흐르고 있는 도나우 강물이 푸르진 않더라도, 그리고 한낮이라 불빛이 강물에 비치고 있진 않더라도, 도나우 강 양안에 보이는 언덕과 건축물들은 가슴을 설레게 할 정도로 정겹고 아름다운 정경이었다.

다음날 나는 오페라극장에서 공연되는 헝가리 국립발레단의 〈마농〉을 보러 갔다. 표를 사야 하기 때문에 좀 일찍 가서 기다리는 동안, 길 건너에 있는 노천카페에 들어갔다. 발레 구경을 하기 전에 요기도 할 겸해서였다.

내가 요기를 할 수 있는 것이 어떤 것인지 물어보려고 했으나, 메뉴를 불쑥 내 앞에 놓고 그대로 가 버린 종업원은 영 다시 오지를 않아서, 나는 그냥 그가 놓고 간 메뉴를 뒤적일 수밖에 없었다. 그러나 메뉴에 적힌 글씨들을 봐도 뭐가 뭔지 도저히 추측조차 할 수 없었다. 아무리 짐작이라도 해 보려고 들여다보아도 헝가리 말로 써 놓은 내용은 단 한 가지도 알 수 있는 것이 없었다. 하는 수 없이 나는 각각 다른 항목에서

하나씩을 골라 주문했다. 그냥 '마실 것' 과 '씹는 것' 을 시킨다는
생각으로 종업원에게 손가락으로 두 군데를 눌렀다. 내가 시킨 것이
어떠냐고 좀 그에게 물어보려 했는데 그는 입을 딱 다물고 내 앞에
버티고 서 있다가 내가 누르고 있는 손가락만 보고는 그냥 가 버렸으니
그렇게 주문할 수밖에 없었다. 물론 아라비아 숫자는 눈에 들어왔기
때문에 값으로 분간을 해서 선택한 것이지만, 대체 어떤 것을 가지고
오려나 하고 기다렸다.

얼마 후에 종업원이 들고 온 쟁반 위에서 내려놓은 것은, 하나는 찬
주스이고, 또 하나는 뜨거운 차였다. 얼마나 어이없고 실망인지…. 겨우
고른다는 게 얼음이 들어 있는 유리컵 안에 빨대가 꽂힌 무슨 과일인가
하는 주스와, 더운물에 찻주머니가 담겨 있는 티, 말하자면 홍차였던
것이다. 홍차는 내가 시키려던 것과 비슷하게 맞았지만, 엉뚱하게도
부드러운 케이크쯤으로 알았던 것이 유리잔 속에 장식까지 넣어서 나온
과일주스였으니…. 이렇게 두 가지를 다 마실 것으로만 주문했는데도
무어라고 좀 일러 주기는커녕 표정 하나 바꾸지 않고 테이블 위에
놓고는, 그 옆에 하얀 계산서 쪽지까지 놔두고 간 그 종업원이
밉상스러워서 그의 뒤통수를 노려봐 주었다. 물론 그에게 무슨 죄가
있으랴. 이럴 땐 자기 위안을 위해 그렇게라도 공연히 남에게 탓을 돌려
보려는 것일 뿐.

나는 카페에서 폼도 못 내보고 과일주스만 후딱 마시고는 일어났다.
사실, 비싼 발레 공연을 보러 가는 사람이면 카페에서 좀 폼도 내볼 수
있는 것 아니겠는가. 실제로 그 카페에는 발레 표를 살 때 봤던 남녀들이

여러 쌍 눈에 띄었다. 그들은 멋있게 차려입고 접시 위에서 두 손을
움직이고 있었는데, 그와 대조적으로 키 높은 유리 글라스와 홍차 잔만이
놓여 있는 내 테이블의 모습이 부끄러워 주스를 남긴 채 자리에서 일어나
밖으로 나왔다. 그러고는 오페라극장을 향해 길을 건넜다. 극장 앞에
세워진 헝가리의 대작곡가 리스트의 동상을 쳐다보면서도 속상하고
부끄러운 마음이 가라앉지 않아 곧장 극장 계단을 올랐다.
부다페스트에서 많은 것들을 보고 다녔으면서도, 말하자면 가우디에
버금가는 헝가리 건축가가 지은 공예박물관이라든가 바르토크
기념관에서의 실내악 연주, 국립도서관의 내부 공관과 그 안에 수장되어
있는 수많은 장서들, 이런 것들에 대한 이야기보다 발레를 보러 갔다가
카페에서 무안하고 속상했던 일이 더 기억으로 남는 것이 이상하다.
발레 〈마농〉은 처음 보는 것이었지만 오페라나 영화에서 본 스토리를
되살릴 수 있어서 장면 장면의 춤동작을 즐길 수 있었다. 나는 발레를 볼
때마다 프리마돈나의 솔로 춤이나 이인무(二人舞), 파 드 되보다 군무를
더 즐긴다. 다양한 고도의 기술동작을 아슬아슬한 마음으로 숨죽이고
보는 것보다, 발레음악의 가장 아름다운 선율이 오케스트라로
연주되면서 발레리나들이 사뿐히 뛰어나와 똑같은 동작으로 팔다리를
움직이는 군무야말로 무대 전체를 황홀하게 만들기 때문이다. 발레
〈마농〉에서는 그런 군무가 많아서 더 좋았다.
부다페스트에서 나는 온천에도 들렀다. 헝가리에는 전국에 온천이
많다고 한다. 호텔에서 아침 일찍 택시를 타면 이십 포린트밖에 들지
않는 곳에 있는 루다슈 온천에 갔다. 온천장 건물 안에 들어가긴 했는데,

여기서도 말이 전혀 안 통해서 도무지 표를 사는 방법을 알 수 없었다. 우리나라의 목욕탕에서처럼 유리창 안에서 표를 파는 아주머니가 무어라고 물어보는데 알아들을 수가 없었다.

한참을 서성거리고 서 있는데 영어를 아는 젊은 여성이 들어왔다. 나에게 목욕만 할 것이냐 마사지까지를 할 것이냐를 묻는 것이었다. 이왕이면 싶어 마사지까지 한다고 했더니 몇 분짜리를 할 거냐고 또 묻는 것이었다. 이곳에는 삼십 분짜리와 한 시간짜리 마사지가 있었다. 돈만 내면 들어갈 수 있는 것이 아니라 이렇게 온천을 하는데도 종류도 여러 가지가 있으니, 표 파는 아주머니의 말을 눈치나 손짓만 가지고는 도저히 알아들을 수 있는 것이 아니었다. 게다가 안전한 로커룸을 사용하려면 열쇠 하나를 더 사야 하므로 이것도 또한 손짓만 가지고는 안 되는 일이었다. 어쨌든 나는 영어를 아는 여성 덕분에 온천장에 들어갈 수 있게 되었다. 표 값은 이십사 포린트였고 마사지 값으로는 사십 포린트를 더 냈다.

이곳 온천에서는 수영복을 입고 탕 속에 들어가게 되어 있었다. 입장료를 내면 수영복과 모자까지 빌려 준다. 아침 일찍이었는데도 벌써 많은 사람들이 탕 속에 들어가 있었다. 수증기가 자욱한 온천장 탕 안은 높은 천장의 둥근 돔으로 되어 있어서, 낡긴 했지만 마치 로마의 네로 황제가 쓰는 욕탕같이 호화로운 분위기였다. 의외로 온천물은 미지근했지만 그 대신에 사우나를 할 수 있는 증기실이 따로 있어서 몸을 풀 수 있었다. 봉사가 지팡이로 더듬듯이, 눈만 떴지 다음에 어디로 가서 마사지를 받아야 하는지, 또 수영복을 벗어서 어떻게 해야 하는지 알 수 없었지만,

나는 계속 말 대신 손짓으로 물어서 종업원 아줌마에게 마사지실을
안내받았다. 그렇게 찾은 마사지 아줌마들의 손놀림이 얼마나 부드럽고
잰지, 정말 기분 좋은 경험이었다.

부다페스트를 떠나기 전날 장명숙 여사는 부다페스트 근교에 있는
센텐드레라는 예술인 마을로 나를 안내했다. 젊은 예술인들이 많이
산다는 이 센텐드레 마을에는 오래된 성당과 미술관, 민예품점이 많았다.
아주 조용하고 깨끗한 마을인 센텐드레는 오래된 집들이 흰 담에 붉은색
지붕을 하고 있어서 경사진 좁은 골목까지도 밝게 느껴졌다.

민예품들을 파는 상점에는 으레 통마늘과 붉은 고추들이 새끼에 엮여서
천장에 매달려 있었다. 마치 한국의 시골에 간 것 같은 인상이었다.
헝가리의 유명한 여성 도예가의 작품들로 가득한 미술관은 그 작품의
다양성과 스케일로 나를 탄복시켰다.

장 여사는 나무로 지어진 오래된 헝가리 전통식당으로 나를 안내했다.
그녀가 주문해 준 잉어매운탕이 어찌나 한국의 매운탕 맛과 똑같고
맛있는지 놀라지 않을 수 없었다. 인류학자 루이스 리키의 말대로
한국인과 헝가리인의 조상은 같은 몽골 유목민이었다가 한 무리는
한반도 쪽으로, 다른 무리는 유럽 쪽으로 갈라져 내려가서 헝가리에
정착했다는 가설을, 바로 음식이 확실하게 증명해 주고 있었다. 헝가리의
음식 굴라쉬도 우리의 된장찌개와 같다는 게 아닌가. 전통음악의 박자가
다섯 박자로 된 것도 헝가리와 한국에서뿐이라는 것도 한 증거라는 것.
실제로 헝가리 음악에서 우리의 농악 리듬을 듣고 놀란 일이 있었다.
식탁 위에 다진 마늘과 시뻘건 고추를 다진 양념그릇까지 놓여 있는 것을

보고 서울 어느 식당에 와 있는 것이 아닌가 하는 착각이 들었다. 우리의 식탁 정서와 어떻게 이토록 같은지. 민족의 조상은 정말 속일 수 없는 것이라는 생각을 하며 잉어매운탕 큰 그릇을 다 비웠다.

순수한 열정으로 의무를 다하며 사는 사람들
헬싱키에서

헬싱키 공항에 내리니까 마리아라는 한 핀란드 여인의 이름이 생각났다. 까마득히 잊었던 여인이었는데 용케도 그녀의 생각이 떠오른 것이 신기하다.
아주 오래전, 마리아 씨와 나는 부에노스아이레스에서 열린 전문직업영성 국제회의에서 만났다. 여러 나라에서 모인 그 많은 여성 중에서, 오로지 엘리베이터 안에 둘이만 탔었다는 인연으로 그녀와 여러 해 동안 편지를 주고받았다.
마리아 씨는 어찌나 정성껏 편지를 보내오던지 회신을 미처 못 해서 쫓기는 기분이었다. 나는 겨우, 영문으로 된 나의 책 한 권을 보내는 것으로써 그의 편지에 대한 답신을 대신했을 뿐, 실제로 잠깐 만난 그녀에게 할 말이 없었다. "당신을 만나게 된 것을 참으로 기쁘게 생각합니다" 또는 "당신은 참으로 친절한 분이셨습니다" 그러고는 "가까운 장래에 다시 한번 꼭 만나게 되기를 빕니다" 등, 이런 인사말 외에 아무리 다정한 얘기를 한대도 석 줄을 넘기지 못했는데, 그녀는 언제나 길게길게 편지를 적어 보내는 것이었다.

마리아 씨의 직업은 노인들을 돌보는 간호사라는 것, 그녀의 이름이 마리아 무엇 무엇이었다고 기억났던 것도 '마리아'와 '백의 천사'를 연관시켜 생각했기 때문이다.

혼자 사는 그녀는 언제나 자기가 돌보고 있는 노인들에 대한 이야기를 적어 보냈기 때문에 늘 이야기가 길 수밖에 없었다. 마치 노인들을 간호하는 생활일지 같은 편지라고 할까, 어쨌든 수기(手記)를 읽는 것같이 실감나는 편지였다. 어떻게 그런 천사 같은 생활을 할 수 있는지. 게다가 잠깐 만난 인연의 사람에게 그렇게도 꾸준히, 정성스럽게 편지를 써 보낼 수 있는 건지.

나는 그저 "당신은 정말 좋은 일을 하고 계십니다" "당신의 보살핌을 받고 있는 노인들은 얼마나 행복할까요?" 이런 말로 그녀의 천사 같은 마음의 활동에 대해 탄복하는 답신을 보내곤 했지만, 그것도 길게 지속하질 못하고 말았다.

노인들을 돌보아 주는 일을 그토록 천직(天職)같이 기쁜 마음으로 하고 있는 그녀에게, 내가 하고 있는 잡다한 일들은 도무지 이야기가 재미없어서 쓸 수가 없었다. 그러다가 그녀의 편지도 끊기고 말았다. 그녀의 편지에는 언제나 나에게 핀란드에 들러 달라는 말이 써 있었다. "당신의 일하는 모습이 보고 싶고, 당신이 돌보고 있는 노인들과도 만나고 싶다"는 얘기를 편지에 썼기 때문이다. 그러다가 언젠가부터는 마리아 씨와의 약속을 위해서 그곳에 가지 않으면 안 될 것 같은 생각까지도 들었던 것이다.

그랬던 핀란드 땅에 발을 딛게 된 때는 마리아라는 이름을 잊은 지 오랜 후였는데 공항에서 문득 그녀 생각이 난 것이다. 벌써 이십여 년이 지난 옛날 일이라 그녀의 얼굴도 기억하지 못하지만, 그녀가 사는 핀란드 땅에 왔다는 것만으로도 감격스러웠다.

사실 나는 핀란드에 대해서는 별로 아는 것이 없었다. 작곡가 시벨리우스의 나라, 헬싱키 올림픽이 열렸던 나라, 산림과 호수가 많은 나라…, 그 정도나 알까? 그리고는 아이들이 아는 것까지를 주워 모아 본대도 산타클로스와 순록이 떠오를 뿐이다.

그런 핀란드가 갑자기 나의 관심 속으로 들어오게 된 것은 핀란드의 서파 시보리 여사가 내가 관계하는 유니마(UNIMA, 국제꼭두극연맹)의 회장이 되면서부터였다. 시보리 여사는 체격도 크고 목소리도 굵직한, 아주 강한 리더십을 느끼게 하는 여성이다. 곁은 남성보다도 더 힘을 느끼게 하는 여성이지만 자상하면서도 마음이 따뜻해서 처음 그녀를 본 순간부터 좋아하게 되었다. 이상하게도 핀란드는 마리아 씨와 서파 시보리 여사, 이 두 여성으로 인해 관심을 갖게 된 나라라고 해도 될 것 같다.

나이가 적지 않은데도 공항까지 마중 나와 준 시보리 여사는 꼿꼿한 자세로 운전석에 앉아서 나를 숙소인 팔래스 호텔로 데려다 주었다. 그녀가 유니마 회장에 선임된 후에 첫번째 이사회를 헬싱키에서 가졌는데, 나는 국제이사에서 물러난 후였지만 그 나라를 여행하는 좋은 기회여서 평의원 자격으로 그곳을 찾았다.

헬싱키는 다른 유럽 나라들과 달리 고풍스럽다거나 아기자기한 도시는

아니었지만 나무와 공원이 많았고, 커다란 바위가 길 위에 솟아 나와
있어도 그것을 있는 그대로 살려 두고 있는 곳이 많았다. 시보리 여사가
운영하고 있는 '푸른 사과'라는 이름의 꼭두극장도 그런 바위와
나무들이 있는 언덕 위에 있었다.

이사회가 시작된 다음날 시보리 여사는 자기의 극장에서, 자기가 직접
제작하고 연기도 하는 「황금새를 찾는 소년」이란 꼭두극을 보여주었다.
어린이를 위한 꼭두극이었는데 연기생활 오십 년이 되었다는 노년의
시보리 여사가 직접 무대 위에서 연기를 하는 것을 보고 놀랐다. 그것도
객석이 칠십여 석밖에 안 되는 조그만 무대에서였다. 어떻게 그렇게
어린이들을 위해서 진지한 표정과 열정으로 연기를 할 수 있는지 놀랍고
한없이 존경스러웠다.

'푸른 사과'라는 꼭두극단 단원은 배우와 무대기술자, 꼭두제작자,
그리고 기획을 맡고 있는 우울라라는 아가씨를 포함해서 모두 일곱
명이었다. 그 일곱 명의 단원이 꼭두제작에서, 공연, 사무 일까지를 맡아
가며 한 해에 삼백 회의 공연을 하고 있단다.

공연이 끝난 후에 다락방 같은 이층에서 조촐한 파티가 있었는데 이
파티를 위해 책상 위에 차려진 음식들도 단원들이 한 가지씩 역할을
맡아서 직접 만들었다는 것. 기획 일을 맡고 있는 우울라 양이 메뉴를
짜고 요리를 만들었다는데 맛도 특별했지만 테이블 장식이 너무도
섬세하고 아름다워서 음식을 건드리기 아까울 정도였다. 어느 나라든지
연극인들의 극단살림은 넉넉지 않은 것이지만, 이들의 알뜰하고도
기능적인 모습 자체가 무대 위의 공연을 보는 것같이 멋지고 조화로웠다.

헬싱키에 머무르는 동안 나는 시보리 여사에게 부탁하여 한 노인 센터를
안내받았다. 핀란드에는 노인들을 위한 시설이 잘 되어 있다는 얘기를
들어서였지만, 마리아 씨가 들려준 노인들 생각이 나서였다.
내가 안내받은 노인 센터는 이층으로 지어진 현대식 건물인데 주변의
환경과 잘 조화되게 지어져 있어서 센터 건물로 들어가는 것이 그냥 내
집 마당의 잔디밭을 지나서 안채로 걸어 들어가는 그런 느낌의 노인
센터였다.
실제로 그 센터를 둘러싼 잔디공원 한편에 노인들이 사는 나지막한
아파트들이 있어서, 아침이면 곧바로 이 센터에 와서 하루 종일 지내다
간다는 것이다.
"이분들이 이곳에 와서 제일 혜택을 받는 것은 이야기를 들어줄 사람을
만날 수 있는 것이랍니다." 노인들의 교육 프로그램을 맡고 있는 한
여성이 이렇게 들려줬다. "더군다나 이성(異姓)을 만날 수 있는 곳
이죠"라고 덧붙였다.
외로움이 노인들에게 제일 고통이라며, 그 여성은 그곳에 갖춰진 모든
오락시설과 취미교실, 그리고 건강관리를 위한 시설들을 안내해 주었다.
그런 교실들을 돌아보는 데 얼마나 많은 시간이 걸렸던지! 그것은 돌아볼
시설이 다양해서만은 아니었다. 그림교실에 들어가니까 그림을 그리고
있던 할머니가, 목공예방에 들어가니까 나무로 상자를 만들고 있던
할아버지가, 또 수예교실에 들어가니까 손뜨개질을 하고 있는 할머니가,
또 다음 방에서도, 다음 방에서도, 문 열고 들어가기가 무섭게 노인들은
나에게 이야기를 시키는 것이었다.

"지금 내가 그리고 있는 꽃은 어제 딸이 사다 준 거예요." "당신도 만들어 보세요. 아주 재미있답니다. 나무로 만드는 일을 나는 좋아하지요."
"이번 주말에 손자가 오면 주려고 짜는 목도리랍니다. 그애에게 약속을 했어요.…"
이렇게, 만나는 할머니 할아버지마다 처음 보는 나를 반기며 이야기를 시키는데, 그분들과 몇 마디씩이라도 이야기를 나누지 않을 수 없었다. 간혹 나를 안내해 주던 여성에게 너무 기다리게 하는 것이 미안해서 간단히 대답하려고 하면 오히려 그 여성이 나를 대신해서 더 다정하게 노인들의 이야기를 들어주곤 하였다.
마지막으로 안내받은 곳은 넓은 홀이었다. 문을 여니 음악이 흘러나오고, 그곳에서는 할머니 할아버지들이 서로 마주 안고 춤을 추고 있는 모습이 눈에 들어왔다. 모두들 단정하게 옷들을 입고, 예쁘게 화장을 하고…. 리듬에 맞춰 춤들을 추는 노인들의 모습이 멋스럽게 느껴지진 않았지만, 진지한 표정으로 춤을 추고 있는 그들의 등 뒤에서 젊었던 시절의 그림자가 흔들거리고 있었다.
나는 가슴이 찡하였다. 그러다간 감사한 생각이 들었다. 마리아 씨같이, 서파 시보리 여사같이, 그리고 우울라 양을 포함한 '푸른 사과' 꼭두극단의 단원들같이, 자기의 일에 그토록 순수한 열정으로 의무를 다하며 살고 있는 이 나라 국민들이 노후를 대접받으며 살고 있는 것을 보니 그보다 더 아름다운 세상이 있겠는가.
정원에 있는 벤치에 하얀 머리의 할머니가 햇볕을 쬐며 앉아서 졸고 있는 모습을 저만치 보면서 그곳을 나왔다.

푸슈킨박물관의 보나미 씨로부터 온 편지
스타방에르 국제박물관협의회 총회에 다녀와서

Q씨, 여행지에서 만난 사람에게서 받는 편지는 언제나 행복감과 연결되곤 합니다. 노르웨이 스타방에르에서 열린 국제박물관협의회(ICOM) 총회에서 만난 지나이다 보나미 씨에게서 얼마 전 편지를 받고는 요즘 행복한 마음에 젖어 있습니다. 행복감이란 누군가에게 행복하다는 것을 말하고 싶은 감정이기도 한가 봅니다. Q씨에게 전하는 이유도 그 때문입니다.

지나이다 보나미 씨는 모스크바 국립푸슈킨박물관을 대표해서 회의에 참석한 분입니다. 국문학 박사이기도 한 보나미 씨는 러시아 최고의 시인이며 작가, 극작가인 푸슈킨 문학을 보여주기 위한 순회전시 책임자로 있는 분이기도 합니다. 내가 서울에 돌아온 후에 나의 영문 수필집과 함께 찍은 사진을 보냈더니 그에게서 다음과 같은 편지가 왔습니다.

"한국으로부터 나에게 보내진 소포 속에 책과 사진이 들어 있는 것을 보고 얼마나 기뻤는지 모릅니다. 내가 그토록 기뻤던 첫번째 이유는 잘 알지 못했던 나라의 한 작가로부터 편지를 받았다는 것이고, 두번째 이유는 지구 북쪽에 있는 스타방에르는 작은 도시에서 우리가 회의장에서 가졌던 뜻있는 일을 되새길 수 있는 기회를 갖게 되었다는 것입니다.

나는 즉시 당신의 책을 읽기 시작했고, 이제 그 책에 대한 나의 느낌을
말하겠습니다. 표현이 좀 이상하게 들리겠지만, 당신의 수필집 『서울의
뒷골목(Back Alleys in Seoul)』에 있는 글들은 러시아의 전통적인
단편소설들과 매우 유사하다는 생각이 들었습니다. 책의 제목까지도
내가 좋아하는 러시아 작가 이반 부닌의 「어두운 골목길(Dark Alleys)」을
연상케 했습니다. 19세기말에서 20세기초인 러시아 '실버 에이지(Silver
Age)' 시대의 부닌이나 체호프, 자이체프 같은 문호들에 이어 많은
현대작가들이 등장했는데, 그 중에 칠십년대에 미국으로 이민을 가서
그곳에서 생을 마친 세르게이 도브라토프는 늘 이렇게 자기 자신을
말했습니다. '나는 작가가 아니고 이야기꾼이다' 라고요. 그런데 당신은
이 말과 관련하여 스스로를 어떻게 생각하고 계시는지요? …
유감스럽게도 나와 내 주변의 러시아 사람들은 한국의 문화와 전통에
대해서 아는 것이 없습니다. 그래서 나는 그 책에 씌어 있는 당신의
예민한 표현들을 통해서 한국을 알려고 애썼습니다. 예를 들어서 당신의
글 중에 아시아 남자와 유럽 남자의 차이를 이야기한 것은 나를 무척
즐겁게 했습니다. 러시아 남자들도 절반은 아시아 사람과 같습니다.
그래서, 여성들 앞에서 언제 어떻게 처신해야 자신들이 진짜 신사라고
자부할 수 있는지 모르고 있다는 것을, 당신은 아마도 생각해 본 일이
없으실 것입니다. …
나는 한국 사람들이 러시아에 대해서 관심을 갖고 있는지는 알지
못합니다만, 앞으로 당신과의 지속적인 교신을 통해서 서로의 역사와
문화를 알 수 있게 된다면 참으로 기쁘게 생각하겠습니다. 만약

원하신다면, 그것을 위한 저의 노력을 아끼지 않겠습니다. 물론, 현재
우리의 경제적 사정이 허락되지는 않지만, 내가 책임지고 있는 푸슈킨
문학의 해외 순회전시에 대해 한국에서 관심을 갖고 계시는 분이 있다면,
그 문제에 대해서 서로 성의껏 의논할 수 있을 것입니다. 물론 당신이
모스크바에 오시는 것을 먼저 환영합니다. 당신의 책을 읽으면서, 나는
우리 두 나라 사람들의 생각에 아주 닮은 것이 많다는 것을 알게
되었습니다.
부디 행운이 있으시기를 바랍니다. 지나이다 보나미."

Q씨, 왜 그런 것 있잖아요. 자기를 상대에게 알리고 싶은 기분 말입니다.
그럴 때 저는 그 사람에게 책을 보내곤 합니다. 스타방에르 회의장에서
만난 보나미 씨에게도, 그래서 책을 보낸 것입니다.
스타방에르에서 열린 국제박물관협의회 총회는 수십 개의 소위원회별로
열리기 때문에 그 중 어느 한 군데라도 들어가게 되어 있었습니다. 그
중에는 문학박물관 소위원회가 있었죠. 저는 그 위원회에 미리 등록한
회원은 아니었지만 제일 관심이 있는 곳이어서 총회 개회식에서의 한복
차림을 갈아입지도 못하고 그 방으로 들어갔습니다. 그랬더니 회의
시작에 앞서 자기소개를 해야 하는 것이었습니다. 저는 속으로 '아차,
잘못 들어와 앉았구나. 등록도 안 한 무자격자이니 뭐라고 내 소개를
해야 한담?' 그렇게 생각했으나 이미 방 밖으로 나가기에는 늦었습니다.
하는 수 없이 멀쩡한 얼굴로 그냥 앉아 있었지요. 다행히 저는 맨
뒷자리에 앉아 있었기 때문에 차례가 마지막이었습니다. 마침내

일어나서 자기소개를 해야 했습니다.

"저는 이번에 아이콤 총회에 처음 참가한, 한국에서 온 작가 이경희라고 합니다.(이럴 때 작가라는 말을 저는 주저없이 사용하고 있습니다. 작가라는 표현이 저를 더 알아줄 것 같아서이지요) 저는 이 위원회에 등록한 회원은 아닙니다만, 여기에 관심이 있어서 들어왔습니다."

Q씨, 사실 박물관회의에서 작가라고 해서 저를 더 알아줄 리는 없지요. 거기서는 각기 박물관과 관련된 사람들만이 자격을 갖추고 있었으니 말입니다. 다행히 저는 서울에서 한 문학박물관 개관 작업에 관여하고 있다는 것 때문에 스스로에게 자격을 부여할 수는 있었지요.

위원회에서는 여러 참가자들이 자기가 소속돼 있는 문학박물관에 대한 현황과 계획들을 발표했습니다. 보나미 씨도 그 중 한 사람이었습니다. 그런데 제가 놀랐던 것은, 러시아 사람인데도 그렇게 유창한 영어로 발표를 하는 것이 아니겠습니까. 그가 통역 없이 영어로 말하는 것을 들으며 저는 거의 존경에 가까운 생각이 들었습니다. 러시아만 해도 톨스토이박물관, 푸슈킨박물관 등 많은 대표들이 발표를 했지만 그들은 모두 통역을 필요로 했는데 말입니다.

그의 발표 내용은 과거 소련이 해체되고 각각의 나라로 독립된 후에 생긴 푸슈킨문학박물관의 문제점들이었습니다. 예를 들어 과거 소련 시절에는 그렇지 않았던 순회전시가, 지금은 발틱공화국들은 제쳐놓고라도 우크라이나나 벨로루시 같은 나라에서도 푸슈킨의 순회전시를 환영하고 있지 않다는 것입니다. 그는 또 19세기말 러시아의 철학자 니콜라이 베르댜예프의 말을 인용해서 박물관에 대한 정의를 들려주기도 했습니다.

"박물관은 물건을 수집해 놓은 장소가 아니라 사람들이 모여서 진지한 생각을 갖게 하는 곳이고, 모든 지나간 것을 회상하게 하는 곳이고, 그리고 박물관은 인간의 기억에 대한 공통된 표현이 있는 곳이다,"

그 존경스러웠던 러시아 박물관인에게 그래서 책도 보낸 것입니다. 실은, 내가 한국에서 온 작가라는 것이 거짓이 아니라는 증명도 하고 싶었던 거죠. 하지만 보나미 씨가 자기가 발표를 하고 있던 방에 제가 앉아 있었다는 걸 기억이나 했겠어요? 저 혼자 공연히 증명한다는 생각을 한 거죠.

그랬더니 그가 편지를 보내 온 것입니다. 그의 편지가 저를 기쁘게 했던 것은, 무엇보다도 한국이라는 나라에 대해서 전혀 아는 것이 없었던 사람이 저의 글을 읽고 아주 조금이라도 관심을 갖게 되었다는 사실 때문입니다.

Q씨, 먼 나라에 사는 한 신사한테서 이런 편지를 받고 행복해 하는 저를 이해하시겠죠. 물론, 그런 편지란 항상 받는 사람을 기쁘게 해주기 위해서 좋은 말로 씌어지는 법이라고 말씀하시겠지요. 그러나 제가 천치 바보가 아닌 다음에야, 그가 편지에 러시아의 대문호 이름들을 나열했다고 해서, 그리고 저의 글이 러시아의 단편소설과 많이 닮았다고 해서 그것을 그대로 믿었겠습니까. 그는 저의 글이 좋다는 표현은 거짓으로라도 차마 못 하고, 다만 책 제목이 자기가 좋아하는 작가의 단편집 제목과 같다는 얘기를 썼습니다. 저는 그의 그런 진실된 표현에 미소짓게 된 것이지요. 결국 저의 행복감은 편지의 내용 때문이 아니라

진실이 담긴 글을 읽는 즐거움 때문이었다는 것을 알아 주십시오. Q씨, 보나미 씨의 편지 속에 씌어 있는 아시아와 유럽의 남자에 대한 이야기는, 저의 수필「남성예찬」이란 글을 읽고 쓴 것 같습니다. 저의「남성예찬」이라는 글은 대강 이런 이야기의 글입니다.

"나는 무뚝뚝한 남성 K씨를 좋아했는데, 미국에 가서 보니 여성들에 대한 뭇 남성들의 몸에 밴 예의며 겸손한 태도가 멋있고 영화적인 신사미를 느끼게 해서 좋아졌다. … 신사란 혼자서 만들어지는 것이 아니라 꼭 여성 앞에서의 태도에 붙인 호칭에서 만들어진 것이라고 생각된다. … 그러나 한국의 숙녀인 나에게는 그런 서양 남성의 영화적인 신사미가 견딜 수 없이 신경이 쓰이고 힘든 일임을 알았다. … 그래서 미국에서 며칠이 지난 후부터는 이젠 그 친절의 반쯤만 주었으면 하다가, 올 때 임박되어서는 친절이라고는 찾아볼 수 없는 한국의 남자들이 그리워지기 시작하였다. 그런데 이런 나의 생각은 한국에 돌아오자 또 변하고 말았다. 택시를 타려고 길가에 서서 기다리고 있는데 건장한 신사가 앞쪽을 지켜서서 얌체 정신을 발휘하는 것이 아닌가. 무뚝뚝하기 때문에 좋았던 한국 남성이, 그래서 나는 다시 미국의 멋진 신사쪽이 훨씬 나은 것이라는 생각이 들었다. … 그러나 될 수만 있다면 바람직한 한국 남성의 무뚝뚝함이 서양 남성들의 친절과 이해, 그리고 해방감을 주는 관용… 이렇게 발전한 남성이면 좋겠다…."

이런 내용의 남성 예찬론인데, 별 큰 뜻을 가지고 쓴 글은 아닙니다.

보나미 씨는 한국의 여성이 좋아하는 남성이 어떤 남성인가에도 관심이 갔던 모양입니다. 그래서 그는 러시아 남성에게도 동양적인 것이 있다는 이야기를 알려 준 것이겠지요. 역시 그도 여성 앞에서 신사이고 싶은 남성임을 알게 되어서, 그런 것도 좋게 생각되었습니다.

Q씨, 스타방에르라는 도시는 노르웨이 북쪽에 있는 작은 어촌도시였지만 박물관이 꽤나 많았습니다. 그래서 몇 십 개의 소위원회가 있고, 유네스코가 관심을 가지고 있는 그런 큰 기구의 국제박물관협의회인데도 그 도시에서 총회를 개최할 수가 있었던 것입니다. 참가자들은 총회 기간 내내 박물관 순회를 하기에도 바쁠 정도였습니다.

그러나 Q씨, 이런 뜻있는 회의에 우리나라에서는 이경성 전 국립현대미술관장 외에 겨우 세 사람만이 참석했다는 것이 무척 아쉬운 일이었습니다. 미국이나 유럽의 나라들은 물론, 경제적 사정이 어려운 러시아에서도 무려 이십여 명이 참가했는데 말입니다. 그만큼 러시아에서는 박물관 문화 발전에 투자를 하고 있다는 것이지요. 얼마나 부러운 일입니까.

스타방에르에서 만난 지나이다 보나미 씨로부터의 편지는 나를 행복하게 해주었습니다.

플랑드르 들판의 젖소들
코트릭, 이프르에서

코트릭은 벨기에 북쪽에 있는 조그마한 도시이다. 리용에서 일을 끝낸 후 나는 그곳으로 향했다. 언어학을 전공하고 대학에서 강의를 맡고 있다가 지난해 벨기에에 있는 회사로 직장을 옮긴 둘째딸을 만나기 위해서였다. "저녁 여섯시 지나서 도착하는 기차로 오세요. 그래야 회사를 끝내고 마중 나갈 수 있으니까요" 하기에 그렇게 맞추었더니, 플랫폼에 서 있는 딸애의 모습이 쉽게 눈에 띄었다.
"기차로 오시느라고 힘들지 않았어요?" 짐을 받아 들고 딸애는 역앞에 세워 놓은 차 있는 곳으로 갔다. 릴에서 육 분 만에 기차를 갈아타야 했던 일과, 프랑스 국경을 넘을 때 맨 앞의 객차 하나만 벨기에로 간다고 해서 뒷칸에 앉았다가 짐을 들고 옮겨 타느라고 허둥댔던 이야기를 해줬다.
딸아이 회사가 있는 이프르는 코트릭에서 삼십 킬로미터 떨어진 프랑스 국경 가까이에 있다는 것. "출퇴근하기 힘들지 않니?" 했더니 "그렇지는 않아요. 길이 잘 돼 있어서 자동차로 삼십 분이면 갈 수 있으니까요. 나처럼 다른 도시에서 다니고 있는 사람이 더 많아요. 이프르는 워낙 작은 도시라 다들 그곳에 사는 것을 답답해 하거든요."
딸애가 서울에서 벨기에로 간다고 했을 때 나는 그 애 회사가 있다는 이프르를 지도에서 찾느라 한참을 애썼다. 내가 지도 찾는 일을 좋아해서였지, 아니면 찾다가 말았을지도 모른다. 큰 벨기에 지도를 일부러 사서 거기서 찾아냈으니 말이다.

벨기에 정부도 관심을 갖고 있는 언어의 첨단기술 프로그램을 개발하는 회사라는데 왜 그런 작은 도시에 있느냐고 물었다. "미국의 실리콘밸리 같이 이 회사에서는 언어만을 다루는 랭귀지 밸리를 짓고 있어요. 그런 것은 넓고 환경이 좋은 곳이라야 하니까 그렇대요."

딸애는 다음날 자기 회사가 있는 이프르로 나를 안내했다. 이프르로 가는 길 양옆에는 넓은 들판이 펼쳐져 있을 뿐, 멀리에서 젖소들이 풀을 뜯고 있는 것만이 눈에 들어왔다. '플랑드르' 들판이라고 한다.

"아침저녁으로 저 젖소들을 보면 반가운 생각이 들어요. 젖소들에게 혼자서 말을 건네요. 어젯밤에 잘 잤니? 하고요. 이 들판에서 움직이고 있는 것은 젖소들 뿐이거든요. 날씨가 좋으면 하늘에 떠다니는 구름이라도 볼 수 있는데, 이곳은 언제나 흐리고 충충해서 잿빛 하늘밖에 볼 수 없어요."

딸애는 말을 계속했다. "젖소들이 보이지 않을 때가 있어요. 소들이 집으로 들어가 버린 거죠. 그럼 겨울이 왔구나! 하는 것을 알아요. 그러다가 얼마 지나면 젖소들이 나와서 풀을 뜯고 있어요. 그러면 또 아, 봄이 왔구나! 하죠."

딸애는 차를 몰면서 혼자서 얘기를 했다.

"이프르는 인구가 삼만오천 명밖에 안 되는 작은 도시지만 역사가 있는 도시예요. 중세에는 섬유와 직물로 벨기에에서 삼대 공업도시의 하나였기 때문에 이곳 사람들은 자기네들이 이프르 시민이라는 것에 굉장한 자부심을 가지고 살아요. 그런데 이프르는 제일차세계대전 때 영국군 이십만 명이 독일군에게 전멸을 당한 곳이래요." 프랑스와 벨기에 군대까지 합해서 오십만 명이 죽고 도시는 완전히 폐허가 됐다고 한다. 이프르를 포함한 벨기에 북쪽 지방을 플랑드르라고 하는데, '플랑드르의 전투' 라면 세계의 전쟁 역사상 단위면적으론 제일 많은 사상자를 낸 전투였다는 얘기도 들려주었다.

이프르 시내 광장에는 플랑드르 지방의 13세기 특유의 건축이라는 아름다운 시청 건물이 있었다. 전쟁으로 완전히 무너진 것을 원형 그대로 다시 복구했다는 이 건물에는 스테인드글라스로 된 아치형 창문이 건물 전체를 장식하고 있었다. 시청과 종탑과 성당, 그리고 광장 둘레를 둘러싼 식당과 상점들이 유럽의 도시답게 고풍스러웠다.

이프르에서 가장 인상적인 것은 플랑드르 전투박물관이었다. 이 박물관은 전쟁유물이나 전투를 지휘한 이름있는 지휘관에 관한 자료들만을 전시한 전통적인 전쟁박물관이 아니라, 플랑드르 지역 전쟁에서 살아남은 시민들이 겪은 참혹한 이야기들로 꾸며진 박물관이었다. 그곳에선 사 년 동안 독일군과 연합군이 싸워서 아무에게도 그 승리가 돌아가지 못한 채 폐허만을 남기고 끝난 싸움터의 장면이나 그때 살아남은 시민들이 남긴 사진과 글들을 원본 그대로 컴퓨터나 비디오 영상으로 실감나게 보여주고 있었다. 플랑드르 전투박물관은 오늘의 젊은이들에게 전쟁에 대한 고발과 평화에 대한 갈구를 위해서 세워진 것이었다.

이프르에서 코트릭으로 돌아갈 때, 아까는 눈에 띄지 않던 공동묘지의 묘비들이 군데군데 있는 것이 눈에 들어왔다. 전사한 영국군의 공동묘지가 이프르 지역에 백칠십 개나 있다는 것을 플랑드르 전투박물관에 들러서야 알았다. 플랑드르 들판에는 젖소들이 묘비들 옆에서 여전히 풀을 뜯고 있었다. 이제 몇 달 후엔, 저 젖소들이 들에서 사라지고 묘비들만 보이겠지. 그러면 딸애는 또 쓸쓸해지겠지…. 그런 생각을 하며 플랑드르 들판을 바라보았다.

안톤 체호프가 반한 지중해의 휴양지 오파티야
리예카, 오파티야에서

Q씨, 지금 크로아티아의 리예카와 오파티야에 와 있습니다. 어떻게 두 도시에 동시에 가 있느냐고요? 네, 그래요. 오전에는 오파티야라는 바닷가 휴양도시에서, 그리고 오후에는 역시 지중해 연안의 항구도시 리예카에서 지내기 때문입니다. 오파티야와 리예카는 버스로 이십 분 거리밖에 되지 않습니다. 이번 국제꼭두극연맹 총회가 두 도시에서 열리고 있다는 얘기이지요. 좀더 설명하자면 오파티야에서는 총회를 하고, 리예카에서는 꼭두극 페스티벌을 한다는 것입니다.
 Q씨, 제가 크로아티아의 자그레브 공항에 도착한 게 몇 시인 줄 아세요? 밤 열시 사십분이었어요. 서울에서 프랑크푸르트로 와서 그곳에서 자그레브로 가는 비행기를 타려니 그렇게밖에 연결되지 않더군요. 서울을 출발하기 전에 총회 본부로부터 '마중을 나갈 테니 절대로 염려하지 않아도 된다'는 확인 이메일까지 받았던 터라 걱정은 되지 않았지만, 그래도 워낙 늦은 시간이라 긴장은 되었습니다. 아무리 좋은

도시라도 공항이 없는 지방도시에서 국제행사를 한다는 것은, 그곳까지 찾아가는 외국 참가자들에게는 여간 불편한 게 아니더군요. 총회 책자에 씌어 있는 그 도시의 지리적 위치와 접근하는 방법으로는, 빈과 부다페스트에서 오백 킬로미터, 베네치아에서 이백 킬로미터, 그리고 인근 도시에 있는 국제공항이 트리에스테(이탈리아), 루블랴나(슬로베니아), 자그레브, 베네치아, 이렇게 적혀 있어서 뭐 아주 가기 편리한 곳같이 느껴지지만, 한마디로 말하자면 직행으로는 절대로 갈 수 없다는 이야기 아닙니까. 유럽 사람들은 자기 자동차를 몰고 이 도시 저 도시 들러 가며 온다지만 말예요.

약속대로 공항에 키가 자그마한 아가씨가 나의 이름이 적힌 푯말을 들고 서 있었습니다. 이름이 나타샤라고 하더군요. 나타샤는 나를 공항 밖에서 기다리고 있던 대형버스로 안내하더니 다시 공항 안으로 들어갔습니다. 나 한 사람을 위해서 큰 버스가 기다리고 있다는 것이 미안했는데, 얼마 있더니 아가씨가 남자 한 사람을 또 데려왔습니다. 그는 나보다 조금 더 늦게 도착하는 비행기로 온 핀란드인 참가자였어요. 어찌나 그가 고마운지. 나 혼자라는 것과 두 사람이라는 것의 차이가 마중 나온 사람에게 덜 미안하게 해서였습니다. 오파티야에 있는 호텔에 도착하니까 리셉션 데스크 뒤에 걸려 있는 시계가 새벽 두시 반을 가리키고 있더군요. 자그레브에서 그곳까지 세 시간 이상 걸린 셈입니다.

Q씨, 아침에 일어나 보니, 와, 바다가 어찌나 아름다운지! 지중해 물빛이 그토록 짙은 쪽빛인지 몰랐습니다. 포물선을 그으며 매끈하게 휘어진

해안선. 그 바닷가 언덕에는 나무들 사이로 붉은 지붕을 올린 흰색 집들이 마치 동화 속 그림 같았습니다. 바다 저 멀리에는 흰 돛단배가 보이는데, '와' 하고 감탄의 목소리가 나오지 않겠어요. '크로아티아는 사진 같고, 사진은 크로아티아 같다.' 이런 표제를 내세우며 자기 나라의 아름다움을 찬양하는 크로아티아 홍보책자의 내용이 과연 과장이 아니라는 생각이 듭니다. 그 안에는 이런 구절도 있습니다. "우리에게, 우리의 고국 땅은 세계에서 가장 아름다운 나라입니다. 아마도 이것은 우리의 역사 속에서 아직도 기억하고 있는 오랜 세기 동안 왕국과 제국, 그리고 힘으로 지배하는 자들과의 격렬한 전쟁들이, 무엇과도 대항할 수 없는 이 아름다움들 때문이었을 것이라고 굳게 믿고 있기 때문일지도 모릅니다." 이 말이 가슴을 찡하게 만들지 않습니까? 우리가 크로아티아라고 하면 그저 보스니아와의 내전으로 격렬한 싸움이 벌어졌던 나라라는 생각밖에 떠오르지 않는데, 이렇게 아름다운 땅이라는 것은 모르고 있었으니 말입니다. 우리나라도 다른 나라 사람들이 육이오 전쟁만을 떠올리는 것이 우리에게 속상한 일이듯이, 크로아티아 국민들도 그럴 거란 생각이 듭니다.

지중해 연안에서 가장 오래된 휴양지라는 오파티야에는 많은 유럽의 작가와 예술가들이 와서 반했던 곳인 모양입니다. 그들 이름 가운데에 얼핏 눈에 들어온 이름이 안톤 체호프와 현대무용의 선구자인 이사도라 덩컨입니다. 특히 이사도라 덩컨은 오파티야에 와서 온화한 바람에 흔들리는 야자수 잎의 율동을 보고 영감을 얻어, 그 유명한 맨발의 춤을 추기 시작한 것이라고 합니다.

Q씨, 오파티야가 어떤 도시인지 짐작이 가시겠지요?

나는 이곳에서 많은 시간을 캐서린이라는 영국에서 온 참가자와 보냈습니다. 리예카에서 열리고 있는 페스티벌의 꼭두극 공연을 매번 그녀와 함께 보러 다닌 것입니다. 리예카는 아름다운 항구도시이지만, 문화적으로 이 도시에 오래된 전통 꼭두극장이 있는 것을 자랑으로 삼고 있습니다. 인구 십오만 명밖에 되지 않는 작은 도시라서, 공연을 보러 다니는 데 모든 거리를 걸어서 다닐 수 있습니다. 그런데도 나는 공연을 보러 극장을 옮겨 갈 때마다 매번 장소를 찾지 못해서 쩔쩔 매는 것이 아니겠어요. 그럴 때 캐서린 여사가 친구가 되어 준 것입니다. 그녀도 나처럼 이곳에 처음 왔다는데 어찌나 길을 잘 알고 다니는지, 마치 리예카에 살고 있는 사람 같았습니다.

캐서린 여사는 키가 늘씬하게 크고, 언제나 웃는 얼굴로 이야기를 하는 아주 명랑한 여성이랍니다. 짧은 판탈롱 모양의 치마를 입고 굽이 높고 뾰족한 구두를 신고 다녀서 길에 깔린 화강암 돌조각 위를 걸을 때마다 돌조각 틈바구니 사이로 뒷굽이 박히지 않을까 걱정을 하곤 했는데, 그 다음날엔 더 짧은 치마에 여전히 높은 구두를 신고 나와서 아무렇지 않게 걸으며 다니는 겁니다. 나는 매일같이 흰 스포츠화에 바지 차림이어서 그녀의 맵시있는 모습이 더 눈에 띄었습니다.

Q씨, 그녀와 함께 구경한 공연 중에 스페인 극단의 〈수전노〉란 것이 있었습니다. 같은 내용의 두 가지 코미디극이었는데, 첫번째는, 사막에서는 물을 가장 많이 가지고 있는 사람이 최고 부자라고 생각하는 수전노 영감이 돈 대신 물을 독점하고 있으면서 대지를 사막으로 바꾸려

하는 내용이었습니다. 그리고 또 하나의 〈수전노〉는 프랑스의 코미디 작가인 몰리에르의 작품이었습니다. 두 사람의 배우가 수도꼭지를 오브제로 들고 나와서 많은 대사를 읊어 가며, 크레앙과 에리스라는 연인의 사랑 이야기를 연기하는 공연입니다. 연기자들이 대사를 읊을 때마다 관객들은 깔깔대고 웃고 있습니다.

그러나 나는 그 몰리에르의 프랑스어 원본 대사를 한마디도 못 알아들어서 웃지를 못합니다. 얼마나 답답한지. 남들이 웃는데 나만 웃지 못하고 가만히 앉아 있자니 그것같이 힘든 일도 없더군요. 도대체 무엇 때문에 그렇게들 웃는지 궁금하기 짝이 없었습니다. 완전히 두 시간 가까이를 극장 안이 터지도록 폭소를 터뜨리고 있는 관객들 속에서 대사를 알아듣지 못하고 앉아만 있어야 하니. 코미디라는 것은 그 나라 문화나 사회의 화젯거리를 알지 못하면 간혹 단어를 알아듣는다 해도 웃음이 나올 수가 없지요. 오래 전에 마이애미에서 친구 부부가 그 유명한 밥 호프의 코미디 쇼를 구경시켜 주었는데, 그때도 못 알아들어서 관객의 폭소 속에서 갇혀만 있다가 나왔던 생각이 났습니다.

공연이 끝나서 극장을 나오는데 캐서린 여사가 나에게 묻더군요. "당신은 재미있었어요? 난 하나도 재미없었어요." 영국인인 캐서린 여사도 못 알아들었던 모양입니다. 우리는 서로 마주 보며, 못 알아들은 것 때문에 그제야 한바탕 재미있게 웃었습니다.

천으로 포장돼 버린 국회의사당
베를린에서

베를린은 크리스토가 뒤집어씌운 국회의사당을 보기 위해 몰려든 사람들로 열기가 이만저만이 아니었다. 내가 간 날이 크리스토 작품 관람의 첫 일요일이어서 더했다. 그날 하루 동안 약 오십만 명이 〈포장된 국회의사당〉을 구경했다고 신문에 날 정도였다.

우리나라 여의도에 있는 국회의사당의 한 배 반 정도나 더 큰 석조로 된 건물을 몽땅 선물 포장하듯 직물로 싸서 끈으로 묶었다. 엄격히 얘기하면 그냥 나풀거리는 직물이 아니라 물에도 안 젖고 불에도 안 타는 폴리프로필렌이라는 직물에 은빛 알루미늄을 입힌 화성(化成) 직물이고, 끈도 직경이 3.2센티미터나 되는 같은 폴리프로필렌의 하늘색 밧줄로 묶었다. 이렇게 직물로 국회의사당 꼭대기부터 땅까지 보기 좋을 정도의 주름을 만들어 늘어뜨리고는, 그것의 가로 세로를 소포 포장하듯 밧줄로 알맞은 간격으로 묶어 놓은 것이 크리스토라는 미국 미술작가의 작품인 것이다.

이것을 환경미술이라고 한다나? 환경미술이라고 하니까 나도 좀 이해가 가는 것 같았다. 분명히 기존의 환경을 가지고 그것을 작품화하는 것이니까 환경미술이라고 하겠지. 그래서 크리스토의 환경미술작품은 자연히 그 규모가 엄청날 수밖에. 미국 마이애미에 있는 작은 섬들을 뒤집어씌운다든가, 일본 이바라키 현과 미국 캘리포니아 들판에 각각 천삼백사십 개의 파란 파라솔과 천칠백육십 개의 노란 파라솔을 동시에 설치했다는 등, 그는 늘 이렇게 엄청난 규모의 작품을 하고 있다.
그런데 이상한 것은 규모가 커서 작품 감상이 어려울 것 같으나, 그의
〈포장된 국회의사당〉작품을 보는 순간 '우아아!' 하는 감탄의 소리가
저절로 입에서 나오고, 그 감탄의 소리는 '정말, 굉장하구나!' 라는 말로
이어졌다. 그 '굉장하다' 는 것은 작품 그 자체로도 그렇지만, 그걸 보기
위해 몰려든 수십만 명의 관람객들까지 합해지니 그런 탄사가 안 나올
수가 없었다.

국회의사당 앞의 넓은 잔디광장과 돌계단, 그리고 그 주변을 둘러싼
공원과 푸른 나무들, 그 한가운데에 우뚝 선, 태양빛에 눈부시게
반사되는 은빛 포장이 하늘색 밧줄로 꽁꽁 묶인 거대하고 웅장한 물체!
좀더 전문적으로 얘기한다면, 매일같이 신문 일면에 대문짝 같은
〈포장된 국회의사당〉사진과 함께 실린 내용을 말해야겠다.

"불가리아 태생의 크리스토 야바체프와 빨간 머리의 프랑스 장군의 딸인
부인 잔 클로드. 이들은 둘 다 1935년 6월 13일 같은 날에 출생하였다. 이
국회의사당 둘러 씌우기 작업은 1972년 독일 정부에 허가 신청을 낸 지
이십삼 년 만에 승인이 났다. 십만 평방미터의 늘어진 은빛 직물과
만오천육백 미터의 하늘빛 밧줄, 그리고 정면과 탑과 지붕을 싸는 데에
칠십 군데의 맞춤집에서 만든 직물 패널을 사용했으며, 그리고 그 패널은
다른 둘레를 싸는 것의 두 배 이상을 사용하였다."

기사는 또 이어진다.

"구십 명의 전문 등산가들과 백이십 명의 설치가들, 그리고 천이백 명의 자원봉사자들의 도움으로 작업되었다. 6월 23일에 둘러 씌우는 작업이 끝나고 그날부터 7월 7일까지 십사 일간 놓아두었는데, 크리스토는 이 작업에 드는 천백오십만 마르크을 어느 누구의 후원도 받지 않고 자기의 그림, 판화, 부조, 조각, 포스터 등의 판매액으로 전액을 부담했다."

이 외에도 많은 이야기들이 매일같이 신문에 실리고 있었다. 크리스토는 아예 자기 이름에 부인의 이름을 함께 붙여서 '크리스토와 잔 클로드' 라는 이름을 정식 작가 이름으로 쓰고 있었다. 부인과 모든 작업을 함께하기 때문이란다. 그래서 그의 거의 모든 사진도 부인과 함께 포즈를 취한 것들이다.

내가 노르웨이 여행을 준비하고 있을 때 서울에 잠깐 온 폴크머라는 독일인에게서 이 정보를 들었다. 자기도 6월 23일에 완성되는 이 크리스토의 작품을 보기 위해 빨리 독일로 돌아가니까, 나에게도 꼭 가보라는 것이다. 전부터 이 크리스토에 대해서는 파리의 퐁 뇌프를 천으로 쌌다느니, 바다의 섬을 쌌다느니 해서 '참 별난 짓을 하는 사람도 있구나' 하는 생각만 했지 특별히 그 작가에게 관심을 가진 적은 없었다. 그래서 나는 폴크머 씨에게 "그런데 왜 그 사람은 그런 것들을 천으로 둘러 씌우죠?" 하고 물었다. 폴크머 씨는 기다렸다는 듯이 나의 질문에 대답한다.

"크리스토가 어떤 것을 싸면, 그곳으로 모든 사람의 관심을 불러 모을 수 있기 때문에 지금까지 몰랐던 것을 사람들이 알게 됩니다. 우선 베를린 국회의사당의 경우, 국회의사당의 역사와 건축과 환경에 대한 국민의 관심과 함께 정치적인 많은 일들을 새롭게 논쟁화할 수 있죠. 그의 예술작업은 굉장한 것이라 생각합니다."

폴크머 씨가 크리스토의 예술작업에 대해서 이토록 좋아하고 있기 때문에 나에게도 가 보라고 적극 권하고 있음을 알았다.

폴크머 씨는 이어서 "베를린 국회의사당은 이번 크리스토의 포장작업이 끝나면 영국의 건축가 노먼 포스터 경에 의해서 새로운 현대식 모습으로 바뀌게 됩니다. 그런데 이 계획을 맡은 노먼 포스터 경은 '왜 독일 건축가를 두고 영국 사람인 나에게 맡기느냐? 우리 영국만 해도 이런 큰일을 너희 독일 사람에게 맡길 생각을 안 할 것이다'라는 말을 했답니다"라는 얘기도 들려주었다. 그만큼, 독일 사람들의 자신감 넘치는 예술에 대한 존경심과 스케일의 크기가 다른 선진국과 다르다는 것을 간접적으로 시사하고 있음을 알았다.

말하자면, 독일이 민주주의의 상징으로 내세우고 있는 국회의사당 건물을 미국 작가 크리스토에게 천으로 뒤집어씌워도 된다는 허락을 했다든가, 그것을 또 영국의 건축가에게 개조를 맡긴다는 이야기가 그랬다.

나는 즉시 떠오르는 것이 있어서, 한국인 백남준을, 독일이 '베네치아 비엔날레'의 독일 대표로 선정해서 내보낸 이야기를 그에게 했더니, "그렇죠, 백남준은 독일이 자랑하는 예술가죠" 하고 금방 자기 표현으로 바꿨다. 국경을 초월한 과감한 예술평가를 내리고 있는 독일에 대해 나도 알고 있다는 표현으로 백남준에 대해 말을 꺼낸 것인데, 폴크머 씨는 당연한 일처럼 다른 설명 없이 쉽게 말을 받고 끝낸다. 좀더 설명해 주기를 바랐는데 말이다.

폴크머는 쾰른에서 기차로 사십 분 거리에 위치한 도시 베르기슈 글라드바흐의 시의원이자 문화예술분과 위원장으로 있었다. 한국의 문화를 좋아해서 여러 번 우리나라에 다녀갔고, 이번에도 한국에 왔을 때 쾰른에 우리 문화관을 세우기 위해 힘쓰고 있다는 얘기를, 그를 소개해 준 쾰른 동양박물관의 황지현 박사에게서 듣고 고마운 생각을 하고 있었던 사람이다.

"크리스토의 작품은 7월 7일 둘러쌌던 천과 밧줄이 풀려 다시 석조 국회의사당 건물로 돌아간다"는 기사와 함께, 기자들 앞에서 크리스토는 또 이렇게 말했다. "이 국회의사당 건물이나 다른 내가 하는 일들은 자유를 뜻하는 것입니다. 자유는 소유의 적입니다. 이것들은 그 누구도 돈으로 사거나 없앨 수 있는 게 아닙니다. 마치 아이를 임신했다가 출산하는 것과 같지요. 그 아이들이 자라서 부모에게서 자유로워지듯이 나도 내가 손댄 물건을 다시 그 자체로 돌려주자는 것입니다."

이같이 어떤 물건이나 자연의 일부에 관심을 갖게 했다가, 다시 자유롭게 돌려주는 크리스토의 행위나, 인간이 만든 것을 모두 소중히 남겨 두어 다음 세대에게 물려주는 박물관의 정신이, 어떻게 보면 같은 것이 아닐는지.

노르웨이 스타방에르에서 열리는 세계박물관 회의에 참석하러 가면서 나는 많은 생각을 했다.

일본 나들이 ―
도쿄 요코하마 삿포로 오타루

도쿄에 가면 에비스 가든 플라자에 들르곤 한다. 무엇보다 내가 그곳을 좋아하는 이유는, 거대한 미니멀 아트 작품을 뉘어 놓은 것 같은, 붉은 벽돌로 깐 광장 바닥이 마음에 들어서이다. 어느 도시를 찾거나 여행 중에 빠뜨리지 않고 들르는 곳은 광장이다. 그곳에 가면 그 나라 사람들을 만날 수 있어서 좋고, 그들이 생활하는 모습을 느낄 수 있어서 좋다. 그러나 무엇보다도 여행 중에 내가 광장을 찾는 이유는 내 마음속에 만들어지는 또 하나의 광장을 즐길 수 있기 때문이다.

깊어 가는 가을밤 타향의 하늘

도쿄에서

Q씨, 도쿄에 그렇게 자주 들렀으면서도 하야시 후미코 기념관이 있다는 것을 몰랐습니다. 우연히 책자를 보다가 그 기념관이 있는 것을 알았지요. 하야시 후미코의 『호로키(放浪記)』를 읽어 보라고 했던 분이 Q씨가 아니었나요? 그때 책을 읽고, 글은 정말로 정직해야 감동을 준다는 것을 알았습니다. 어렸을 때부터 불행했던 자기 이야기를 그토록 적나라하게 쓸 수 있는 하야시 후미코의 용기와 글을 쓰는 재능에 놀랍고 감탄스러웠습니다.

기념관은 신주쿠 구의 시모오치아이라는 동네에 있었습니다. 주택가 안에 있어서 골목골목 찾아가느라 무척 힘이 들었습니다. 게다가 차가 밀리는 바람에 시간도 아주 많이 걸렸고요.

그런데, 그렇게 힘들여 찾아갔는데 기념관에 도착했더니 시간이 늦었다고 들여보내지 않는 것이 아니겠어요. 오후 다섯시에 문을 닫기 때문에 입장은 네시 반까지라나요. 시계의 분침이 겨우 네시 반에 와 닿았을까 말까 했는데, 못 들어간다는 거예요. 어찌나 난감한 생각이 드는지. 여행자가 다시 이곳을 찾는다는 것은 쉽지 않은 일이어서, 사무실 직원에게 하야시 후미코에 대한 글을 쓰려고 왔는데 잠깐만이라도 좋으니 들어가게 해 달라고 사정을 했습니다. 그렇지 않습니까. 힘들여 갔는데 안 된다고 해서 곧바로 되돌아갈 수는 없지 않겠어요. 하다못해 숨이라도 돌려야 할 것 같아서였습니다.

직원은 잠깐만 기다리라고 하더니 누군가에게 전화를 걸더군요. '그렇지. 사정하기를 잘했구나. 들여보내 줄 생각으로 전화까지 걸어 주고 있으니.' 그런 생각을 하며 서 있었는데 그게 아니었습니다. "여간 죄송한 것이 아니지만, 안 되겠습니다." 결국 이렇게 말을 하는군요.
Q씨, 이럴 때 한국에서라면 직원이 스스로 윗사람에게 물어봐 줄 생각은 하지 않지요. 자기 입장에서 들어주든가 안 들어주든가 하기 때문에 자꾸 사정을 하게 되는 것 아닙니까. 그러면 혹 가능해지기도 하기 때문입니다. 그러다가 정 들어주지 않으면 윗사람에게 물어봐 달라는 말을 이쪽에서 하고요. 그런데 일본 사람들은 일단 안 되는 일에 대해 자기 입장에서만 강력하게 거절하지 않고 상대에게 성의를 다하기 위해서 윗사람에게 물어보곤 하는 것이지요. 그것이 된다고 생각해서 물어보는 것이 절대로 아니라는 것을 이번에도 느꼈습니다. 일본의 문화와 한국의 문화가 이런 점에서도 다르다는 것을 알았습니다.
Q씨, 하야시 후미코 기념관에 입장하는 일은 성공하지 못했지만, 직원이 사무실로 전화를 걸러 들어간 동안 키가 작고 나이 든 여자가 하야시 후미코의 조카딸이라면서 나에게 설명을 해줬습니다. 자기 숙모에 대한 글을 쓰기 위해 찾아왔다는 나에게 무척 호감을 갖는 것 같았습니다.
"이 기념관은 후미코 씨가 생을 마치기까지 말년에 살았던 집입니다. 본인이 무척 관심을 기울여 지은 집이지요. 이 집을 지을 땐 전쟁 중이라 삼십 평 이상을 지을 수 없다는 건축 제한이 있어서 두 채로 나누어 지은 것입니다. 이쪽이 후미코 씨가 지냈던 본채이고 저쪽 건물은 후미코 씨의 서재와 화가인 남편의 아틀리에가 있는 사랑채입니다."

기념관은 꽤 큰 일본식 전통 가옥으로, 두 채로 지어져 있었습니다. 정원에는 오래된 나무와 돌이 많았습니다. 조카딸이라는 여인은 쉬지 않고 설명을 해줬습니다. "정원에 심은 대나무는 후미코 씨가 심은 겁니다. 대나무를 좋아했어요." 사실 기념관 건물 안으로 들어가 보지 않았다뿐이지, 정원에 깐 디딤돌 위를 걸으며 기념관에 대한 설명은 충분히 들었습니다. 직원이 이젠 문을 닫아야겠다고 하는 바람에 조카딸은 설명을 끝냈습니다.
기념관에서 돌아온 후에 다시 한번 그녀의 『호로키』를 읽었습니다.

"나는 기타큐슈의 어느 초등학교에서 이런 노래를 배운 적이 있었다. 깊어 가는 가을밤 타향의 하늘, 외로운 마음 그지없어 나 홀로 서러워, 그리워라 내 고향, 보고 싶은 부모형제….
나는 숙명적으로 방랑자이다. 나는 고향을 갖고 있지 않다. 아버지는 시코쿠의 이요 사람으로, 포목을 팔러 다니는 행상이었다. 어머니는 규슈의 사쿠라지마의 온천여관 집 딸이다. 어머니는 다른 고장 사람과 함께 되었다고 해서 가고시마에서 추방되어, 아버지와 안정된 생활을 찾은 곳이 야마구치 현의 시모노세키라는 도시였다. 내가 태어난 곳이 그 시모노세키이다. 고향에 갈 수 없었던 양친을 가진 나는, 그 때문에 나그넷길이 고향이 되었다. 따라서 숙명적으로 나그네였던 나는, 이 「그리워라 내 고향」이라는 노래를 무척 쓸쓸한 마음으로 배웠던 것이다."

그녀의 방랑기는 이렇게 시작되고 있었습니다.

깊어 가는 가을밤 타향의 하늘, 외로운 마음 그지없어 나 홀로 서러워,
그리워라 내 고향, 보고 싶은 부모형제. 이 노래는 일제시대 때
초등학교에 다녔던 나도 어렸을 때 자주 불렀던 노래입니다. 이 노래를
부르면 고향이 있는 사람도 왠지 서러워지고 그리워지지요. 아는
노래라서 입속으로 곡을 붙여 불러 봤습니다. 문득 어린 시절 생각이
나고 마치 나도 하야시 후미코처럼 고향 없는 방랑자의 기분이 되더군요.

Q씨, 나는 서울에서 태어나서 이 나이까지 줄곧 서울에서 살았기 때문에
그리워할 고향이 없습니다. 그것이 공허하게 느껴질 때도 있더군요.
고향을 그리워하는 감정을 갖고 싶다는 부러움 말입니다.
나는 고향이 없는 대신에 어렸을 적의 생각을 유난히 많이 하며
살았습니다. 그래서인지 내가 제일 먼저 쓴 글이 어렸을 때의
이야기들입니다. 그 어렸을 적 글들을 모은 책이 『산귀래(山歸來)』인데,
언젠가 어떤 분한테서 전화가 왔습니다.
"그 동안 고향이 없다는 생각으로 살아왔는데 이경희 씨 수필집 속에
나의 고향이 있더군요. 나도 청계천 돌난간 위를 곧잘 뛰어다니며
놀았고, 장교다리 건너기 전 모퉁이에 있는 아이스케이크 가게에도 잘
갔었어요. 관철동 골목에 있는 우미관에 가서 무성영화 구경도 했고요.
그런데 지금은 청계천도 덮여 없어졌고 내가 다니던 청계국민학교도
없어져서, 나는 고향을 완전히 잃은 사람이 되었어요. 바로 이경희 씨의
글 속에 나의 어린 시절이 몽땅 있어서 얼마나 반가웠는지 모릅니다."
전화를 건 분은 한 신문사 편집국장이었습니다. 그분은 어릴 때

장교동에서 살았답니다. 나는 장교동 외갓집에 자주 가서 지냈고, 인숙이라는 동갑내기 외사촌이 청계국민학교에 다녔기 때문에 청계국민학교 운동장에 가서 놀곤 하였습니다.
『호로키』는 또 이렇게 이어집니다.

"여덟 살 때, 나의 어린 인생에도 폭풍이 불어닥쳤다. 와카마쓰에서 옷 경매로 꽤 많은 재산을 모은 아버지는 나가사키의 아마구사에서 도망 온 하마라는 기생을 집에 들이고 있었다. 눈이 내리는 음력 정월을 마지막으로 나의 어머니는 여덟 살 난 나를 데리고 아버지의 집을 나와 버린 것이다. 와카마쓰라고 하는 곳은 나룻배를 타지 않으면 갈 수 없는 곳이라고 기억하고 있다. … 지금의 내 아버지는 의붓아버지이다. 이 사람은 오카야마 사람으로 솔직한 것이 지나쳐서 아주 소심하고, 비정상적일 만큼 우직하기 때문에 인생의 반은 고생에 묻혀서 살고 있는 사람이다. 나는 어머니가 데리고 들어간 딸로, 이 아버지와 함께 살면서부터는 거의 집이라는 것을 가지고 있지 않고 살아오고 있다. 어딜 가나 세 들어 사는 생활이었다. '아버지는 집을 싫어하신단다. 물건들을 싫어하시고 말이야….' 어머니는 언제나 나에게 이렇게 말씀하시고 계셨다. 그래서 인생 곳곳에 셋집만을 기억하면서, 나는 아름다운 산하도 모르고 의붓아버지와 어머니에게 끌려서 규슈 일대를 돌면서 행상을 하며 살아왔던 것이다. 내가 처음으로 초등학교에 들어간 곳은 나가사키였다. 잣코쿠라는 이름의 셋집에서 그 당시 유행했던 모슬린으로 만든 개량복을 입고서 난케이라는 곳에 있는 초등학교에 다니고 있었다. 그것을 시작으로 사세보, 구루메, 시모노세키, 모지, 도바타, 세쓰비, 이런 순으로 사 년 동안에 일곱 번이나 학교를 옮겨다녔기 때문에 나에겐 친한 친구가 하나도 생기지 않았다.
'아빠, 난 이제 학교엔 다니지 않을 거야 ….' 될 대로 돼라는 기분으로 나는 초등학교에 가는 것을 그만두었던 것이다. 학교에 가는 것이 싫어진 것이다. 그때 내 나이가 열두 살 때였다고 생각된다. '후미코에게도 뭔가를 팔게 하는 게 좋을지 몰라.' 일은 시키지 않고 놀리는 것이 아까운 나이라는 생각이었을 것이다. 나는 학교를 그만두고 행상을 하게 된 것이다."

여기까지가 책의 본문 이전의 이야기입니다.
한번 읽었던 글인데도 감동이 새삼스러워 마치 나도 고향 없는 방랑자가 된 기분이었습니다.
깊어 가는 가을밤 타향의 하늘, 외로운 마음 그지없어 나 홀로 서러워….
자꾸 이 노래가 불러집니다.

우연은 이미 정해져 있는 것, 브로치에 새겨진 이니셜
도쿄에서

S와 나는 가끔 기적이라든가 우연이라든가 하는 일을 가지고 흥미있게 화제를 삼곤 한다.

"우리가 우연이라고 생각했던 일들이, 실은 우연이 아니라 이미 그렇게 정해져 있는 것이라는 것을 알았어요. 어떤 보이지 않는 강력한 뜻에 의해서 작용되는 현상인 것 같아요."

최근 일본의 소설가 시바 료타로가 쓴 사카모토 료마에 관한 책을 읽었는데, 거기에도 그런 우연의 현상이 여러 번 나와서 더욱 그런 생각을 하게 되었다고 한다. 아는 것이 많은 그녀의 이야기는 명료하고 해석이 정확해서, 듣고 있노라면 마치 새록새록 뇌세포 치료를 받는 듯한 기분이 든다. 지난 천 년 동안에 일본에 가장 큰 공헌을 한 인물이 누구냐고 묻는 여론조사에서 첫번째를 차지한 사람이 사카모토 료마라고 하는데, 사무라이 출신의 더벅머리 청년 사카모토 료마를 일본의 첫번째 공헌자로 만든 것이 역사학자에 의해서가 아니라 시바 료타로의 글 때문이라니, 작가의 힘이 얼마나 큰지 그녀는 강조했다.

사카모토 료마는 어린 시절, 아주 허약하고 울기도 잘 하는, 별로 똑똑하지 않은 시골아이였다. 십구 세가 되어서야 검술을 배우러 에도에 가서 당대 최고의 검법을 연마하였다. 독선과 권위로 백성을 다스리는 막부를 없애고 이름뿐이었던 황실을 다시 일으켜 세워서 개항과 근대화를 이루려는 것이 료마의 꿈이었으며, 그 꿈을 이루기 위해서 반역죄에 속하는 '닷판(脫藩)'을 한다.

그가 뛰어난 선각자로서 메이지 유신을 성사시키는 데 공헌한 기간은 이십구 세에서 삼십삼 세까지의 단 사 년밖에 되지 않는다. 아쉽게도 메이지 유신이 이루어지기 일 년 전에 반대파에 의해서 살해당했지만, 그녀의 말대로 그를 오늘날 일본 사람들의 가슴에 확고하게 첫번째 공헌자로 심어 준 시바 료타로라는 특출한 작가를 가진 일본이 마냥 부럽다. S가 사카모토 료마의 이야기를 꺼낸 것은 새삼스럽게 일본의 역사적 인물을 나에게 알려 주려 했던 것은 아니었다.

사카모토 료마는 함께 활동을 하던 친구와 헤어지면서 자신의 조그마한 사진 한 장을 건네주었는데 친구는 료마가 무슨 이유에서 자기에게 사진을 주는 것인지 의아했으나 받은 사진을 저고리 안쪽 호주머니에 넣고 다녔다. 그러던 어느 날 갑자기 천둥번개가 치고 비바람이 세차게 불었다. 어찌나 바람이 세차게 부는지 저고리가 벗겨질 뻔했다. 비바람이 잦은 후, 친구는 안주머니 속에 있던 료마의 사진이 없어진 것을 알았다. 그러고 얼마 지나지 않아, 친구는 료마가 자객에 의해 살해당했다는 비보를 들었다. 천둥번개가 치고 료마의 사진이 바람에 날아간 그 때가 료마가 세상을 떠난 바로 그 시간이었다. 친구는 그제야 료마가 왜 자기에게 사진을 주고 떠났는가를 알았다. 자객에게 쫓기고 있었던 료마가 자기의 죽음을 알리고 싶어서였다는 것을…. 청년 시절 사카모토 료마는 미국에 가기를 몹시 희망했지만 끝내 미국 땅을 밟지 못하고 죽었다. 시바 료타로가 료마에 대한 글을 쓴 것은 신문에 연재하기 시작하면서였는데 그 글을 읽은 독자들이 료마가 살아 있었을 때의 자료들을 가지고 찾아왔다. 그 중에 가장 중요한 자료들이 미국 땅에 가 있었다가 돌아온 것들이었다. 료마가 그토록 가고 싶어했던 미국에 자신을 대신해서 삶의 기록이 다녀온 것이다. 이런 것도 우연이 아닌, 미리부터 정해진 어떤 보이지 않는 힘이 작용했을 거라는 것이다.

도쿄에 가면 에비스 가든 플라자에 들르곤 한다. 옛날에 에비스라는 이름의 맥주공장이 있던 자리에 만들어진, 새롭게 변모된 이곳 광장에는 주변에 초현대식 건물의 화려한 쇼핑몰, 호텔, 백화점을 비롯해서 맥주기념관, 사진박물관 등이 있어서 둘러볼 것이 많다. 무엇보다 내가 그곳을 좋아하는 이유는, 거대한 미니멀 아트 작품을 뉘어 놓은 것 같은, 붉은 벽돌로 깐 광장 바닥이 마음에 들어서이다.

어느 도시를 찾거나 여행 중에 빠뜨리지 않고 들르는 곳은 광장이다. 그곳에 가면 그 나라 사람들을 만날 수 있어서 좋고, 그들이 생활하는 모습을 느낄 수 있어서 좋다. 그러나 무엇보다도 여행 중에 내가 광장을 찾는 이유는 내 마음속에 만들어지는 또 하나의 광장을 즐길 수 있기 때문이다.

에비스 광장에서 한 중년여성을 만났다. 일본 여성으로서는 드물게 키가 크다. 그녀는 벤치에 앉아 있는 나에게 와서 일본말로 묻는다. "저기 있는 흰 건물은 무엇이죠?" 나를 일본인으로 알았던 모양이다. "저도 모르는데요." 건물 정면에 있는 돌계단 둘레를 긴 곡선의 회랑이 둘러싸고 있어서 마치 유럽의 작은 궁전 같은 느낌이 드는 건물인데, 전에 왔을 때 물어봤는데도 잊어버렸다. 중년여성은 내 옆에 앉았다. "어렸을 때 이 동네에 살았었는데…." 그는 혼잣말처럼 작은 목소리로 말했지만 나에게 한 말이기도 했다. "도쿄에 사세요? 나는 한국에서 왔어요." 중년여성의 얼굴에서 느껴지는 약간의 병색이 쓸쓸해 보여서 그에게 말할 기회를 주었다.

그녀는 독신여성으로 영어 전문통역사였다고 했다. 스포츠를 좋아해서 골프, 승마, 테니스, 수영 등 못하는 운동이 없는데 재작년에 유방암 수술을 받고는 모든 운동을 중지하고 산책과 액세서리를 만드는 취미생활로 소일을 한다는 것. 시간이 없어서 그의 이야기를 더 이상 들어줄 수가 없어 벤치에서 일어나려 하자 그는 자기 옷에 꽂았던 브로치를 빼어 내 가슴에 달아 준다.
"내가 만든 브로치예요. 잠시의 만남이지만 인연이라고 생각해요."
금속으로 만든 브로치에는 우연히도 내 이니셜 'K' 자가 새겨져 있었다.

한국을 무척이나 좋아했던, 일본의 시미즈 도시오 교수의 갑작스런 사망 소식을 들은 것은, 한국을 무척이나 좋아하며 "내 조상은 한국인인가 봐요" 하던 시미즈 교수에 대한 글을, 매달 기행수필을 쓰고 있는 『월간 춤』지에 넘긴 바로 다음날이었다. "주무시다가 돌아가셨습니다"라는 것이 도쿄에서 알려온 소식의 전부였다. "그분이 돌아가시다니. 어떻게 그럴 수가?" 나는 정신이 멍해질 정도로 놀랐다. 나중에 아들 겐이치 씨와의 전화통화로 들은 이야기가 나를 더욱 가슴 아프게 했다.
"아버지는 육 개월 전에, 돌아가신 어머니의 고향인 아키타에 다녀오셨어요. 이십오 년 동안 혼자 사시면서 한 번도 들르지 못했던 어머니 고향입니다. 한 달 전에는 우리 시미즈 가 친척들과 모여서 식사를 했어요. 열흘 전인 5월 18일은 아버지 생일이어서 여동생 부부와 함께 가족이 모여 저녁식사를 하였습니다. 그러고는, 아버지가 후원해서 오늘까지 초가집 마을을 보존케 한 도가무라가 올해로 삼십 년이 되어서 그 삼십 주년 기념행사에 다녀오셨는데 그 다음날 돌아가셨습니다.

비행기로 가자고 하시는 동료 교수와 따로, 혼자서 자동차로 나가노의 험한 산길을 운전하고 다녀오신 것이 피곤하셨던 모양이에요. 다음날 출근하는 제게, 피곤이 안 풀렸다고 잠자리에서 일어나지 않으시면서 등 뒤에서 말씀하시더군요. "겐이치야, 오늘은 좀 일찍 돌아오거라"라고요. 저녁 여덟시에, 다른 날보다 일찍 집에 돌아왔는데 아버지는 그때까지 누워 계셨습니다. 그리고 다녀왔다는 인사를 했을 때 아버지가 숨을 쉬지 않고 계신 것을 알았습니다. 돌아가신 것입니다. 조금도 고통 없이 돌아가셨다고 의사가 말하더군요." 돌아가신 시간은 저녁 일곱시 반경이라고 아들은 말하였다. "지금 생각하니 아버지께선 돌아가실 것을 알고 주변 사람에게 미리 작별인사를 하신 것 같아요."

시미즈 교수가 돌아가셨다는 날 바로 그 시간에, 나는 친구와 함께 북한산성 산길을 걷고 있었다. 그러다가 문득 시미즈 교수 생각이 머리에 떠올라서, 친구의 말을 중단시키고 말을 하였다. "어쩌면 다음달에 시미즈 교수가 한국에 오신다고 하니, 이번에 오시면 한껏 즐겁게 해 드리자." 그 친구도 시미즈 교수를 알고 있는 사이여서 그렇게 말했지만 돌발적인 내 발언에 친구는 의아해 하는 것 같았다. 그런데 바로 그 시간이 시미즈 교수가 돌아가신 오후 일곱시가 좀 지나서였다. 이런 우연이 또 있을 수 있을까. S의 말대로 그것은 우연이 아니라 보이지 않는 강한 뜻에 의해서, 그 순간 산길에서 시미즈 교수의 생각이 떠오른 것임을 알겠다.

"리상(李さん), 안녕!" 시미즈 교수의 하늘로 오른 영혼이 바다 건너 나의 머리 위를 날아가면서 나에게도 작별인사를 해준 것이란 생각이 든다. 너무도 고맙다. 그래서 더 가슴이 아프고 슬프다.

"오늘밤은 날씨가 춥구나. 저녁을 먹으면서 아들에게 말을 건네지만 아들의 대답은 돌아오지를 않아요." 시미즈 교수는 말이 없는 아들과의 적적한 생활을 나에게 이야기한 적이 있다.
그렇게 말이 없는 아들 겐이치가, 아버지가 돌아가시기 전에 모든 분에게 작별인사를 하셨다는 이야기를 나에게 이처럼 긴 이야기로 들려주었다.

유람선의 흰 갑판 위를 오르는 관광객들
요코하마에서

처음부터 요코하마에 갈 계획이 있었던 것은 아니다. 도쿄에 온 김에 다른 도시 생각을 하다가 떠오른 곳이다.
요코하마 역사에서 나오니까 '미나토 미라이 21(미래의 항구 21)'이라는 표식과 함께 널찍한 초현대식 거리가 눈앞에 펼쳐졌다. 요코하마가 이런 도시였던가. 전에 두 번이나 왔었던 곳인데, 전혀 다른 도시 같다. 왜냐하면 몇 년인가 전에도 요코하마에 와서 시나가와 근대문학관과, 오사라기 지로 기념관을 보고 간 일이 있기 때문이다. 시나가와 근대문학관의 현대적 시설과 그 규모에 감탄했고, 요코하마 출생 작가인 오사라기 지로의 서구식 기념관 건물을 보고 우리나라에도 이런 멋진 기념관이 있었으면 하고 생각했는데 그것이 벌써 그토록 오래 전이었던가 싶다. 「안바 덴구」라는 소설로 유명한 작가인 오사라기 지로 기념관은 항구가 보이는 언덕 위에 있었다. 서양 사람의 개인저택이었던 기념관 내부에는 대리석 계단과 스테인드글라스로 된 자그만 창문이 있었다. 이층에는 누구나 와서 책을 읽을 수 있는 아늑한 분위기의 방이 있었던 것이 기억에 남아 있다. '미나토 미라이 21'은 그런 항구가 보이는 언덕이 있는 곳 같지 않았다.

관광안내소에서 안내서와 지도를 얻어 가지고 나오고서야 이곳이 새로이 국제문화와 정보도시로 만들기 위해 조성된 지역임을 알았다.

거대한 규모의 요코하마 미술관에서는 윌프레도 람이라는 쿠바 작가의 탄생 백 년을 기념하는 전시회가 열리고 있었다. 한때 스페인에 가서 수업을 하면서 마티스와 피카소의 전위예술에 공감을 얻었다는 그는 쿠바에서 예술 영웅의 칭호를 받았을 정도로 유명한 작가라는데, 내게는 그 이름이 생소했다. 쿠바의 작가라면 우리나라에서 열린 제일회 광주비엔날레 때, 실물 크기의 나무배 위에 빈 병들을 빼곡이 세워 놓은, 아주 단순한 설치작품으로 최우수상을 받았던 기억이 날 뿐이다. 지금 생각하니 혹시 그 작품이 보트 피플을 상징한 것은 아니었는지.

메이지 시대 때 부둣가에서 창고로 쓰였던 건물, '붉은 벽돌창고'도 미나토 미라이의 관광명소 중 하나였다. 건물이 옛것이라 그 안에도 오래된 것들이 있는가 하고 들어갔더니 옛것과는 정반대의, 말하자면 펑크족 같은 젊은이들이 좋아할 물건들인 귀걸이, 목걸이, 모자, 향내 나는 허브제품, 도자기 찻장 등이 가득했고 하여간에 창고 일층에 빽빽이 들어선 수십 개의 가게들마다 젊은이들로 바글바글 들끓고 있었다. 그 속을 비집고 다니다가 한 가게 입구에, 아무렇게나 바구니 속에 담겨져 있는 커피 필터가 눈에 띄어서 큰 것과 작은 것, 두 뭉치를 샀다.

하필이면 요코하마에 와서 커피 필터를 사 가지고 가다니 싶겠지만, 집에 돌아가자마자 당장 다음날 아침에 쓸 필터가 떨어진 것을 알고 왔기 때문에 눈에 띌 때 산 것이다.

바다와 접해 있는 야마시타 공원에는 '태평양의 여왕' 이라고 불렸던 대형 여객선 히카와마루가 계류되어 있었다. 옛날에 찰리 채플린도 승선했었다고 해서 관광객들이 배 안을 구경하러 줄줄이 들어가고 있었다.

언젠가 나도 배를 타고 항해를 해 봤으면 하는 생각을 하고 있었기 때문에 그 대형 여객선은 더욱 나의 눈을 끌었다.

『도쿠토루만보 항해기』라는 책을 읽은 일이 있다. 기타 모리오라는 일본인 의사가 여행이 하고 싶어서 원양어선의 선의(船醫)가 되어 여행한 이야기를 쓴 책인데, 그의 표현들이 얼마나 재미있는지 책장을 넘길 때마다 깔깔대며 웃었다. 기타 모리오 씨는 그가 배를 타게 된 이유를 이렇게 적고 있다.

"마다가스카르 섬에는 아다오코로이노나라는 신 비슷한 존재가 살고 있는데, 그것은 원주민 말로 '뭔지 이상스러운 것' 이란 뜻이다. 내 친구들 중에 그 아다오코로이노나의 입김에 쏘인 것 같은 친구들이 꽤 있다. 그 중 M이라는 친구가, 내가 독일로 유학을 가려다가 시험에 떨어진 것을 알고 나에게 지혜를 넣어 주었다.

'자네, 선의(船醫)가 되는 것이 어때? 그쪽에 가서 배에서 도망치는 거야.' 이거야말로 천재적인 생각이구나, 해서 선박회사를 찾으러

다니다가 마침내 수산청의 어업조사선에서 의사를 급히 찾고 있다는
얘기를 들었는데, 너무 급히 떠나야 하는 것이어서 결정을 망설이고
있으니 M을 비롯해서 친구들이 성화를 부렸다. 이렇게 기항지가 많은
배에 금방 타기가 쉽지 않고, 그곳에 가서 도망을 치고 안 치고는
별문제로, 여기저기 보고 다니고 올 수 있으니 좋은 것 아니냐. 게다가
마구로(참치)를 실컷 먹을 수도 있고…."

그가 탄 배는 싱가포르, 수에즈, 리스본, 함부르크, 로테르담, 앤트워프,
르 아브르, 제노바, 알렉산드리아, 콜롬보를 들렀다. 얼마나 좋은
여행이었으랴. 그러나 아무리 배 여행을 하고 싶다고 해도 내가 기타
모리오 씨처럼 어업조사선에야 탈 수 있겠는가. 그의 항해기를 읽는
것으로 대신할 수밖에.

까마득히 오래 전, 나도 큰 배를 타 본 적이 있다. 그것은 항해하는 배가
아니라 부두에 정박해 놓은 병원선이었다. 부산으로 피난 갔던 여고시절,
그때 나는 부산 제일부두에 있는 미군 수송과에 취직해 있었다. 이곳은
한국전에 참전한 유엔군의 식량과 일용품들을 취급하는 곳인데,
그곳에서 나는 하루 종일 배에서 내려진 물품의 전표를 가려내어 장부에
기입하는 일을 하였다. 수송과에는 서울서 피난 온 내 또래의 학생들이,
서로 같은 책상에 둘러앉아 얼굴을 마주하고 일했기 때문에 미군들
틈에서도 외롭지 않았다.
점심을 먹은 후 한국 학생들은 갈매기떼가 날고 있는 부둣가에 나가

앉아서, 서울 이야기들이랑 「고향생각」 노래를 목청 높여 부르기도
하였다. 그때만은 우리 앞에 펼쳐진 바다며 바람, 구름, 햇살, 이 모든
것들이 우리의 것이고 우리 마음을 달래 주는 것이어서 두려울 것 없이
소리 지르며 즐거워했다.

어느 날부터인가 부두에는 덴마크 병원선이 정박해 있었다. 덩치 크고
잘생긴, 마치 호화여객선 같은 흰색 병원선을, 그 배 안이 궁금했던
우리들은 고개가 아프도록 올려다보곤 하였다. 그날도 한바탕 조잘대고
난 후, 병원선을 올려다보았는데 갑판에서 환자옷을 입은 사람이 우리를
내려다보며 손짓하고 있는 것이 보였다. 우리는 휠체어에 타고 있는 그가
한국 사람인 것을 알았다. 그는 손짓으로 우리에게 올라오라는 신호를
보냈다.

사다리 계단을 타고 우리는 모험을 하듯 조심스레 올라갔다. 갑판에
올라가자 입구에 계집애같이 예쁘게 생긴 세일러복의 젊은 수병이
우리에게 어디를 가냐고 물었다. "히 이즈 마이 브라더(He is my
brother)." 함께 간 친구들이 동시에 내 얼굴을 쳐다보는 바람에 얼떨결에
나는 휠체어의 환자를 가리키며 그렇게 말했다. 그가 '친구'는 아니었고,
'아는 사람인데 우리보고 올라오라고 해요'라고 말하려면 영어가
복잡해서 그런 말은 할 수 없었고, 그러다 보니 제일 쉬운 표현이
'오빠'였던 것이다. 또 왜인지 오빠라고 하면 그가 통과시켜 줄 것
같았다. 얼마나 어리석은 발상인가. 만약에 '오빠'라는 말이 요즘같이
연인 사이의 호칭으로 쓰였다면 그렇게는 절대로 말하지 않았을
것이지만 말이다.

어리게 보이는 수병은 어쩌면 그렇게도 천사 같은지, 나의 그런 거짓 대답을 믿고 미소까지 지으며 우리의 승선을 허락했다. 휠체어의 환자는 우리를 자기 병실로 데려가서는 옆에 있는 환자들에게 인사를 시켰다. 그들은 모두 유엔군 병사들이었는데 우리의 방문을 기뻐하며 오렌지, 케이크, 아이스크림 등을 다투어 내놓았다. 병원선 안에서 오래도록 외부 사람들과 접촉 없이 흰색 가운을 입은 사람들하고만 지내다 보니 그처럼 반가웠던 모양이다.

휠체어의 환자는 해병대 소위로 다리에 관통상을 입고 벌써 몇 개월째 병원선 생활을 하고 있다고 했다. 그가 유엔군 환자들과 말도 잘 안 통해서 외롭다는 얘기를 했기 때문에 우리는 그를 문병한다고 몇 번인가 더 병원선으로 올라갔다. 우리를 환대해 주는 병실 안의 분위기도 마음에 없진 않았다.

그러던 어느 날, 해병대 환자에게서 급히 좀 와 주기를 바란다는 쪽지가 사무실에 있는 나에게 전달되었다. 해병대 소위는 나를 의사실로 데려가더니 흰 가운의 사람에게 인사를 시켰다. 주치의인 듯한 사람은 누가 올 것이라는 얘기를 미리 듣고 있었는지, 반갑게 나를 맞이하더니 통역을 부탁한다고 하였다.

"당신 오빠의 다친 다리가 다 나아서 퇴원을 해도 됩니다. 그 말을 전해 주세요." 오빠라니? 가뜩이나 의사의 말을 못 알아들을까 봐 긴장하고 있었던 나는 더 크게 당황했다. 그런 나에게 의사는 사려 깊게도, 단어 하나하나씩을 천천히 발음하며 말했다. 그래서 나는 의사의 말을 정확히 알아들을 수 있었기 때문에 환자에게 그대로 전달해 주었다. 그런데 정작 환자의 말은 길고 복잡했다. 그의 말은, 다리의 통증이 아직 남아 있고, 퇴원하면 어디로 가야 할지 모르고, 따라서 퇴원을 연기해 달라는 내용의 말이었다. 의사는 내가 주섬주섬 엮어 가며 말한 내용을, 힘들었겠지만 끝까지 웃으며 들어주었다. 그때처럼 진땀을 뺐던 적이 또 있었을까.
병원선에서 내려온 후에도 한참 동안 나는 그 환자를 원망했다.
피난학교가 시작되자 제일부두 수송과에서 일하던 학생들은 모두 그곳을 떠나고 학교로 복교했다. 몇 달 후, 송도에 있는 우리 집으로 한 젊은이가 찾아왔다. 병원선에 있던 해병대 소위였다. 내 눈에는 그의 손에 쥐고 있는 지팡이가 먼저 들어왔다. 다리의 상처는 아물었지만 지팡이를 의지해야 하는 상이군인이 되어 있었던 것이다.
"고맙다는 인사를 하러 왔습니다. 사무실로 찾아갔더니 그만두었다고 해서 주소를 물어서 찾아왔습니다." 해병대 소위는 고향인 진주에 가 있다가 온 것이라고 했다. 나의 통역으로 병원선에 더 있게 되지는 않았지만 그때 무척 힘이 돼 주어 고마웠다는 이야기만을 들려주고는, 그는 긴 말을 하지도 못하고 돌아갔다.
유람선 히카와마루의 흰 갑판 위로 관광객들이 계속 올라가고 있는 것을 보며, 지팡이를 짚고 뒤돌아 가던 해병대 소위의 모습이 떠올랐다.
나는 발길을 차이나타운으로 돌렸다.

차 안에서 동화를 들으며
삿포로에서

여러 해 전, 여성문학인회의 추은희 회장이 홋카이도 여행을 주관하면서
여러 개의 도시 이름들을 들려주었지만 실제로 나는 그곳의 어디어디를
가는지 자세히 알아볼 생각을 하지 않았다. 그 바람에 여행 전날,
"홋카이도 어디를 가세요?" 하고 H씨가 물었을 때 갈 곳의 이름도
모르고 있다가 얼마나 당황했는지 모른다. 내일 여행을 떠나는 사람이
자기가 가는 곳을 모르고 있다니 말이 되겠는가. 그것을 물어본 H씨가
도리어 당황하는 것 같았다.
"여기는 온천이 좋고, 여기는 호수와 산이 좋고, 그래서 거기를 가려다가
이곳으로 정했다"는 등, 하여간에 "참 좋고 아름답다"는 말만 머리에
남았지, 나머지는 아는 것이 없었다. 그러나 하도 여러 번 반복해
들어서인지 리듬이 기억나서 도시 이름 하나가 떠올랐다.
"지토세라나요?" 그러나 이름을 대고 보니 그곳은 우리 비행기가 내리는
공항 이름이었지 목적지는 아니었다.
마치 한국 여행을 떠나는 사람에게 어디를 가느냐고 물었을 때, "김포에
가요" 하는 것과 같으니 얼마나 우스운 일인가.
도야 호수와 시코쓰 호수가 있는 곳은 국립공원으로 정해진 아름다운
자연 그대로였다. 버스 창밖으로 보이는 것은 그저 산과 계곡과
나무들뿐, 그리고 가파른 고갯길도 여러 번 지났다. 그런 자연 속을
달리는 동안, 혼탁한 도시생활에 대해선 아무것도 생각나는 것이 없었다.

그저 산속에 빼곡히 자라고 있는 나무들의 이름이 궁금할 뿐이었다.
"저건 무슨 나무죠?" 옆에서 나처럼 창밖의 나무들만 보고 있던 신지식
선생에게 물었다. "일본말로 '나나카마도'라고 하는데 우리말로는
무어라고 하는지 모르겠어." 그 사랑스런 열매가 달린 나무 이름을
신선생이 알고 있는 것이 놀라웠다. 아까부터 빨간 열매가 달린 나무가
여러 번 눈에 들어와서 예쁘다는 생각을 했지만 물어볼 생각은 안 하고
있었는데 말이다. 일곱이라는 '나나'와 부뚜막이라는 '가마도'의
'나나카마도'인데, 왜 그런 이름이 붙여졌는지는 모른다고 했다.
"빛깔이 일곱 번 변한다는 것인가." 신선생은 혼잣말로 그렇게 말했지만
자신있는 대답은 아니었다.
"참 예쁘지?" 신선생은 내가 하려던 말을 대신하였다. 확실히 가을
산에는 이렇게 열매 달린 나무들이 있어서 사람들을 기쁘게 해준다.
"저건 일본말로 '사사'라고 하는 산죽(山竹)인데 우리말로는 뭐라고
하더라?"
"신선생님은 나무 이름을 많이 알고 계시네요" 했더니, 동화를 쓰려면
자연히 나무나 새 이름들을 알아야 하지"라는 것이었다.
"홋카이도에 오니까 아이누 얘기를 다룬 동화가 생각나는 게 있어."
신선생은 창밖의 나무숲을 바라보면서 아이누 동화 하나를 나에게
들려주기 시작했다. 동화의 제목은 「고탄의 피리소리」. '고탄'은
아이누어로 '마을'이라는 뜻이란다. 동화는 아이누의 어린아이가
난롯가에 앉아서 할머니에게 옛날얘기를 듣는 것으로 시작된다.

산속에서 계수나무가 자라고 있었습니다. 가을이 오자 계수나무는
황금빛처럼 잎이 노랗게 물들었습니다. 노란 낙엽들은 바람에 실려서
멀리 산속 깊은 곳으로 날려 가 땅 위에 떨어졌습니다. 땅 위에 떨어진
낙엽들은 그곳에서 긴 겨울 동안 썩어서 흙이 되었지요. 그러나 그 중
힘없는 나뭇잎들은 날아가지 못하고 바로 아래에 흐르는 시냇물에
떨어졌습니다. 길쭉한 물국자 모양의 잎사귀는 시냇물에 떠내려가면서
물고기로 변해 버렸습니다. 바로 그 물고기 이름이 '가지카'라고 하는
것이지요. '두부어(杜父魚)'라고 불리기도 하는 가지카는 비늘이 없고
아주 작고 예쁘게 생긴 물고기인데, 맑고 깨끗한 시냇물에서만 산답니다.

신선생은 마치 동화 속의 할머니가 어린애에게 들려주듯 그렇게 나에게
이야기를 들려주었다. 그러고는 또「고탄의 피리소리」를 쓴 작가의
얘기도 해주었다.
"작가는 이시모리 노부오라는 사람이죠. 이시모리 씨는 삿포로에서
태어난 사람이라 어려서 아이누 아이들과 함께 자랐던 모양이에요. 그때
일본 사람들이 아이누족을 학대하며 차별하는 것을 보고 어린 마음에도
일본 사람이 부당하다는 것을 느꼈나 봐요. 그는 또 한국 아이들이 일본
아이들한테 괴롭힘을 당하고 있는 것도 보았기 때문에, 동화 속에는 한국
아이 이야기도 나오지요. 그는 어른이 되어서 중국의 다롄에 가서
살았는데, 그때 그곳에서 여학교의 국어선생을 했고 그러고는 그곳
초등학교에서 교과서 편찬위원을 하면서 문학에 관심을 갖게 되었다는
거예요. 이시모리 씨는 홋카이도에 돌아온 후 동화집『고탄의

피리소리』를 냈는데, 마음속에 간직했던 아이누의 전설들이 가슴에
넘쳐흘러서 안 쓸 수가 없었다는 거예요." 신선생도 어렸을 때 다롄에서
살았기 때문에 작가에 대해서 관심이 많았다고 했다.
문득 나는 신지식 선생의 동화 「하얀 길」이 생각났다. 아주 오래된
일이지만 내가 신지식 선생을 알게 된 것은 이 「하얀 길」을 읽고서였다.

"화장터로 가는 언덕 위의 하얀 길을 학교의 교실과 운동장에서 언제나
바라보면서 동경하던 한 소녀가 어느날 그 길을 가 본다. 하얀 길에는
항상 까만 영구차가 지나갔다. 그 길이 닿아 있는 산 밑에서는 갠 날이면
흰 연기가 하늘로 길게 올라가는 것이 보였다. 소녀는 뿌연 먼지가 이는
하얀 길을 따라가다가 마침내 시멘트로 만든 굵고 높다란 굴뚝이 있는
건물을 본다. 그러고는 간판에 씌어진 먹글씨를 보는 순간 몸이
오싹해지는 것을 느끼고는 뒤돌아서 달아난다. 그러나 그렇게 혼이 나서
달아난 후로도 역시 소녀는 하얀 길을 좋아한다. 친구들은 그 길이
무섭고 기분 나쁜 길이라고 하지만 소녀는 그렇지가 않았다. 소녀가
좋아하던 그 길은 그가 사랑하던 사람이 둘이나 지나갔다. 나이 드신
일학년 때의 국어선생과 같은 반 친구 혜련이. 물론, 산 밑 연기 나는
길을 향해서 영원히 가 버린 것이다."

이 「하얀 길」이 바로 신지식 선생이 다롄에서 중학교를 다녔을 때의
이야기인 것이다.
아이누의 전설동화 「고탄의 피리소리」를 듣는 동안 우리는 어느새 진짜

아이누족이 사는 민속마을에 도착했다. 아이누어로 '큰 마을'을 뜻하는
'보로토코탄'에 도착한 것이다. 그곳에서 우리는 아이누의 민속춤과
음악을 들었으며 그들이 사는 집들을 구경했다.
그 옛날, 학대를 받으며 살았던 원주민 아이누족이 이제는 얼마 남지
않은 그들의 혈통을 보호받으며 살고 있는 곳이긴 했지만 왠지 그런
그들을 보는 것이 서글프게만 느껴졌다. 이미 그들의 얼굴에선
아이누족의 힘있는 광대뼈와 황색 피부빛을 찾아볼 수 없어서였다.
그보다도 그들이 부는 가냘픈 피리소리 때문이었는지도 모른다. 그들은
손가락 길이의 가느다란 대나무를 입에 물고, 손가락에 감은 실로
대나무를 긁으며 소리를 내고 있었다. 그것은 피리소리가 아니었다. 겨우
맥을 잇고 살아남은 아이누족의 한(限)의 소리였다.

'글 쓰는 피에로'의 오르골 음악
오타루에서

오타루는 이번 여행 스케줄에는 들어 있지 않은 곳이었다.
"홋카이도에는 좋은 데가 많지만 오타루라는 곳을 꼭 가 보세요" 하고
서울을 떠나기 바로 전날 H씨가 일러 주어서 들른 곳이다.
"홋카이도에서 가장 먼저 외국과의 교역이 시작된 항구도시예요. 작은
도시지만 메이지 시대의 건물들이 그대로 보존되어 있는 데다 외국
문물이 드나든 곳이라 이국의 정취가 느껴지는 곳이지요." H씨가 이렇게

성의있게 일러 주어서 마음이 끌리지 않을 수 없었다.

오타루 버스 종점에 도착하자마자 관광안내소부터 찾았다. 간신히 한나절 시간을 마련해서 간 것이기 때문에 짧은 시간 안에 효율적으로 관광하기 위한 정보를 얻기 위해서였다. 안내소의 젊은 아가씨는 내 의도를 금방 알아듣고 일본 여자 특유의 상냥하고도 애교있는 목소리로, "마린 호와 로망 호라는 오타루 산책 버스가 있는데 그걸 타면 보고 싶은 곳을 다 갈 수 있습니다. 관광명소를 순환하는 버스니까요. 한 번 타고 내리는 데 백구십 엔입니다. 하루 온종일 탈 수 있는 일일승차권을 사면 칠백십 엔이면 되고요" 하면서 안내책자를 펼쳐 내가 갈 만한 곳에 동그라미를 쳐 줬다.

관광안내소는 오타루 버스터미널 바로 앞에 있었으므로 그녀가 일러 준 육번 푯말이 있는 정류장은 금방 눈에 띄었다. 내가 탄 버스는 마린 호였다. 로망 호도 그곳에 와서 서지만 마린 호가 먼저 와서 그걸 탄 것이다.

버스를 타고 의자에 막 앉았는가 싶었는데 어느새 박물관 앞이라는 안내말이 들렸다. 안내소 아가씨가 동그라미를 쳐 준 '박물관 앞'이 첫번째 정류장이긴 했어도 나는 그렇게 금방인 줄 모르고 요금을 준비할 생각도 안 하고 있다가 버스가 선 후에야 돈을 꺼내느라 허둥대야 했다. 그럴 때일수록 왜 그렇게 핸드백 속에서 돈이 안 잡히는지…. 나는 잔돈 대신에 천 엔짜리 지폐를 꺼내서 운전수에게 주었다. 차장 옆에 요금통이 있는 것을 보았지만 잔돈을 거슬러 받아야 했기 때문에 운전수에게 직접 내민 것이다.

그런데 차장은 돈을 거슬러 달라고 한 말을 들었으면서도 손가락으로
요금함을 가리키며 거기에 돈을 넣으라는 것이다. 하라는 대로 요금함에
얼핏 천 엔 지폐를 넣었다. 버스가 이미 정차한 상태여서 나는 버스 안의
다른 손님을 생각해서라도 서둘지 않을 수 없었다. 그런데 천 엔을 넣고
나니 잔돈이 나오지 않았다.

거스름돈이 안 나오는 것은 당연했다. 버스요금통이라고 적힌 통에는
정확히 백구십 엔이 준비된 사람만이 넣게 되어 있고, 잔돈이 없는
사람은 천 엔짜리와 오백 엔짜리의 각기 다른 자동환전기에 넣어서
잔돈으로 바꾼 다음에 다시 버스값 백구십 엔을 요금통에 넣게 되어
있었다. 요금통 옆에는 자동환전기라는 표시가 붙어 있었지만 처음 타는
사람이 그게 뭔지 알 수가 있었겠는가.

운전수는 이미 요금통에 들어간 돈은 꺼낼 수가 없다며 천 엔을 받았다는
영수증을 써 주고는, 거기에 또 '일회 승차' 했다고 쓰더니, 그것을 버스
종점에 있는 영업소에 가지고 가서 거스름돈을 받으라는 것이었다. 정말
복잡한 과정이었지만 '얼마나 정확한 사람들인가!' 하는 생각이 들었다.
그러는 동안 버스가 마냥 정차하고 있어야 했으니 차 안의 손님들에겐
얼마나 미안했는지, '그냥 잔돈 팔백십 엔을 포기할까?' 하는 생각도
들었지만 끝까지 버텼다. 나는 그럴 때 돈이 얼마 안 되는 액수라서
포기한다는 생각을 도무지 하지 못한다. 경우에 따라서는 그보다 훨씬 큰
돈이라도 쉽게 잊어버릴 수 있어도 말이다.

오타루 박물관은 옛날에 창고로 쓰였던 건물을 그대로 쓰고 있어서 아주
독특한 분위기였다. 오타루 시민의 생활과 관계되는 것들이 삼만여

점이나 진열되어 있다는 박물관 안을 빠른 걸음으로 돌아보고는 아까의 버스정류장에 다시 갔다. 이번에는 빨간 빛깔의 로망 호가 와서 얼른 올라탔다. 마린 호와 로망 호 두 가지 버스를 다 타 보게 되어서 좋았다. 이 버스는 사진에서나 볼 수 있는 옛날 미국의 트롤리형 버스인데, 이름 그대로 로망을 느끼게 했다. 게다가 버스 안도 옛날에 만들어진 것같이 전부 나무로 되어 있어서 마치 내가 옛 영화 속 여인이라도 된 기분에 웃음이 나왔다. 주책없이 순간 로망을 느꼈던 모양이다. 나는 그 김에 버스에서 내릴 생각을 않고 그대로 앉아서 바다도 구경하고 운하도 구경하면서 도시를 한 바퀴 돌았다. 그런 후에는 옛 집들이 줄지어 있는 거리를 이국의 정취를 느끼면서 걷기도 하였다.

페테르부르크 미술관은 오타루 시 관광에서 빼놓을 수 없는 곳이었다. 그곳에선 피카소와 로트렉, 그리고 러시아 극장전, 이렇게 세 가지 기획전이 열리고 있었다. 그 중에서도 '러시아의 극장전'은 러시아의 발레리나들과 관련된 많은 작품과 자료들이 실감나게 전시된 기획전이었다.

'러시아 발레단의 디아길레프와 여자 발레리나'라는 이름의 스케치, 마리아 쁘띠빠가 춤출 때 입었던 의상과 분홍색 비단 토 슈즈와 디아길레프가 주관한 러시아 발레단의 발레리나들에 관한 사진과 그림, 공연 장면의 스케치들이 전시되어 있었다. 그리고 '거리의 꼭두극장', '상트페테르부르크의 마린스키 극장 모형' 등, 러시아 여러 극장에서의 공연무대 모형도 나의 관심을 끌었다.

그러다가 커다란 그랜드 피아노 앞에 놓인, 베이스 가수 샤리아 핀의 사인이 있는 사진을 보는 순간 나는 덜컥 반가운 생각마저 들었다.
일본에서 성악공부를 한 나의 외삼촌이, 사인이 있는 샤리아핀의 사진을
어린 나에게 수도 없이 보여주며 자랑을 해서, 아마도 그 사진이 눈에
익어서였던 것 같다. 어렸을때 나는 외삼촌이 노래를 잘 불러서 샤리아
핀이 특별히 사인을 해서 준 줄 알았는데, 그게 아니라 샤리아핀이 도쿄에
초청되어 와서 노래를 부를 때 무대 뒤에 가서 사인을 받은 것이라고 해서
실망했던 일이 있다. 삼촌은 더군다나, 사진은 음악회장에서 사 가지고
들어갔다는 이야기까지 하면서 그것을 자랑하셨다. 유명한 사람의 사인은
쫓아가서, 팬들끼리 몸싸움을 해서라도 받는 것이 기쁨이고 자랑이
된다는 것을 그때 나는 몰랐기 때문에 그렇게 생각했던 것이다. 어쨌든
그때는 외삼촌이 하신 일이 정말 우습게만 생각되었다. 늘 자랑을 하시는
분이라서였나 보다.
20세기 러시아를 대표하는 저음 가수로서 얼마나 가창력이 굉장했으면,
벽 하나를 사이에 둔 방의 컵에 담긴 물이 흔들릴 정도였다는 것이 씌어
있기도 했다. 샤리아핀이 돈키호테로 출연해서 노래를 부르고 있는
당시의 영화를 비디오로 보여주고 있어서, 잠시라도 그의 목소리를
감상할 수 있어서 좋았다.
그곳에는 또 도스토예프스키가 글을 썼던 말년의 그의 서재를 유품과 함께
재현해 놓기도 했다. 그 중에서도 그가 죽은 시각에 멈춘 괘종시계가 벽에
걸려 있는 것이 무척 인상적이었다. 멈춰진 시간은 여덟시 삼십팔분을
가리키고 있었는데, 그것이 오전인지 오후인지는 알지 못하고 왔다.
도스토예프스키는 스무 번이나 이사를 했는데, 집을 고르는 데 그 집에서

서재가 제일 커야 한다는 것이 조건이었다는 얘기도 적혀 있었다.
페테르부르크 미술관을 구경한 후 나는 오르골 박물관에 갔다.
관광안내소의 아가씨로부터 오타루 시에 오르골 박물관이 있다는 것을
들었을 때 얼마나 좋았는지 환성이 나올 뻔했다.
언제부터인가 나는 정교하고 아름다운 오르골을 하나 갖고 싶다는 생각이
들었는데, 지금까지도 정말 갖고 싶다는 생각을 하고 있었기 때문이다.
오르골 박물관의 입장료는 오백 엔, 마침 내가 간 시간은 오후 한시
오십분이었는데 두시부터 오르골 공연이 시작된다고 해서 다행이었다.
작은 교회 내부 크기의 방 안에 수백 종의 오르골들이 빼곡히 진열되어
있었다. 그곳의 젊은 여직원이 각기 다른 종류의 오르골에 대해 그
제작연도와 제작회사, 그리고 내부까지 보여주며, 백 년도 넘은 오르골을
작동시켜 아름다운 음악을 들려주니 여간 즐겁지가 않았다.
그 중에서 가장 사랑스러웠던 것은 '피에로 에크리방(글 쓰는
피에로)'이라는 이름의 오르골이었다. 하얀 옷을 입은 피에로가 책상 앞에
앉아서 긴 깃털의 펜을 쥐고 글을 쓰다가 꾸벅꾸벅 졸기 시작한다.
눈꺼풀이 스르르 내리감길 때마다 속눈썹이 얼마나 예쁜지. 책상 위에
놓인 호롱불도 가물대다가 꺼지려 한다. 그때 피에로가 깜짝 놀라 깬다.
피에로는 희고 가냘픈 손을 내밀고 호롱불의 심지를 다시 올려서 불을
밝힌다. 피에로의 동작이 시작되면서 끝날 때까지 오르골에서 나오는
음악은 너무도 고왔다.
'글 쓰는 피에로'의 사랑스런 움직임을 본 것만으로도, 여정까지
변경하면서 오타루에 다녀온 것은 정말 잘한 일이었다.

이경희를 말한다

언제나 가장 가까운 말벗처럼 오순도순 이야기를 건네 오듯 이경희 씨는 스스로의 글을 써 내려간다. 공연스레 도사리거나, 아니면 스스로를 가장하고 속에 없는 이야기를 꺼내는 것이 아니라, 자신을 그대로 드러내면서도 뜨거운 친근감과 애착을 갖게 하는 것이 바로 이경희 씨의 수필 세계다. 그는 자신의 글이 수식이 없고, 얘기의 순서에 신경을 쓰지 않고 써 내려가는 글이라고 겸손해 하지만, 이것은 거꾸로 이경희 씨의 수필의 뛰어난 특색이며 또 장점이라고도 할 수 있다.

사금(砂金) 채취의 명수

소설가 정비석(鄭飛石)이 「산귀래(山歸來)」에 관해 쓴 서평.
「서울경제신문」, 1970. 12. 30.

방송계의 '재치박사'로 널리 알려져 있는 이경희 여사의 처녀수필집 『산귀래』가 나왔다.

기지가 풍부한 데 평소에는 감탄하고 있었지만, 『산귀래』를 읽어 보고 나서는 또 다른 면에서 그의 비상한 재질에 경탄을 마지않았다. 이 책을 읽어 본 소감을 한마디로 표현하면서 "이 여사는 사금 채취의 명수"라는 느낌이 절실하였다. 이 책의 글들은 모두 일상생활에서 취재한 것들이다.

따라서, 무심히 읽어 버리면 특색이 없다고 말하는 사람이 있을지도 모르나, 남들은 무심히 지나쳐 버리는 그 일상생활 속에서 금싸라기같이 귀중한 가치를 발견케 하여 그것을 담담한 필치로 지적하고 있는 그 재질에는 탄복을 아니할 수가 없는 것이다. 사금이란 모래 속에 섞여 있는 금싸라기다. 그대로 두면 금도 모래와 함께 버림을 당한다. 그러나 명채금사(名採金師)가 있어서 모래를 체로 쳐 버리면 귀한 금싸라기를 얻게 되는 것이다. 내가 이 여사를 '사금 채취 명수'라고 지적한 것은, 『산귀래』에는 '사금'과 같은 글들이 담뿍 담겨 있기 때문인 것이다.

주부라는 걸 의식하면서 글을 쓴다는 것

소설가 황순원(黃順元)이 「산귀래」를 읽고 보낸 편지. 1970. 12. 26.

안녕하십니까. 보내 주신 수필집 『산귀래』 감사히 받았습니다. 얼마나 수고가 많으셨습니까. 우리나라 형편으로 한 여성으로서 글을 쓴다는 것도 힘든 일인데, 주부로서 특히 그 주부다운 걸 의식하면서 글을 쓴다는 건 여간 어려운 일이 아닐 줄 압니다. 그런 의미에서 이번 수필집은 뜻이 있고, 그래서 읽는 사람에게 더욱 친근감을 주는 것 같습니다. 남편 되시는 분께서 이해해 주신다니 얼마나 행복하십니까. 건강에 유의하셔서 앞으로 더욱 좋은 글 많이 써 주시기 바랍니다. 하긴 「자화상」에서 "나는 내 목을 항상 가늘고 기다랗다고 생각하고" 있지만 실제는 (책 속의 사진으로 보아) 단단하고 건강하신 편 같은데?
의지력도 대단하시고.
새해에 온 가내가 복 많이 받으시기 바랍니다.
황순원 올림.

야채 샐러드 한 접시의 산뜻한 미각

수필가 김소운(金巢雲)이 「산귀래」에 관해 쓴 서평. 「독서신문」, 1971. 4. 11.

"지금도 나는 나의 얼굴 중에서 코에 대한 말을 많이 듣고 있지만 어려서도 아마 나의 코는 굉장히 크게 보였던 모양이다. 우리 집에는 아버지 사촌누이뻘 되는 아주머니 한 분이 늘 놀러 오셨는데, 나더러 '고무'라고 부르라고 해서 무슨 뜻인지도 모르고 '고무' '고무' 하였다. 눈이 어찌나 크고 둥글게 튀어나왔는지 속으로 어떻게 저렇게 우습게 생길 수가 있을까 하였었다. 고무는 나를 무척 귀여워해 주셔서 나만 보면 눈깔사탕도 사 주시고 호리병뽑기(설탕을 끓인 것에 여러 가지 무늬판을 찍어서 굳힌 것을 침으로 핥아 가며 무늬를 뽑아내는 것)도 사 주시곤 하였다. 나는 눈깔사탕을 먹을 때마다 고무의 눈을 연상하면서 웃음이 날 뻔하곤 하였다.

고무는 나를 항상 무릎 위에 올려놓고는 몸을 앞뒤로 두 번, 좌우로 두 번을 크게 흔들면서 '들창-코' '말-코' '들창-코' '말-코' 하면서 놀리시곤 했었다. 나는 물론 장난으로 그러시는 줄은 알면서도 고무를 막 때리면서 아니라고 악을 쓰곤 하였다. 그러나 고무가 가 버리면 나는 왜 그런지 속이 상했다. 무엇 때문에 나보고 들창코니 말코니 하는지는 분명히 몰랐지만, 내 코가 보기 흉한 코라는 것만은 짐작을 하였다. 그러나 네모난 들창을 아무리 보아도 그것이 사람 코 같지는 않았고, 행길에서 말이 지나갈 때 따라가면서까지 보아도 말에는 코에 구멍만 크게 뚫려 있지 사람 코 같지가 않았다. 큰 다음에 아주 어렸을 때의 사진을 보니까 어쩌면 양 콧구멍이 그렇게 벌렁 들여다뵈는지, 나는 그때의 고무의 목소리를 기억 속에 되새기며 혼자 미소짓지 않을 수 없다."

눈에 띄는 대로 짤막한 글 하나를 골라 본 것이 이상의 '큰 코' 얘기다. 읽어 가면서 미소가 절로 떠오른다. 아무런 부담감 없이 시원시원하게 읽히면서도 여기엔 '아동심리학(兒童心理學)'도 있고 '호리병뽑기' 같은 풍속사(風俗史)도 있다. 그런데도 읽는 이에게 아무런 강요도 하지 않는, 이를테면 '무소구(無所求)'의 글이다.

처음 글을 쓰는 분이라는데 그런 풋냄새는 어느 글에서도 나지 않는다. 차라리 여유조차 있어 보이는 늠름하고 겁이 없는 필체는, 중년 들어서 글에 손을 댄 이 같지가 않다. 요즘 유행인 '무엇무엇 하는 것이었다' 식의 야릇한 어투가 없어서 우선 좋다.

기증받은 책을 하룻밤 새 반이나 읽어 버렸다. 사백 면에 가까운 두툼한 책인데도 마치 포켓북 한 권을 만지는 것처럼 경쾌한 느낌이다.

일본에서 수필가란 이름만으로 행세하는 문인(文人)으로는 우치다 핫켄(內田百閒)이 딱 하나 있을 뿐이다. 그의 글에는 이렇다 할 인생의 대사건도 없고, 문장에도 이른바 기승전결(起承轉結)이란 것이 없는 지극히 평범한 서술들이다. 집을 나간 '노라'라는 고양이 한 마리를 두고 책 한 권이 되고도 남을 만큼 기다란 글을 『쇼세쓰신초(小說新潮)』에 연재했지만, 망령된 늙은이의 잠꼬대라고 해서 그 글에 반감이나 저항을 느낀 독자는 아마 일본에는 없었으리라고 생각된다.(만일 그랬다면, 독자의 반응에 민감한 편집자가 그런 글을 그렇게 길게 실었을 리가 없다) 아기자기한 잔맛도 스토리도 없는 그런 글이면서도 고담(枯淡)한 산수화의 운치가 풍기는 것은, 역시 오랜 풍상(風霜)을 겪어 온 문장의 관록이겠지만, 만일 그런 글이 우리말로 씌어진다면 한국의 독자들은 어떻게 평가할 것인가. 흥미있는 과제이기도 하다.

우리들의 생활 주변에는 심각한 문제들이 너무 많다. 갈등, 모순, 불합리, 게다가 뼈에 전 인간불신, 이맛살을 찌푸리고 눈을 번뜩이면서 살아가야 하는 하루하루. 지금 우리에게 아쉬운 것은, 심원한 철학보다도, 고매한 이론보다도, 우선 창문을 활짝 열어젖히고 시원한 바람을 불러들이고 싶은 그 충동이다.

신문, 잡지에 광고 한 줄을 내지 못했다는 소박한 책이지만 이 『산귀래』한 권은 불갈비나 비프스테이크의 기름기에 식상한 이에게 야채 샐러드 한 접시의 산뜻한 미각이 되리라고 믿는다.

책이 닿은 날 밤 늦도록 읽고

수필가 김소운이 『산귀래』를 읽고 보낸 편지. 1971. 1. 1.

근하신년(謹賀新年).

『산귀래』 보내 주셔서 감하(感荷)합니다. 책 읽기에 게을한 저로서는 거의 없었던 일입니다만은, 책이 닿은 날 반 이상을 밤 늦게까지 읽었습니다. 가끔 애교처럼 오식(誤植)이(203쪽 둘째 줄 '여하교' 따위) 눈에 띄었지만 표지, 장정, 용지, 활자가 두루 탈잡을 데 없는 당당한 관록입니다. 처음 내신 책이라니 더욱 놀랍습니다. 책에 쓰신 말씀 그대로 앞으로 더 많은 호저(好著)를 내놓으시리라 믿고 기대합니다.

도쿄 얘기 중에 나오는 김인재(金仁在), 김용환(金龍煥) 제우(諸友)는 저와도 퍽이나 가까운 분들입니다. 용환 코주부는 월전(月前)에 서울 와서 칼(KAL) 호텔에 며칠 묵고 갔습니다. 만나셨는지요.

연초의 여가를 틈타 나머지도 독료(讀了)하겠습니다. 재미있게 읽은 얘기들을 두고는 쓰고 싶은 말이 많습니다만, 모두 서랍에 간직해 두겠습니다.

원고지에다 써서 예(禮)가 아닌 줄 알면서도 새해 첫날 처음 든 붓이란 점에서 눌러 회용(悔容)하시기 바랍니다.

올해는 더욱 건강하시고, 뜻하시는 일 만사형통하시기를.

원조(元朝) 소운(巢雲) 배(拜).

이경희 님 안하(案下).

미묘 섬세한 감각의 삼출

시인 서정주(徐廷柱)가 「뜰이 보이는 창」에 관해 쓴 서평. 「경향신문」, 1972. 11. 17.

이 여사의 두번째 수필집인 『뜰이 보이는 창』 속에서 「왕과 나」라는 제목의 글에 눈이 쏠려 단숨에 그것을 다 읽어낸 기억이 아직 새롭다. 그네의 구미(歐美) 각국 순례의 여행기들엔, 우리나라의 여류 문인 아니고선 느낄 수 없을 여러 가지 미묘 섬세한 감각이 삼출(滲出)되어 있어 한 매력을 이루고 있다.

대기만성이란 말대로 느지막이 불혹에 가까운 나이에 문단에 진출해서 꾸준하고 부지런히 문필과 사업과 주부 노릇을 다 척척 잘해내고 있는 이 여사를 보고 있으면 남자 이상의 일꾼의 역량이 느껴져서 마음 든든하다. 꾸준히 노력, 정진하여 우리 한국문학의 발전에 좋은 기여를 해주기를 거듭 부탁하며, 책 내용을 소개하여 서평에 대신한다. 이 책은 저자가 여성계와 출판계 대표로 여러 번 해외여행을 한 후 그때그때 느끼고 보고 쓴 여행기를 중심으로 그 동안 국내에서 발표한 글과 국내여행기를 묶은 것으로, 부드러운 글 속에서 필자의 사고와 위트와 인생관을 피력하고 있다.

특히 군데군데 필자 자신의 삽화와 표지의 유화는 이 여사의 다양한 재능을 엿보이게 하면서 글을 빛내 주고 있다.

책의 제본도 사륙판의 아담한 체제로 ─필자 자신의 출판사에서 발행한 탓도 있겠지만─ 그림과 글의 배치와 장정 등에 치밀한 정성을 들여 하나의 작품으로 만들려 한 노력이 보여 호감이 간다.

글은 왜 쓰는가

문학평론가 김현(金炫)이 「뜰이 보이는 창」을 읽고 쓴 에세이. 「현대여성」, 1973. 2.

이경희 씨의 『뜰이 보이는 창』을 읽고, 나는 글은 왜 쓰는가라는 문필가 본래의 문제와 다시 마주쳤다. 아름다운 삽화와 간단한, 그리고 생활 주변에서 쉽게 얻을 수 있는 사건들에서 삶의 지혜를 찾아내는 그녀의 노련한 솜씨, 그리고 그녀의 애교있는 여행담 같은 것을 충분히 즐길 수 있는 그 책의 마지막 장을 넘긴 후 나의 맨 처음의 느낌은, 도대체 글은 왜 쓰는가 하는 것이었다. 왜 그러한 질문과 부딪치게 되었을까. 그녀의 무엇이 나로 하여금 그녀의 몽상적이고 동화 같은 세계 속에 그대로 침잠할 수 없게 만든 것일까. 그 글들이 재미없어서일까. 아니다. 그 글들은 내가 볼 수 있었던 아름다운 수필들에 속한다.
여자 특유의 감수성과 직관력은 충분히 독자들을 글의 세계로 인도한다. 그렇다면? 그녀의 감수성과 직관력에 그 무슨 꺼림칙한 것이 있단 말인가. 천만에 말씀이다. 그녀의 글에는 한국 여성 특유의 넋두리도 없고, 고요한 밤에 별빛을 바라보니 가슴이 울렁거린다라는 따위의 사춘기적 몸부림도 없다. 한 가정을 지키는 주부의 애정 어린 입김이, 그녀가 묘사하고 있는 모든 대상들과 인물들을 감싸고 있다. 거기에다가 서구라파의 어떤 국왕의 파티에, 초대장도 없이 돌입해 나간 것을 묘사한 일절에서 볼 수 있듯이 우아한 대담성까지 보인다. 그런데 왜 그 책은 나에게 글은 왜 쓰는가라는 질문을 유발시킨 것일까.
그런 질문을 풀기 위해서 다시 한번 그 책을 통독한 연후에, 나는 그의문을 제기시킨 내 의식상태의 어떤 모습을 볼 수 있는 한 실마리를 찾아내었다. 그것은 「즐거움을 주는 시간」이라는 제목이 붙어 있는 조그마한 글의 한 토막이었다. "아이들한테도 시어머니한테도 사실 나는 미움받지 않는 글을 쓰기 위해서 일부러 많은 시간을 내어 그들을 돌보게 됩니다"라는 구절이 바로 그것이다. 그 구절은 그녀가 커 가면서 점차로 느끼기 시작한 허무감을 이겨내기 위해서 글을 쓰기 시작했다는 진술 바로 뒤에 나온다. 그러니까 그녀는 자기 내부의 공동(空洞)을 메우기 위하여 글을 쓰기 시작했고, 그러다 보니까 집안일에 등한할 수 없게 되었다라는 진술이다. 이 진술에는 두 가지의 주제가 담기어 있다. 하나는 글이란 내부의 공동을 메워 준다는 것이고, 또 하나는 글이란 외부의 일에 충실하게 작가를 만든다라는 것이다. 글을 통해 내부의 공동 ―허무감과 타인에 대한 책임감에 변증법적으로 지양이 되는 상태를 그 두 명제는 보여준다. 그러나 그 명제를 보다 깊은 의미에서 살펴볼 필요를 나는 느낀다. 과연 내부의 허무감이란 무엇이며, 외부의 일에 대한 책임감이란 무엇일까. 내부와 외부는 과연 분리될 수 있는 성질의 것일까. 내부와 외부가 적절하게 분리되고 그 간극을 글이 메워 줄 수 있다면 문제는 행복하게 풀릴 수 있다. 그러나 내부가 외부의 다른 말에 지나지 않으며, 외부가 내부의 다른 말에 지나지 않는다면, 문제는 복잡해진다. 그때 글은 카타르시스의 대상이 되지 못한다. 그것 자체가, 마치 내부나 외부와 마찬가지로 하나의 미로가 된다. 미로로서의 글은 그 글을 쓰는 자에게 계속 고문을 가한다. 그것을 쓰는 자의 심적 행복을 그때 그것은 약속하지 않는다. 내부와 외부 사이의 어느 곳에 글이 있는가를 알지 못할 때처럼 글을 쓰는 자에게 당혹스런 시간은 없다.
물론 간단하게 내부와 외부를 구분하고 그것으로 글을 쓸 수는 있다.
그러나 그것은 너무 쉽게 해답을 찾아내는 우를 범하기 쉽다. 삶과
그것의 표현인 글에 있어서, 쉬운 해답처럼 위험한 것은 없다. 그것은
사태를 너무 단순화시켜 사고의 폭을 한정시키고, 사고의 범위가
넓어지는 것을 방해한다. 글은 단순히 허무감이나 공동을 메우는 약재가
아니다. 그것은 정신을 더욱 고문하고 자극하여 허무감이나 공동을 더욱
크게 드러나게 하는 자극제인 것이다.

"미는 세계를 구할 것이다"라는 도스토예프스키의 말을 솔제니친은 다시
인용하면서, "예술작품이 세계를 구할 수 있는 것은 그것이 거짓을
싫어하기 때문이다"라는 의미심장한 말을 하고 있다. 쉬운 해답은
위험한 것이다. 그것은 곧 거짓으로 변할 가능성을 갖기 때문이다. 쉬운
해답보다는 거짓 없는 질문을 글은 하지 않으면 안 된다. 그것이 글을
쓰는 유일한 이유이다.

격(格)을 얻은 수필가

수필가 피천득(皮千得)이 「현이의 연극」에 관해 쓴 서평. 「독서신문」, 1973. 10. 21.

『산귀래』『뜰이 보이는 창』에 이은 이경희 씨의 제삼 수필집 『현이의 연극』 속에는 「타이틀·에세이」 외 스물여섯 편과 기행문들이 실려 있다. 저자 자신이 그린 이국 풍경의 스케치들이 곁들여져, 상을 탈 만큼 호화스러운 장정은 사치까지 느끼게 한다.

책 전편을 통하여 문장이 부드럽고 경쾌하며 내용이 참신한 이 수필집은 세련된 향취를 풍긴다.

이 저자의 뚜렷한 특징의 하나는 명철한 리얼리즘과 향수 같은 낭만의 하모니이다. 그는 때로는 꿈 많은 소녀 같고, 때로는 지혜로운 엄마가 되는 것이다. 「속(續) 산귀래」「북어」「여치」「박하사탕과 쵸코렛」 같은 글은 오직 기쁨만을 주는 좋은 수필들이다.

「편지 쓰는 마음으로」라는 글은 그의 수필을 쓰게 된 동기와 수필을 쓰는 태도를 서술한 것으로, 그의 부드러운 마음씨와 생의 가치를 추구하는 태도가 나타나 있다.

「이중섭의 그림」은 그림에도 일가견이 있는 그로서 불우한 예술가의 생애와 작품에 애착을 느끼는 성벽(性癖)을 엿볼 수 있다. 이렇게 편지같이 쓴 글이 그의 영역이다.

그러나 그의 「이민」은 독자에게 많은 것을 생각하게 한다. 그는 외국으로 여행 떠나기를 좋아한다. 그에게 있어 여행은 큰 기쁨이나, 돌아오는 것은 더 큰 기쁨이다. 이 수필은 그가 조국 땅에 얼마나 뿌리깊은 애착을 갖고 있는가를 보여준다.

이 수필집의 제목이요 압권인 「현이의 연극」은 참으로 일품이다. 현이가 「숲속의 대장간」이라는 학교극에서 한낱 풀잎 역을 맡았지만 엄마에게 이 극은 '현이의 연극'인 것이다. 많은 풀잎 속에서 한 풀잎을 찾아내려고 애쓰고 있는 엄마의 마음, 풀잎이 쓰는 푸른 모자를 잘못 잠깐 떨어뜨린 것을 엄마가 보았을까 봐 걱정하는 현이의 마음, 독자의 눈물이 아깝지 않다.

정서가 섬세하고 높은 교양을 가진 이 작품은 학교가 있고 아동극이 있는 한 영원한 것이다. 그리고 저자는 이 글 하나만으로도 격(格)을 얻은 수필가라는 평을 받을 수 있을 것이다.

넘치는 서정미와 인생에 대한 예리한 관찰력

소설가 신석상(辛錫祥)이 『현이의 연극』에 관해 쓴 서평. 「주간 종교」, 1974. 4. 3.

이경희 씨가 쓴 세번째 수필집 『현이의 연극』은 나에게 많은 감명을 주었다. 씨의 두번째 수필집 『뜰이 보이는 창』을 읽을 때보다 더 많은 감동이었다. 우선 『현이의 연극』에 수록된 삼십여 편의 수필과 대여섯 편의 기행문 중에 「모교의 뜰」과 「이웃과 사랑의 대화들」을 읽으면 작자의 넘치는 서정미와 인생에 대한 예리한 관찰력을 직감할 수 있다.
"수송동 골목, 담쟁이 넝쿨이 뻗어 올라간 붉은 벽돌교사 앞을 가끔 지날 때가 있다. 그럴 때면 나는 굳게 닫힌 철문 안을 버릇처럼 한 번씩 기웃거리게 된다. 그곳은 나의 소녀시절의 꿈을 한껏 키워 준 요람. 마치 동화책 속의 그림을…."
이런 순수한, 과장 없이 수놓아진 수필집이 바로 『현이의 연극』이었다.
"애정 결핍이 모두 그렇게 흉악한가? 혼자 조용히 자살하는 자도 있지 않은가? 산으로 조용히 들어가 세상을 저버리는 사람도 있지 않은가?"
흉악한 탈주병의 사고에 대해 일반적인 원론만 늘어놓는 걸 매우 꾸짖는 예리한 관찰력. 어떤 계층이 읽어도 인생과 애정 그리고 사회에 대해 얻는 것이 많으리라 믿어 일독을 권하는 것이다.

따뜻한 생활의 향훈(香薰)

문학평론가 신동한(申東漢)이 『멀리서 온 시집(詩集)』에 관해 쓴 평론.
『멀리서 온 시집』, 범우사, 1979. 2.

여류 수필가로서 여러 권의 수필집을 내고 또 누구보다도 많은 글을 써
오고 있는 이경희 씨는, 원래 대학에서 약학(藥學)을 전공한 약학도였다.
그러나 애초부터 문학에 뜻을 두고, 소설이나 시 또는 수필을 써 온
사람이 무색해질 정도의 재주를 보여, 우리나라 수필계에서 이제는
흔들리지 않는 자리를 차지하고 있는 꼽히는 수필가로서 활동을
계속하고 있다.
그는 글뿐이 아니라 그림에도 뛰어난 솜씨를 보여 화문(畵文)을 아울러
갖춘 풍류의 문인이다.
또 문학에 취미를 가진 사람이 흔히 빠지기 쉬운 내성적이거나 폐쇄적인
세계에 파묻혀 있지 않고 무척 활동적인 행동가의 생활을 하고 있다.
그는 글을 쓰고 그림을 그리는 스스로의 취미를 제쳐 놓고도 여러 가지의
사업을 벌이고 있으며, 또 여러 차례의 해외여행을 통해 누구보다도 넓은
견문과 체험을 지니고 있다.
수필이 어떤 틀에 묶여 있는 글이 아니라 다양한 견문과 박식의 뒷받침이
있어야 하는 것이라는 데 생각이 미칠 때, 이경희 씨가 수필의 세계에서
높은 봉우리를 쌓아 올리고 있다는 것은 필연적인 귀추(歸趣)라고도 할
수 있겠다.
흔히 이야기하듯이, 글이란 가장 세련되고 집약된 말의 표현이라고도

하지만, 어쨌든 문학이 언어의 예술이라는 점에서 말에 대한 관심이나 감각이 글 쓰는 사람에게는 가장 소중한 것이라고도 할 수 있다.

수필가 이경희 씨는 애초에 글보다는 말로만 표현하는 일에도 종사했다고 한다. 그러다가 그것이 글에 대한 관심과 애착으로 변모한 것이다. 그 과정을 그는 다음과 같이 쓰고 있다.

"나는 대학 일학년 때부터 우연한 기회에 방송의 패널로 나가게 되면서 이십 년 가까이 쭉 말로 시종하는 방송 생활을 해 왔다.

물론 이러한 나의 생활이 결코 싫지 않았기 때문이다. 그러나 왜 그런지 그렇게 정열을 쏟고 노력한 이러한 나의 생활인데 돌이켜보아 남는 것이 없음을 알았다. 쌓이는 것이 없음을 알게 된 것이다.

말하자면 이제까지의 나의 팬들이 늙어 버리든지, 아니면 없어져 가는데 이들이 결코 다른 청취자에게 나를 인계하고 물러가지 않았다. 나는 그때마다 새로운 사람에게 다른 사람의 입과 설득력을 빌려 소개받아야만 했다.

이런 일은 점점 나이를 의식하면서 귀찮게 되고 또 크게 허망함을 느끼게 되었다. 그러면서 아득히 어린 후배들이 글을 쓴다는 이유 하나로 언젠가 벌써 많은 독자를 가지고… 그리고 누구 하나의 부축함이 없이도 모든 사람에게 소개되곤 하는 것이 아닌가.

나는 항상 여자의 질투라든지 아량 없는 마음에 냉혹할 만큼 비판적이었으면서, 여기에 이르러서는 새삼스럽게 나 자신에 대하여, 그리고 지극히 무의미했던 과거에 대해 뉘우치게 되었던 것이다.

그것이 무엇일까.

꼭같은 노력과 정열을 쏟았으면서 매양 내가 나를 소개하고 설명하기
힘든 그 사유가 무엇인가. 그것에 대해 나는 생각하기 시작했다.
한마디로 그것은 '소리'와 '글'의 차이라고 나는 판단을 내렸다.
이제까지의 나의 기지(機知)와 정열을 허망한 소리로 공중에 날려
버리고 마침내 남는 것은 껍데기밖에 아닌 것 같은, 갑자기 견딜 수 없는
바보인 나를 발견했던 것이다.
그것이 바로 내 나이 사십이 되려는 작년 초봄의 일이었다. 우선 조용히
늙어 버릴 수 없다는 소녀 때의 꿈이 계속 살아 있었다는 원인도 있지만,
여자가 집에만 틀어박혀 있으면 그 누구에게든지 뒤떨어진다는 사실을
알게 된 후부터 이러한 나의 생각은 굳어졌고, 그래서 무어든 해야
한다는 앙탈 같은 의지가 영원과 연결될 수 있다는 글 쪽으로 돌아섰던
것 같다."
여기에서 그는 아무런 가식이나 과장 없이 스스로가 글을 쓰는 길을
택하게 된 이유를 밝히고 있다. 흔히 글 쓰는 사람들에게 있기 쉬운
자기도취나 자기과장, 그리고 허세나 허영이 그의 글에는 도무지 없다.
그것은 앞에 인용한 대목에서도 넉넉히 짐작하고도 남을 것이다.
그는 여러 가지의 소재를 가지고 글을 쓰면서도 그것을 누구나 쉽게 읽을
수 있으면서 흥미를 느낄 수 있게 하는 독특한 문체의 매력을 가지고
있다. 그 문체는 무슨 미문체(美文體)나, 아니면 명문체(名文體)의
화려한 수식이나 형용은 도무지 없으면서도, 담담한 글 가운데에 모든
것을 이야기하고 있다.
누가 말하기도 했다지만, 좋은 글이란 결국 누구나 읽어서 쉽게 알 수

있으면서 재미가 있으면 되는 것이다.

지나친 수식이나 과장, 그리고 이상한 형용은 독자를 어리둥절하게 하고 글의 진의를 쉽게 알아차리지 못하게 한다.

이경희 씨의 수필이 지나친 수식이 없으면서도 읽는 사람에게 매력을 주고 흥미를 느끼게 해준다는 것은, 원래 그가 말에 많은 관심을 가지고 오랫동안 일해 온 데서도 연유할 것이다.

또 그의 글에는 어느 구석에고 생활의 윤기를 느끼게 하는 따뜻함이 있다. 글이 생활의 진실을 이야기한다는 말도 있지만 수필에서는 그것이 더욱 강조되어야 한다. 그러한 점에서도 이경희 씨의 수필은 누구보다도 두드러지게 생활의 향훈(香薰)을 느끼게 해준다.

그는 생활을 말하는 대목에서도 언제나 폭이 넓은, 밝은 이야기를 해주고, 또 어두운 곳을 말할 때에도 그것을 어둡게만 그리지 않고 밝은 곳으로 이끌어 가려는 건전한 의욕을 보여주기도 한다.

그의 글에는 가족의 이야기도 많이 나온다. 그러나 그것이 옹색한 자기 세계에만 머무르지 않고, 언제나 남과의 관련 속에서 이루어지는 자신과 가족의 이야기가 나온다.

또 그것은 따뜻한 인간애와 세상이 올곧게 뻗어 가게 하려는 의지가 꿈속에서 그려지고 있다.

그렇다고 그의 글 가운데에는 어떠한 도덕적인 딱딱한 구석이나 교훈적인 냄새를 피우는 자세는 도무지 없다.

언제나 친근한 이야기꾼처럼 부드러운 목소리로 다소곳이 속삭여 주는 것 같은 글을 쓰고 있는 것이 이경희 씨의 세계다.

그는 자신의 글을 쓰는 방식을 다음과 같이 말했다.

"나는 글을 쓸 때 누군가를 생각하면서 쓴다. 그런 것이 상(像)을 만들 때 훨씬 쉽기 때문이다.

예컨대 나의 사랑하는 딸이거나 남편이거나 친구거나, 아니면 적이라고 가상하는 어떤 이름있는 사람을 설정하고 쓰기도 한다.

때문에 자연히 편지투나, 아니면 기행문투가 되어 버리는 경우가 많다. 그러나 그래야만 별로 거침없이 마음먹은 바를 모두 기술할 수 있을 것 같다."

이렇게 언제나 가장 가까운 말벗처럼 오순도순 이야기를 건네 오듯 이경희 씨는 스스로의 글을 써 내려간다.

공연스레 도사리거나, 아니면 스스로를 가장하고 속에 없는 이야기를 꺼내는 것이 아니라, 자신을 그대로 드러내면서도 뜨거운 친근감과 애착을 갖게 하는 것이 바로 이경희 씨의 수필 세계다.

그는 자신의 글이 수식이 없고, 얘기의 순서에 신경을 쓰지 않고 써 내려가는 글이라고 겸손해 하지만, 이것은 거꾸로 이경희 씨의 수필의 뛰어난 특색이며 또 장점이라고도 할 수 있다.

아무런 내용이 없는 것을 말재주나 수식으로 얼버무리는 글이 우리 주변에 수없이 많이 눈에 띄는 이때, 이경희 씨의 성실하면서도 따뜻한 내용을 언제나 담담한 필치로 엮어 나가는 여러 편의 수필은 다시없이 소중한 것이라고 할 만하다. 수필이 누구에게나 읽히는, 가장 폭넓으면서도 친근한 글이라는 것을 본보기로 보여주고 있는 것이 다름 아닌 이경희 씨가 걸어가고 있는 수필의 세계가 아닌가 생각한다.

꼭두각시 아줌마!

문학평론가 이헌구(李軒求)가 『꼭두극』을 받고 보낸 편지. 1981. 6. 24.

꼭두각시 아줌마, 이경희 여사 안녕하십니까.
그 동안 격조(隔阻)했습니다. 이쁘고 귀여운 『꼭두극』을 펴내시느라고 얼마나 수고하셨습니까. 그 귀한 책을 저에게까지 보내 주신 성의에 거듭 감사드립니다. 그리고 벌써 책이 나온 지도 여러 날 지나갔는데, 게으르고 주책 없는 저 자신의 무신(無信)을 얼마나 꾸중하셨습니까. 오늘이 그 오늘, 그렇게 하루 이틀 지나고야 말았습니다. 저의 무성의 새삼 굳게 채찍을 내려 주십시오. 그러오나 저의 습성화된, 이 정체된 생활에 젖어 버려, 가지가지로 잘못 한두 가지가 아닌 줄 알기는 하오나, 일이 모두 그렇게 마음대로 안 되는 것도 저의 태성(怠性)이라고 스스로 꾸지람합니다. 널리 용서해 주시고 너그럽게 이해해 주시기 마음으로 두 손 모아 기원합니다. 그나마 오늘 육이오 전날을 택해 문득 이 여사를 생각게 되었습니다. 부디 앞으로 하시는 일 더욱 충실해지시기 바라오며, 미운 놈 떡 하나 식으로 저에게 사랑의 채찍 내려 주시기 충심으로 기원합니다. 금년도 반이 지나갔습니다. 나머지 반년이나마 성실한 삶을 이어 가려고 생각합니다. 버리지 마시고 귀히 여겨 주시기 바라오며 두서없는 몇 자 난필로 대신합니다. 꼭두각시 더욱 발전해서 무럭무럭 커 나가게 노력하기를 두 손 모아 바라옵니다.
그럼 그 동안 저의 무례함을 용서해 주시옵소서.
이헌구(李軒求) 드림.

유사(唯史) 이경희(李京姬)는 1932년 12월 15일 서울에서 태어났다. 숙명여고와 서울대학교 약학대학을 졸업하고, 대학 이학년 재학시절부터, KBS 라디오의 「스무고개」와 「재치문답」 등의 프로그램에 '박사'로 출연하기 시작하여 KBS 텔레비전의 「나는 누구일까요?」 「나의 직업은?」 등, 이십 년 가까운 세월을 방송 패널로 출연했다. 1970년 첫 수필집 『산귀래(山歸來)』로 문단활동을 시작하면서, 1972년부터 1975년까지 영문일간지 『The Korea Herald』에 「Women's Pattern」이라는 타이틀의 주간 칼럼을 씀으로써 한국 여성의 고유한 정서를 외국인 독자에게 알리는 데 기여했다. 또한 많은 국제회의에 참석하는 등, 1960년대부터의 여행이 그녀의 삶의 테마가 되어 '기행수필' 이라는 장르의 수필세계를 만들어 1994년부터 2007년까지 『월간 춤』지에 연속해서 글을 썼다. 특히 그녀의 수필 중 「현이의 연극」은 중학교 국정국어교과서에 선정되어 삼십 년 가까이 실리고 있다. 동갑인 남편 오수인(吳壽寅)과의 사이에 네 딸을 두고 있으며, 현재 국제펜클럽, 한국문인협회, 한국수필가협회, 한국여성문학인회 등 문인단체에 이름을 두고 있다. 저서로 『산귀래』(1970), 『뜰이 보이는 창』(1972), 『현이의 연극』(1973), 『남미의 기억들』(1977), 『백남준 이야기』(2000) 외 여럿이 있으며, 영문수필집 『Back Alleys in Seoul』(1994)이 있다. 『백남준 이야기』로 현대수필문학상을 받았다.

李京姬 기행수필

초판발행 2009년 5월 1일 발행인 李起雄 발행처 悅話堂
등록번호 제10-74호 등록일자 1971년 7월 2일
편집 조윤형 송지선 배성은 북디자인 공미경 이민영 인쇄 · 제책 (주)상지사피앤비

경기도 파주시 교하읍 문발리 520-10 파주출판도시 전화 (031)955-7000, 팩시밀리 (031)955-7010
www.youlhwadang.co.kr yhdp@youlhwadang.co.kr

ISBN 978-89-301-0348-0

＊값은 뒤표지에 있습니다.

A Wanderer's Travel Essays ⓒ 2009 by Lee Kyung-Hee
Published by Youlhwadang Publishers. Printed in Korea.

이 도서의 국립중앙도서관 출판시도서목록(CIP)은 e-CIP 홈페이지
(http://www.nl.go.kr/cip.php)에서 이용하실 수 있습니다.(CIP제어번호: CIP2009001194)